DE ENKELE DAAD

J. Visser-Roosendaal

DE ENKELE DAAD

'Westfriesland' - Hoorn

Heruitgave, eerste druk 1982
tweede druk 1983
derde druk 1984

ISBN 90 205 1644 2

Omslag: Reint de Jonge

1

Heel die lange winternacht, waarin de zoon van Jan Spijker geboren werd, gromde een ijzige wind om het kleine huisje. Daarbinnen was het warm en licht door de dansende vlammen in de vuurpot onder de lage schoorsteen en de brandende tuitlamp op tafel. In dat licht zag Jan voor het eerst zijn kind: een rood spartelend schepseltje dat schreiend het leven begroette.

„Een flinke zoon," prees de vroedvrouw dat griezelige wezen.
Jan keerde zich naar zijn vrouw in de bedstee.

„Hoor je het, Ant?"

„Wel Jan, een joôn... Ben je niet blijd?" Haar stem juichte. En dat na zo een zware nacht...

„Vanzelf ben ik dat," beaamde hij vlot. „En jij?" vroeg hij zacht plagend.

„Ik? Ik ken er wel van huile," zei ze moeilijk.

Ant, zijn sterke Ant, die al deuze ure zo flink weest was, die zou warempel nog beginnen te huilen nou alles goed en wel achter de rug was? Nou, dan hoefde hij niet verder te vragen of ze in 't zin was met die kleine schreeuwer.

Hij zag toe hoe de handige vingers van de vroedvrouw het kindje verzorgden en het daarna kleedden.

„Op wie lijkt ie?" vroeg Ant nu.

De juffrouw keek naar de tengere, iets gebogen gestalte van Jan.

„Hij lijkt op jou," antwoorde ze haar.

Jan boog zich over het kind heen en bezag aandachtig het nog vormloze gezichtje, dat nu nog eens zo rood leek in de omlijsting van een wit mutsje. Hij kon geen gelijkenis bespeuren.

„Is het eerlijk waar?" vroeg hij en hij keek de juffrouw strak aan. Ze las spanning in heel zijn wezen en aarzelde even met haar antwoord. Wàt wilde deze man weten?

Weer keek ze van het kind naar hem en dan dacht ze aan de grote, krachtige en kerngezonde vrouw in de bedstee.

„Ja. Hij lijkt op zijn moeder," zei ze beslist.

Toen streelde Jan voorzichtig een van de kleine handjes en hij lachte voluit. Het was als een soort bevrijding.

Toen de dageraad kwam ging hij naar buiten en ademde daar gretig de frisse koude lucht in, al huiverde hij toen de wind aan zijn kleren rukte en door zijn haren joeg. Met kleingeknepen ogen tuurde hij naar de rode gloed die de komst van de zon voorafging.

Zes januari. Zijn zoon was dus op Driekoningen geboren.

Zijn zoon . . .

Jan sloot de ogen nu geheel en zijn mager gezicht werd hard en bitter.

Wat kon hij zijn jongen geven? Hij, die als vast werkman bij een boer vier gulden in de week met vrij wonen en een kan melk daags verdiende?

Zijn handen balden zich tot vuisten nu hij opeens dacht aan de omgeving waarin zijn kind geboren was. Het armoedige verveloze kamertje, waarin hun beetje huisraad volkomen op zijn plaats was; de wieg, bruin van ouderdom en bedekt met een kleed zó vaal dat het oorspronkelijke groen niet meer te herkennen was; een wieg waarin reeds tientallen kinderen hun eerste levensmaanden hadden doorgebracht en ook soms waren gestorven. Wel had Ant voor de binnenbekleding nieuwe, helderwitte kappen gemaakt en had ze een mooi lappendekentje genaaid en fijne kantjes aan de oude lakentjes en sloopjes gehaakt die haar moeder had gegeven, maar het was en bleef oude gebruikte rommel. Allemaal.

Een ander kon dit mogelijk niets schelen. Ant was zelfs trots op hun boeltje. Zij had het immers zuinig bijeengespaard; maar hij moest altijd terugdenken aan wat voor hem had kunnen zijn. Al dacht hij alleen maar aan het huis waarin hijzelf geboren was. Nu, in het rijzende licht, kon hij nog niet veel ontwaren, maar voor zijn geest rezen dat woonhuis en die plaats duidelijk voor hem op. De hoogste, de mooiste, de rijkste van het dorp. Daar zou nu de lucht vervuld zijn van het geruis der zwiepende boomtakken, want deze wind zou er ongenadig door de kruinen der iepen jagen. Zesendertig stonden er rondom hun erf ter beschutting van het dak waaronder hij eens geboren werd. Hij, Jan Spijker, enige zoon van Klaas Spijker, aan wie al het zorgvuldig bijeengehouden bezit van een geheel uitgestorven familie was toegevallen en die daarna met zijn zwakke, knappe nicht was getrouwd.

Hij was met recht in weelde geboren en opgegroeid. Hij was omringd geweest door mooie en vooral door dure dingen. Bij hem thuis deden een werkman en een volwassen knecht zijn vaders werk en twee meiden namen zijn moeder alles uit de hand. Aan het feit dat dit steeds wisselend volk niet altijd evenveel hart voor land, vee en zuivelbereiding had werd weinig aandacht geschonken.

Wel kwam moeders vader, toen die nog leefde, eens even praten en vroeg dan zo terloops hoe het kwam dat het hooi nog niet binnen was, of waarom de mest nog niet uit was en hoe het kwam dat de kaas of soms de boter zo'n slechte markt had, maar dan lachte vader en zei vrolijk dat dit iedereen op zijn tijd overkwam en dat ie niet altijd het eerst kon zijn en het hoogst kon krijgen.

Vader en moeder hadden immers geen tijd om zich met àlles te bemoeien. Ze moesten veel te veel uit met hun deftig gerij en als ze niet zelf gingen kwamen er gasten. Het leven was één feest in die jaren, ook voor hem, want al was hij nog jong, hij werd toch al naar de ogen gezien om het vele dat eens het zijne zou zijn.

Een bedorven, onuitstaanbaar kind was hij geweest. Al wist hij zijn lichaam nietig en lelijk en zijn gezicht ouwelijk en dor, iets wat hem een minderwaardig gevoel tegenover anderen van zijn leeftijd had kunnen geven. Ook wist hij zich sterk en machtig door het geld en het bezit van zijn vader die overal de eerste viool bespeelde, die in elk bestuur voorzitter was en altijd de lakens uitdeelde.

Rijk waren ze. Schatrijk. En hij was enig kind en zou dat ook wel blijven. Voor en ook na zijn geboorte waren er nog wel kinderen geweest, maar die waren dood geboren of kort erna overleden.

Zijn ouders . . . . Hoe goed herinnerde hij zich nog zijn fijne, mooie moedertje en zijn vrolijke, zorgeloze vader. Allebei Spijkers, voortgekomen uit een geslacht dat sinds mensenheugenis en nog langer grotendeels uit mensen van die naam bestond. Altijd weer hadden die elkaar gezocht uit de vele anderen, die toch ook goede partijen waren om mee in het huwelijk te gaan.

Toen vader, die, vroeg wees geworden, bij drie oudooms, vrijgezellen, die met hun eveneens ongetrouwde zuster samenwoonden, was thuisgehaald; toen vader dan na hun dood trouwplannen kreeg, toen had hij hun boerderij, die nu de zijne was, laten slopen en daarvoor in de plaats een kapitaal herenhuis laten bouwen met daarachter een nieuwe ruime hoeve. Het moest immers het beste van het beste zijn. Wat dat gekòst had . . .

Maar bij Klaas Spijker kwam het er op een ton meer of minder immers niet aan. Daar bleef nog genoeg over.

Zodra het huis gereed was had hij zijn nichtje getrouwd. Die was niet zo rijk als hij en het was een teer meisje, maar ze had een blos op haar wangen en prachtige stralende ogen. Haar voerde hij na een bruiloft, waar de oudjes uit het dorp nòg over spraken, het deftige, geheel nieuw ingerichte huis binnen. Hoe goed herinnerde hij zich ook nog al die mooie kamers en het goed en de juwelen die zijn moeder bezat. Het leek hem toen allemaal zo doodgewoon.

Kort na haar vaders dood werd moeder ziek en ging voor herstel naar de bossen. Het volk zei dat ze de tering had; daar stierven haast alle Spijkers aan. En meestal nog heel jong . . .

Nu zijn vrouw dus niet meer mee kon gaan ging vader alleen uit en kreeg hij een massa nieuwe kennissen, vrolijke, aardige mensen zoals hij zelf ook was. Die leerden hem hoe hij echt van het leven genieten kon en brachten hem bij wat de echte spanning van het kaartspel was.

9

Vader bleek niet gelukkig in het spel te zijn. Hij verloor bijna altijd en moest en zou dat terug winnen. Dan ging het er soms grof toe en verloor hij in een uur meer dan een werkman in een jaar bij hem verdiende. Hij werd een „gokker".

Toch zag niemand daar nog veel kwaad in. Wèl toen vader begon te drinken en vaak nachten van huis bleef.

Zoals de wind langs hem heenjoeg, zo flitsten de beelden uit zijn jeugd aan Jan Spijker voorbij. Tot aan de dag waarop zijn moeder stierf. Hij was toen twaalf jaar en zou over enkele maanden van school gaan. Moeder wilde dat hij daarna in de stad zou gaan leren en vader had dit met een afwezig hoofdknikje beaamd. Die leek toen steeds wel enigszins beneveld, misschien dronk hij wel dagelijks.

Kort na moeders begrafenis kwam de ineenstorting. Vader had ook zwaar gespeculeerd en al wat hij nog bezat daarmee verloren. De rijke Klaas Spijker was schoon op.

Nooit zou hij de dag vergeten dat alles verkocht was en hij, een kind nog, daarna tegenover zijn vader zat en naar diens handen keek; kleine, blanke handen, die nooit het dagelijks brood hadden verdiend; en hij dacht eraan hoe nutteloos die handen tot nu toe waren geweest. Ze hadden het ganse familiebezit weggesmeten in plaats van daar iets nuttigs mee te stichten en er anderen mee te helpen en het, of tenminste een deel ervan, te behouden voor zijn zoon. Hij voelde een soort haat tegen die nutteloze ledematen en besloot de zijne beter te gebruiken.

Dat had hij ook gedaan. Toen hij zijn vader eenmaal diens toestemming had afgedwongen om boerenknecht te worden, doodgewoon boerenknecht, verhuurde hij zich op een afgelegen boerderij en vermeed jarenlang de omgang met anderen van zijn leeftijd. Hij werd stug en eenzelvig. Eén keer had hij zijn vader nog ontmoet op een koemarkt waar die als veedrijver rondzwalkte. Een dronken wrak. Nadien had hij nooit meer iets van hem vernomen. Wie weet waar hij zijn einde vond . . .

Zelf trok hij, ouder geworden, van de een naar de ander tot hij weer hier in zijn eigen dorp belandde en daar hun oude werkman ontmoette die hem bij zich thuis noodde. Daar trof hij Ant, diens dochter, het speelkameraadje uit zijn vroegste jeugd. Wat zij, die flinke, struise Ant aan hem, zo'n miezerig stil ventje vond, begreep hij nooit, doch ze hield van hem en liet dit duidelijk blijken.

Hij was besloten om niet te trouwen, het was veel beter dat zijn soort maar uitstierf. Zijn vlees was echter sterker dan zijn wil. Dus trouwden ze toch . . . En hadden nu een zoon.

Als een gloeiendrode bol klom de zon aan de horizon omhoog op haar korte baan. Het werd àl lichter. Een nieuwe dag met nieuwe zorgen begon. Het kind moest worden aangegeven. Er moest een doopnaam zijn. Ant had dit al dikwijls ter sprake gebracht, maar hij had met de keuze willen wachten tot het kind er goed en wel was. Onbewust hoopte hij op een dochter, die dan zijn moeders naam zou dragen. Hoe vaak had hij niet horen beweren dat mèt een naam ook de deugden en de ondeugden van de vernoemde op het kind werden overgedragen?

Jan huiverde en weet dit aan een felle windstoot die om het huisje joeg.

Ant moest de naam maar bepalen; hij durfde het niet aan.

Rillend ging hij terug naar het kleine kamertje waarin geen blind paard schade kon veroorzaken en zette zich bij de haard. Zijn vrouw en zijn kind sliepen rustig en hij staarde in het vuur en droomde van wat wàs en wat had kunnen zijn.

2

Moeder Ant twijfelde geen ogenblik wat de naam betrof, ondanks Jans bezwaren. Het eerste kind naar vaders kant en het tweede naar die van de moeder; zo behoorde het en daar week ze niet van af. Wat dat „later" betreft, och, dat had een ouder immers toch niet in zijn hand. Ze zouden hun best doen om het kind zo goed mogelijk op te voeden in eenvoud en deugd en meer kon een mens niet doen. Jan dacht te veel aan vroeger en kreeg daardoor een zwaar hoofd in alles. Zij zou er heel wat voor overhebben als ze het hem iets gemakkelijker kon maken op den duur. Ze hoopte dat eigen kinderen om hem heen die gedachten aan wat onherroepelijk voorbij was konden terugbrengen naar zijn rijkdom van heden.

Zo kreeg het kind dus de naam van Klaas. En de mensen in het dorp vertelden elkaar dat Klaas Spijker, je weet wel die rijke, of zoals anderen beweerden, die gekke Klaas Spijker, in de wieg lag.

Hij deed het goed, die kleine Klaas. Hij werd een flink, stevig ventje, voorlijk voor zijn leeftijd. Maar hij bleef alleen, tot grote spijt van zijn moeder. Jan had er vrede mee. Dit kind was, God zij dank, gezond en goed. Ze konden tevreden zijn en moesten niet naar iets verlangen dat wel eens veel zorg kon geven.

Ant was een best wijf. Ze hield haar kleine huis brandschoon en zorgde uitstekend voor haar man en haar jongen, maar werkte ook wat en waar ze maar kon om een paar centen omhanden te hebben, want ze wist hoe weinig weerstand Jan bezat ingeval hij een of andere ziekte zou krijgen; en ze wilde, als dit hun overkwam, geen armoe lijden. Haar was steeds geleerd dat God helpt wie zichzelve helpt en daar leefde ze naar.

Klaas mocht tot zijn elfde jaar geregeld schoolgaan, maar hij leerde vanaf zijn negende al melken en ander licht boerenwerk, zodat hij na zijn schooljaren voor zichzelf zou kunnen zorgen. Ant hoopte vurig dat hij het in zijn leven minder zwaar zou hebben dan zijn vader. Een beetje minder werk en een beetje meer loon zou het leven van een boerenarbeider heel wat aangenamer maken, dacht ze dikwijls. Jan bemoeide zich weinig met de opvoeding van zijn zoon. Zijn leven was werken, eten en slapen, met als enige onderbreking de wekelijkse kerkgang op zondagmorgen. Wel zag hij Klaas soms onderzoekend aan of hij niet iets over zich had dat aan de Spijkers deed denken, maar hij kon er weinig van ontdekken, niets dan de smalle vorm der handen, de val van het donkerblonde haar en het zelfbewuste in zijn houding en manieren. Verder was zijn zoon een doodgewone gezonde jongen die rustig zijn eigen weg ging. Zou Klaas iets weten van vroeger, van ons? dacht hij dan. Als het zo eens uitkwam moest hij hem er eens van vertellen. En daar bleef het voorlopig bij.

Hoeveel de jongen erover had gehoord kon hij zelfs niet vermoeden. Vele ouders hadden er hun kinderen iets over gezegd en die verhaalden dat aan hem, soms gewoon, soms tergend. De „rijke Spijker" was te veel over de tong gegaan om spoedig in het vergeetboek te raken. Ware en onware vertelsels deden nog steeds de ronde.

Zodra Klaas er iets van vernomen had, vroeg hij aan Ant: „Zeg moe, waar nou Ab Kools woont, was dat vroeger het huis van mijn grootvader?"

Zijn moeder liet haar werk rusten en ging naast hem op de hoge drempel zitten.

„Ja, mijn knecht," zei ze langzaam. „En het huissie ernaast ok. Daar weunde je aâre grootvader in."

„Naast mekaar?" vroeg hij verwonderd.

„Ja. Je vader en ik ware bure, we benne samen naar school gaan, maar we zate niet in dezelfde klas."

„De joôns vertelle dat mijn grootvader erg rijk was. Is dat waar?"

Ant tuurde peinzend voor zich uit. Nou most ze voorzichtig weze met wat ze zei en het 'm zo gewoon mogelijk voorstelle.

„Het is zo 'oor," begon ze. „Jij hadde een arme en een rijke grootvader, maar toen ze doodginge ware ze allebei even arm."

„Hoe kon dat, moe?"

„Je vaders vader is al erg jong wees worren en toe hewwe vier ouwe mense 'm grootbrocht. Dat waren zonderlinge mense, erg zuinig en benepen; ze bedoelde het wel goed met hem 'oor, hij hoefde zowat niks te doen, hij mocht enkel de kantjes er zo'n beetje oflope éé, de ooms deden de rest wel; en hij kreeg ok haast geen zondagsgeld, omdat ze bang ware dat ie een opmaker worre zou. Die ouwe mense dochte dat 'ie een klein joôntje bleef en ze vergatte dat 'ie later zelf boer weze zou en dat 'ie dan op een hoop geld passe most en dus lere most hoe 'ie daar mee doen zou as hulle d'rs doodginge . . ."

„En toe?"

„Nou, oplest ginge ze dood, éé. En toe zat je grootvader met alles verlegen. Hij kon niet goed boere en dat werd dus niks en op zijn geld passe kon 'ie ok niet vanzelf . . ."

„Maar dat kon 'ie toch wel lere," viel Klaas haar in de rede.

„Dat had kennen, ja. Maar hij was nogal dom en eigenwijs en hij meende dat 'ie het wel redde zou. En daardoor is 'ie alles kwijtraakt."

„O." Klaas was nog niet tevreden. „Maar as 'ie wel oppast had, weunde wij dan nou in dat mooie huis? En was vader dan zelf boer?"

Weer dacht Ant even na.

"Ja zeker," gaf ze dan toe. "En dan had je een aâre moeder. Dan was je vader met een boeredochter trouwd en niet met mijn, want mijn vader was hullie werkman, zie je."

De jongen moest dit eerst goed in zich opnemen. Moeder sprak wel erg langzaam, maar toch leek het hem niet direct duidelijk.

"Had je dat liever gehad?" vroeg ze nu.

Hij keek haar aan.

"Dat weet ik niet," zei hij eerlijk.

Ant glimlachte. Ze begreep wel hoe haar jongen dit moest aan-voelen.

"Praat er maar niet over met je vader," zei ze ernstig. "Die heb dat liever niet, weet je."

"Dat zal wel," gaf hij aanstonds toe.

Stel je dat ook 'rs voor. As je op die plaats weund hadde en je was nou werkman bij een aâr en je weunde in zo'n huissie . . . nee, dan zet je dat graag van je of. Maar zou vader dat wel kenne? Wat was die grootvader van 'm aârs een grote stommerd weest. Maar as je van rijk weer arm werde, kon je dan het omgekeerde ok niet voor mekaar krijge? As je d'rs heel hard werkte en erg zuinig ware . . .

Daar most-ie toch nog d'rs goed over prakkezere.

Maar zijn leven was zo druk met leren en spelen en werken, dat daar weinig van kwam.

Toen hij echter op een woensdagmiddag met zijn vader in het hooi-land bezig was en het dorp als een rechte lijn voor zich zag liggen viel het hem op dat het puntdak van de hoeve achter het mooie huis van Kool veel hoger was dan de andere boerderijen. En dat bracht zijn gedachten weer op de vraag hoe hij van arm eenmaal rijk zou kunnen worden. En toen ze even daarna theetijd hielden achter een hooirook, vroeg hij aan Jan:

"Zeg vader, wat moet je doen om een boel geld te krijgen?"

Jan keek hem strak aan. De jongen wist het dus; anders zou hij deze vraag niet stellen.

"Hoe rijk wil je worre?" vroeg hij plagend.

"Net zo rijk as . . ." Klaas kleurde opeens en zweeg. Nou had-ie het toch temet zeid . . .

"As mijn vader, bedoel je?" vroeg Jan rustig.

Klaas knikte.

"Weet je daar alles van?"

"Zowat wel. Maar ik wil er graag meer van hore."

Zo geviel het dat Jan, onder het drinken van een slok thee, aan zijn zoon over zijn eigen jeugd vertelde. De jongen luisterde ademloos

14

toe. Geen woord ontging hem zolang zijn vader sprak. Toen stonden ze zwijgend op en zweelden verder het hooi bijeen. Twee kleine figuren op de wijde vlakte.
Later gingen ze samen naar een ander stuk land, waar de koeien liepen.
Het werd melkerstijd. Onder het gaan begon Klaas te spreken en Jan verwachtte een reeks bittere woorden die gelijk waren aan zijn eigen gedachten.
Maar Klaas zei enkel: „Nou weet ik nog niet hoe ik an een hoop geld kome moet."
Jan keek hem eerst verbaasd aan, lachte dan en zei: „Ik weet het evenmin, zeun. Wat wou jij daarmee doen?"
„Boer worre vanzelf. Niet zo'n hereboer, maar een gewone die zelf werkt. En ik zou dan niet van weelde uit het spek springe 'oor."
Dus daarom wou hij geen vak lere of wat aârs, dacht zijn vader. Het boeren zat 'm in zijn bloed.
„Dat gaat niet zomaar, mijn joôn," zei hij ontroerd. „Je magge al blijd weze as je je eigen de eerste jare van je loon zo'n beetje bedruipe kenne ... Een boereknecht verdient niet genog om er van over te houwen. Geloof dat van mijn ... as je het met je hande verdiene moete wor je nooit rijk 'oor; dat wor je door erven en trouwen en zok is voor jou niet wegleid."
„Toch wil ik het," zei het kind beslist.
Jan schudde zijn hoofd. Wat konne zukke joôns toch rare ideeë in d'r gedachte hale.
Het leven ging rustig door. Toen Klaas van school kwam was voor hem de tijd van spelen voorgoed voorbij en moest hij geregeld werken. Eerst los werk, nu hier en dan daar, tot hij enige maanden later op Vrouwendag, hij was kort tevoren al twaalf jaar geworden, bij een boer uit het naaste dorp als knecht overhuis kwam.
Vader had een mooie knechtekist voor hem laten maken met een lade erin voor zijn halfhemden en vakjes voor allerlei kleinigheden en die bij de schilder mooi bruin laten verven. Moeder had hem geleerd hoe hij zijn spullen daar netjes in bewaren moest.
Eer hij erheen ging scharrelde hij na het ontbijt nog wat om het huisje rond. Het had die nacht gevroren en de lucht was helder blauw, zodat hij de ganse omtrek kon overzien tot aan de verre einder. Dit uitzicht was hem zo bekend; hij had het dagelijks voor ogen gehad. Nu zou hij aan andere dingen moeten wennen. Dat zou eerst wel raar zijn. Nu was je nog kind bij vader en moeder en morgen zorgde je voor je eigen. Dan waren je loon en de fooitjes die je kreeg helemaal voor jezelf en je werkte voor je kost en onderdak. Hij zou wel zestig cent per week verdienen, omdat hij al zo goed werken en melken kon.

Doelloos liep hij zomaar het schuurtje in, hij keek eens in het lege, schoongeschrobde varkenshok, waar ieder jaar van mei tot november een varken voor eigen vlees en vet werd gemest. Ook dit jaar zou dat weer gebeuren, maar hij zou er weinig van zien en er zo goed als niets van krijgen. Hij bedacht hoeveel uren hij hier in het halfduister had geknutseld en gespeeld en dat dit een soort afscheid was. Vluchtig streelde hij de geit in het voorbijgaan en dan liep hij langs het bleekveld en het kippenhok naar de kleine akker, die hun huishouding jaar in jaar uit van aardappels en groente voorzag en ook nog een deel van het voer voor het vee opleverde. In deze laatste week had hij de grond goed diep omgespit. Nu lag die gereed om straks door vader bezaaid te worden.

Ant zag hem dwalen en haar hart deed pijn. Had zij als kind van elf niet ook eens zo afscheid genomen? Maar een jong mens moet het leven in en Klaas zou het bij zijn baas wel rooien, hij was flink en handig en had weinig praats. Maar dit was een zware dag voor hem. Een uurtje later ging hij op weg in zijn knapste pak en op nieuwe zwartgeverfde klompen. De zondagse gele zaten in zijn kist, die over twee dagen gehaald zou worden, als de baas met de bakwagen van de markt terugkwam. Daarom droeg hij zijn werkgoed en al wat hij dadelijk nodig had in een bont zakje over zijn schouder mee. Nog eenmaal keek hij om en wuifde hij zijn ouders toe, toen rechtte hij de rug en liep met stevige pas naar zijn doel.

Klaas schikte zich goed in de nieuwe omgeving. Hij trof een bazin die niet op een sneê brood en een schijf spek keek, en een baas die nooit het uiterste van zijn jonge knecht vergde. Daardoor bleef zijn lichaam recht en lenig ondanks zijn snelle groei. Eens per veertien dagen bracht hij een kort bezoek aan zijn thuis en ruilde dan zijn vuile wasgoed voor schoon, want moeder Ant onderhield zelf zijn kleren. Zij „bewaste en benaaide" meer knechts tegen een kleine vergoeding; dat moest wel, het leven werd àl duurder en vier gulden bleef vierhonderd centen, hoe zuinig je ook deed.

Meer dan zeven jaar diende Klaas bij zijn eerste baas eer hij aan veranderen dacht. Zijn loon was intussen opgeklommen tot vijfendertig stuivers per week, maar het viel niet mee om daar veel van over te sparen voor later. Want dat „later" liet hem nooit helemaal los. Hij wilde beslist meer verdienen, doch wachtte met veranderen tot hij wist of hij in militaire dienst moest. Een paar jaar eerder zou dit hem geen zorg hebben gegeven, toen was een enige zoon nog vrijgesteld, maar dat was voorbij; nu moest die ook soldaat worden als hij „er inlootte". Nu vond vader Jan wel dat zo'n jaartje onder dienst voor menig jongkerel wel d'rs goed was, maar hij was toch heel wat liever vrij. Daarom was hij gans zenuwachtig toen de dag der loting kwam en hij met een groepje opgewonden jongelui naar de stad liep; en toen daar in dat grote gebouw ten slotte zijn naam werd afgeroepen, keek hij eerst nog even aandachtig de kring rond voor hij een van de beide papiertjes die nog in de bus lagen opnam. Hij had alles goed nagegaan en wist nu dat dit een heel laag en een hoog nummer moesten zijn.

Het was dus een gouwen of een ijzeren.

Nu hield hij een gevouwen papiertje tussen duim en vinger. Zou hij het laten vallen en het andere nemen? Nee — eens gekozen blijft gekozen. Vooruit dus.

Dirk Zwaan, die naast hem stond, verbleekte toen het nummer werd afgelezen. Klaas Spijker had het hoge nummer getrokken en voor hem bleef nu die onnozele twee nog over. En hij had helaas geen broederdienst en ook geen klein gebrekje, dus zat hij erin.

Het werd een dure dag voor Klaas. Het was eenmaal gewoonte, dat de vrijgelote jongens de anderen trakteerden tot in het oneindige. Hij deed dit van harte; een jaar in dienst zou heel wat meer gekost hebben.

Nu stond dan het leven, nu stond de wereld voor hem open; hij kon gaan waar hij wilde en doen wat hij verkoos, al wou hij daar in Transvaal de boeren helpen vechten tegen de Engelsen. Soms speelde hij met dit denkbeeld, maar nog meer met het idee om naar Amerika te gaan, waar je soms heel gauw rijk kon worden naar men zei. As-ie zijn ouwelui niet had . . .

Maar er was dichterbij ook nog een kans. In Duitsland werden melkknechten gevraagd tegen een tamelijk hoog loon, dat trok hem ook wel aan. Hij kon echter nog geen besluit nemen en hij wikte en woog alle voor en tegen.

Op een zomeravond bracht hij nog laat het paard naar de wei en ging daar zomaar een poos op het damhek zitten zijn pijp te roken. Peinzend liet hij zijn blik langs de krans van dorpen glijden, die met veel geboomte om daken en torens het schier eindeloze vlakke land omzoomden. Het was stil, zó stil dat elk gerucht van heel ver duidelijk tot hem doordrong. Hoe goed kende hij al die dorpen van uitjes en kermissen en nog meer door de nachtelijke tochten als hij ergens uit vrijen ging. Heel ver aan de horizon ontwaarde hij de boerderij waar zijn vader nu al meer dan twintig jaar werkte. Eerst bij de ouwe Spaan en, nu die aan de Koepoortsweg rentenierde, bij diens zoon. Dat was opheden geen pretje voor de ouwe man, maar die schikte zich en luisterde en zweeg. Knechts en meiden wisselden er om de haverklap, vader bleef en scheen tevreden. Als hij maar in zijn huis met moeder kon blijven wonen, was het hem al lang goed. Dat huisje . . . Klaas krulde minachtend zijn lippen en blies een rookwolkje uit; wat een bezit. Een kamer, een afdak en een schuurtje. En dan nog een paar roeden grond erachter. Onwillekeurig zochten zijn ogen een ander puntdak er dichtbij. Het allerhoogste; de plaats van die rijke Klaas Spijker ... Hier zat diens kleinzoon als knecht bij een gewoon boertje. En wat deed je eraan?

Ja, wat? Hij had het hier goed; hij had het hier best, maar je kwam geen stap verder. Geld moest hij hebben, geld, geld en nog eens geld. Zou ie 'rs met de ouwelui prate? Niet over àl zijn planne vanzelf, dat begrepe ze tòch nooit, maar over meer weekloon. Dat most 'ie maar doen en er niet te lang mee wachte; het was zó herfst en dan wou de baas wel wete of je weer een jaar blijve wou of niet. Eń nou most 'ie naar huis, het werd bedtijd.

De eerstkomende zondagavond ging hij naar zijn ouders op bezoek. Die waren blij verrast door zijn onverwachte komst. Ant schonk vlug koffie voor hem in en Jan schoof de gladhouten tabakspot in zijn richting. Klaas stopte zijn pijp en zo zaten ze gedrieën gezellig om de tafel over alles en nog wat te praten. Het weer, het werk en het nieuws uit de naaste omtrek. Dat van verderop uit de wereld interesseerde hen weinig, je las dat in de kranten en je zag het op de plaatjes van het Zondagsblad en dan was het mooi genog; het was allegaar zo ver van huis. Na een korte pauze vertelde Klaas nu dat hij wel van baas veranderen wilde.

„Het is nergens om, ik wil alleen meer verdiene. Van vijfendertig stuivers ken ik zo goed as niks overhouwe," zei hij.

„En wil je baas je niet meer geve?" vroeg Ant.

„Wille ... dat zal ik niet zegge ... er ken niet meer of. Hij ken het met een klein knechie ok wel redde ..."

„Dus je hewwe er al d'rs met 'm over praat?" polste Jan.

„Verleden jaar al, en toe hew ik een kwartje opslag had, enkel omdat 'ie me niet graag misse wou. Meer as een daalder had 'ie nog nooit an een knecht betaald."

„Hoeveel had je nou in 't hoofd?"

„As ik het krijge ken drie gulden en aârs een rijksdaalder, maar minder vast niet."

„Dat is aârs nogal puur," vond Ant.

„Het is altijd te proberen," zei Jan. „Je zulle daarvoor aârs wel meer noordop weze moete, vrees ik. Hier krijg je het niet 'oor."

„Dat is dan niet aârs. Ik doen het niet voor minder," zei Klaas beslist.

Het werd halfnegen. Moeder zette voor ieder een bordje met boterhammen neer en schonk weer koffie.

„Je kenne aanstonds gerust nog een paar uurtjes blijve 'oor," zei ze na het eten. „Vader gaat wel te bed, maar ik blijf op. De baas en

vrouw benne om de thee naar Obdam en nou wacht ik tot ze thuiskome, want vader moet dan het peerd uitspanne. Zo gauw as ik de
kar hoor roep ik 'm dan."
„Wat mieter, moet vader dat juist doen? Heb Piet Spaan zelf geen
handen an zijn lijf?" stoof Klaas op.
„Het zit 'm niet in de baas," suste Jan. „De vrouw wil dat. Die
heb puur snot in de neus en wil op 'r wenke bediend worre. As je
dat doene is ze merakel best in 't zin."
„Ik zou daar aârs niet veul mee ophewwe."
„Docht je van ik wel? Maar as ik dan met de komende mei ophoe-
pele ken zit ik lelijk op de schop. Wie neemt zo'n ouwe kirrel as ik
nog meer as werkman? Geen boer immers. En ik heb hier al zolang
weund . . . en dan op mijn jare nog verandere . . . daar zou ik tegenop zien. En zo erg is het toch niet om effies het peerd uit te span-
nen . . . Ik gaan met mijn klere an te bed, dan ben ik zo bij de
werke."
„O nee. Zo erg is het niet," smaalde Klaas. „Effies peerd uitspanne
en dan moet dat naar 't land brocht worre of op stal zet en de tuige
moete an het rek hangen en de darsdeure open en dicht . . . allegaar effies . . . as je het zelf maar niet doen moete zo 's avonds om
een uur of elf en dan om halfvijf 's morgens weer in je klompe
staan."
„Ja, mijn joôn, je moete eenmaal wat geve en neme," suste Ant. „Je
kenne niet overal over valle, bij alles is wat. En vader ken het met
de baas verlegen best rooie."
„Dat is een voornaam ding," viel Jan haar bij. „Daarvan hou ik
het liever zoas ik het nou heb."
„Maar je moete te bed 'oor man," drong Ant nu.
„Ja, ik gaan. Welterusten."
Moeder haalde uit de afdak een klein oliepitje, stak dit aan en zette
het op tafel, waarna ze de grote lamp uitblies. Samen wachtten ze
nu op de hoefslag van een paard en het ratelen van karwielen. Af
en toe fluisterden ze een paar woorden over en weer, Jan sliep rustig
in de bedsteê tot hij gewekt zou worden om zijn plicht te doen.
Later, op de terugweg, dacht Klaas met iets als eerbied aan zijn
vader, die zich op zijn leeftijd zo geduldig schikte naar de grillen
van een jonge boerin, terwijl hijzelf vroeger . . .
„Nooit en nooit krijgen ze mijn zover," gromde hij halfluid voor zich
heen. „En ik span later mijn eigen paard zelf wel uit."
De doffe klank van zijn stem ging verloren in het zachte duister van
de zomernacht, maar de woorden bleven in zijn gedachten. Hij hief
het hoofd op, zijn spieren spanden zich tot het volbrengen van het
vele dat hem zou wachten op zijn tocht naar het verre doel:
Klaas Spijker . . . eigen baas . . . zelf boer . . . koning op zijn erf.

3

Klaas kreeg gedeeltelijk zijn zin. Een achterneef van zijn baas huurde hem op diens aanbeveling voor een rijksdaalder en wat moeder Ant gevreesd had kwam ook uit, want hij geraakte veel verder van huis. Geregeld komen zou niet meer mogelijk zijn. Het wasgoed moest voortaan met de vrachtman worden verstuurd, want ze wilde zijn kleren blijven verzorgen.

Op de tweede februari kwam de nieuwe baas met de bakwagen het erf oprijden. Het liep tegen konkeltijd en de vrouw trakteerde op een koekje, terwijl de baas een borrel schonk. Er werd nog even gezellig gepraat en toen laadde Klaas zijn kist op de wagen en nam afscheid. Juist toen ze de dam uitreden kwam het nieuwe knechtje aanlopen om zijn plaats in te nemen. Even keek hij nog om naar de plek waar hij negen jaar van zijn leven prettig en goed had gewoond, maar dan zag hij verder recht vooruit en gaf zijn aandacht aan het paard, een mooie jonge witvoet, en hij prees het dier. Daarmee won hij aanstonds ongeweten het hart van de eigenaar, wiens trots dit paard was. Deze Simon Metselaar bleek een rustig evenwichtig persoon te zijn, bij wie alles moest geschieden zoals hij dit wenste en geen haartje anders. Hij leefde en boerde als zijn vader en zijn grootvader deden, dit was in zijn ogen de enige en juiste manier. Zijn vrouw dacht daar heel anders over, doch sprak dit nooit uit. Zij deed! Had ze iets aangeschaft of ingevoerd dat hem te modern was en hij mopperde erover, dan wist ze het zó voor te stellen dat hij de indruk kreeg het zelf zo te hebben gewild. Reeds de eerste dag na zijn komst waarschuwde het kleine pientere vrouwtje hem: „Je moete de baas nooit teugespreke mijn joôn en je doene maar krek wat 'ie zeit, dan is 'ie de goedheid zelf. En je prate maar nooit over kaasfabrieke en kunstmest en ierkelders en brongas en zo, want daar wil 'ie niks van hore, geen goed en geen kwaad. Onze vorige knecht was nogal eigenwijs en manhaftig en daarom konne die twee het helegaar niet met elkaar rooie, al was 'ie in zijn werk nog zo'n beste."

Klaas glimlachte.

„'t Zal met mijn geen last hewwe en nou ik dut weet helegaar niet," stelde hij haar gerust en besloot in zichzelf om goed op te letten hoe Metselaar het werk gedaan wilde hebben. Zwijgend en vol aandacht luisterde hij naar diens aanwijzingen, en handig als hij was, paste hij zich spoedig aan.

Dit was een heel ander gezin dan dat van zijn vorige baas, en hij miste eerst de gezellige drukte waaraan hij de laatste jaren gewend was. In dit huis waren geen kinderen en Nies de meid was stil van aard. Alles had zijn vaste regelmaat waarvan nimmer werd afgeweken. Zo wist hij al heel gauw wat hij elke dag moest eten; hoeveel spek en hoeveel vlees hij op zijn bord kreeg en welke boterhammen er werden klaargemaakt. Maar toen hij eenmaal was gewend en ingewerkt beviel het er hem in alle opzichten.

Er was nog iets dat hem wel aanstond. Hij leerde hier hoe je met weinig geld toch een bedrijf kon voeren. Dat vereiste wel al je tijd en kracht en bovendien moest je op elke kleinigheid letten, opdat niets zou verloren gaan dat nog op enigerlei wijze nuttig kon zijn. En je mocht nooit kleine herstellingen of werkzaamheden uitstellen tot later; je moest, zoals moeder Ant dat noemde, „uitzien en dagen tellen", maar wilde hij eenmaal zelf iets bereiken, dan zou hij ook zo moeten doen. Of dit hier werkelijk nodig was kon hij natuurlijk niet weten, doch bij hem later beslist wel.

Hij leefde uiterst zuinig en liet al zijn loon bij de baas staan. Van zijn laatst ontvangen geld had hij nog iets overgehouden en daar zou hij voorlopig maar mee toe doen. Wat je niet in je knip had kon je ook niet uitgeven. Elke week vijf cent voor de barbier en de kerkcenten en dan af en toe een half pondje goedkope tabak moesten eraf en soms nog een paar nieuwe klompen, maar verder . . . weinig in de herberg en nooit naar een uitvoering en ook niet uit vrijen.

„Jij benne zeker geen uitgaander," zei vrouw Metselaar eens op een maandagmorgen onder het kazen. „Gaan je nooit 'rs uit vrijen?" Hij keek haar verwonderd aan. „Moet dat?" vroeg hij onnozel.

„Het hoeft niet 'oor," sprak ze op dezelfde toon terug en schudde dan meewarig het hoofd. „Foei, wat hewwe wij een droog stel jongvolk over huis. Nies 'r vrijer zit daar heel in Brabant bij het peerdevolk onder dienst, die ziene we zo goed as nooit en jij ginge gusteravond weer om tien uur te bed. Waar moet dat heen?"

„Ik ken slecht tegen slaaplijen."

„Je teute. Je durve niet."

„Zou het dàt weze?"

„As ik veertig jaar jonger was zou ik je wel lere, dan vroeg ik je zelf," dreigde de boerin.

Nies richtte zich op en kruimelde de wrongel losjes tussen haar vingers in een spelend gebaar.

„Ik denk dat Klaas op zo'n eentje wacht," zei ze kalm.

„Zou 'ie?"

Nies knikte.

„Hij is bang dat 'ie blauw krijgt en daar is dan een kans op."

„Nou, als het een met een dikke spaarpot is neem ik 'r zó," liet Klaas zich ontvallen.

De vrouw keek hem opmerkzaam aan.

„Je hewwe aârs het meest an 'n vrouw met een paar goeie hande an 'r lijf, die van anpakken weet, as an een met een plok geld, die geen werken leerd heb 'oor," zei ze, ernstig nu.

De komst van een veekoopman, die om kalveren liep, brak het gesprek af, doch het onderwerp bleef hem in gedachten. Zo'n meisje met wat geld achter de hand zou hem best passen. Maar hoe kon hij, een arme boerenknecht, er ooit zó een bekomen? Daar was eerst zijn kleding al; dat goedkope zondagse pak van twaalfeneenhalve gulden, daarin kon je niet naar dat soort meisjes uit vrijen gaan. Nee, dat ging niet.

Toch liet het idee hem niet los, met als gevolg, dat hij voor zijn bevestiging een kostuum van duur donkerblauw laken liet maken en bovendien een hoed kocht. Niet maar zo'n gewone, nee, een mooie slappe vilthoed, zoals het deftige volk die droeg. Hij zou er in het dorp wel om worden uitgelachen, maar dat kon hem niet schelen.

Het bleef echter niet bij lachen. Toen hij in de kerk tussen de andere jongelui stond, trok zijn forse gestalte in het keurig zittende pak ook zonder hoed al ieders aandacht door de fiere houding en het trots geheven hoofd. Elk der kerkgangers was het er over eens dat die Klaas Spijker een verlegen knappe joôn was. Dit stond zijn kameraden maar matig aan. Die waren ook keurig uitgedost, maar vielen naast hem geheel in het niet.

„Wat is Klaas onwijs mooi éé," spotte Piet Brouwer onder het naar huis gaan tegen de anderen. „Zo'n mooi pak en zo'n mooie hoed. Wat een mooie joôn."

Die dachten er ook zo over. En vanaf die dag heette Klaas in het dorp Klaas Mooi.

Toch verhinderde dit niet dat menig meisje hem in het voorbijgaan iets langer aankeek dan voor een gewone groet nodig was, en dat de meesten het heel niet erg zouden vinden als diezelfde Klaas Mooi zo eens op een zondagavond om halfnegen bij haar thuis kwam binnenstappen om een nachtje met haar te vrijen.

En al was Marie Veld nog wat jong, toch dacht die er óók zo over, al zou ze het tegen geen mens durven vertellen, zelfs niet tegen haar vriendin. Ze zag hem vaak, want als hij met de schuit naar het land van zijn baas ging voer hij dicht langs de plaats waar zij diende, en dan keek ze door het kleine raampje achter in de kaasboet naar hem. Tenminste ... als ze daar alleen was. Hij had er zelf geen erg in. Hij keek altijd recht voor zich uit. Hij kende haar misschien niet eens. Klaas leek haar nogal groôsk toe. Marie was de oudste dochter van Dirk Flik, de schoenmaker, die eigenlijk Dirk Veld heette, maar Flik lag de klanten nu eenmaal beter in de mond. Hij was een vrolijke, ijverige man, die in zijn sober bestaan veel vreugde vond, en zijn vrouw moest die vreugde wel met hem delen. De zorgen droeg ze vrijwel alleen, hoe talrijk die ook waren.

„We benne allegaar gezond en we krijge geregeld de buik nog vol. Ziekte en dood benne tot nu toe an onz' deur voorbijgaan. Wij moete dankbaar weze, Kee, en niet moppere," vond Dirk.

Er waren drie kinderen. Behalve Marie was er nog een dochter, Neeltje; en de kleine Hannes voltooide „het stel op de kas" zoals Dirk zijn spruiten noemde.

Zodra Marie van school kwam moest ze uit dienen, dan zorgde zij alvast voor eigen kost en kleren. Voor die tijd had ze reeds het melken geleerd en kon dus zó als boerenmeid beginnen bij Piet Klaver, die haar voor twee kwartjes per week had ingehuurd. Het was een prettige dienst bij goede mensen en in de loop der jaren was haar loon tot een gulden gestegen. Marie wist dat ze meer kon verdienen, doch ze dàcht niet aan veranderen; ze had al zoveel verhalen gehoord over lastige, gierige en veeleisende bazinnen, die je af en toe beslist een grote mond moest geven om geen voetveeg te worden, dat ze maar liever bleef waar ze nu was. Zij zou nooit een grote mond durven opzetten, daar was ze veel te verlegen voor. Hier leerde ze bovendien nog goed naaien en verstellen en haken en borduren, want de twee dochtertjes van de boer kregen daar les in en die leerden het haar. Het was zo makkelijk als je dit alles kon. Voor later. Voor dat later spaarde ze ook zuinig al wat ze kon overhouden van haar loon, want je hoopte dan toch te trouwen, al had dat bij haar de tijd nog. Ze had immers nog niet eens een vrijer en àls er een kwam dan durfde ze die niet te houden. Dan gaf ze hem hevig blozend en erg verlegen met een zacht stemmetje „blauw". En de afgewezene scheen het haar nooit kwalijk te nemen; kwam ze later een van hen tegen, dan groetten ze haar altijd weer vriendelijk.

Maar als Klaas zich eens zou verwaardigen te komen, die mocht blijven. Doch Klaas kwam nooit . . .

In de herfst die op de bevestiging van Klaas volgde was Marie in moeilijkheden. In gróte moeilijkheden. Haar baas en vrouw gingen hun koperen bruiloft vieren met een groot feest en dan moest zij daar met een vrijer verschijnen. Ja, ze móést. Want anders werd ze door iedereen uitgelachen.

Wat moet ik ermee an, dacht ze elke dag weer. Piet Brouwer en Jaap Best loere d'r allebei op dat ik hullie vraag: die kom ik telkens teuge as ik effies naar mijn thuis gaan, die wete dus al dat ik een bruiloftvrijer hewwe moet, maar Klaas zien ik nooit. En as ik 'm zag durfde ik toch niks te zeggen misschien. En om Piet te vragen . . . of Jaap . . . ?

23

Ze stelde zich de lompe, goedige Piet als vrijer voor. Nee, die vast niet. Jaap dan? Als die maar niet altijd zo schreeuwde en opschepte als 'ie vrolijk werd . . . daar moest ze hem alleen al niet om hewwe. As ze Klaas nou 'rs schreef? Nee, dat was te gek as je niet meer dan een paarhonderd meter bij mekaar vandaan weunde.

Zo stelde Marie de vrijersvragerij telkens nog wat uit. En de bruiloft kwam al nader. Dikwijls vroeg men haar wie ze gevraagd had en dan zei ze steevast:

„Dat moet nog beure. Er lope hier zoveul pittige joôns dat ik in de keus verward ben."

Het klonk dan zo luchtig en onbezorgd, maar diep in zichzelf verwenste ze het hele feest en al wat er mee samenhing.

Tien dagen voor de bruiloft ging ze, als zo dikwijls, een paar uurtjes in de avond bij haar ouders op bezoek en toen ze op haar vaders vraag weer een ontwijkend antwoord gaf zei die:

„Je teute, Marie. Zeg maar eerlijk dat je niet durve en niks aârs. Je kenne een aâr wel wat wijsmake, maar mijn niet. Wat zeg jij, moeder?"

Zijn vrouw knikte hem toe.

Marie keek naar haar vaders gezicht, dat vol olijke rimpeltjes zat, en lachte blozend.

„Het is zo," gaf ze bedrukt toe.

„Weet je wat je doen moet, zus?" Moeder Kee boog zich naar haar toe. „As er soms een joôn is die je wel vrage wou, en die zien je zo 'rs, dan moet je het 'm meteen zeggen, eer je er goed bij denke kenne, want as je ok maar effies wachte dan durf je niet meer. Zo deed ik vroeger ok."

„O," jammerde Dirk. „Dus as jij vroeger met het vragen nog een klein hortje wacht hadde en je hadde me nog 'rs goed ankeken dan had je me niet meer hewwe moeten, Kee?"

„Natuurlijk niet," gaf die vrolijk toe.

Dirk stond op en strompelde gebogen door de kamer.

„Dut is de zweerste dag van mijn leven," klaagde hij. „Mijn hele huwelijksgeluk leit met één klap an diggele. Mijn vrouw heb me niet nomen omdat ze me graag mocht, maar omdat ze me toevallig teugenkwam. Wat erg, wat erg . . ."

Tussen zijn gejammer door hoorde ze opeens iemand in het donkere achtereind roepen en Dirk wierp meteen de kamerdeur wijd open.

„Kom erin, man," zei hij luid. „Hier ken je zien wat je zegge."

De bezoeker kwam de kamer in en Marie's lach verstomde ineens. Het was Klaas Mooi.

„Goeienavond," zei die. „Jullie maakten zo'n leven dat ik maar wat verder kwam. Hier benne een paar muile van de baas. Of je die van de week verhalvezole wille."

„Dat komt terecht," beloofde Dirk.

„Gaan effies zitten," noodde Kee. „Drink je een koppie mee?"
Ze stond op en schonk allen nog eens in.

„Asjeblieft."
Klaas nam een stoel en ging recht tegenover Marie zitten, die met neergeslagen ogen voorzichtig iets van de hete koffie trachtte te drinken. Vader begon gelukkig een gesprek over de mooie herfst en vroeg naar het najaarswerk en of Metselaar nog wat gras had. Klaas antwoordde en vader praatte verder, tot 'ie zomaar bij de bruiloft van Piet Klaver was. Die olijkerd. Moeders hand gaf een duwtje aan haar knie en toen ze opzij keek zag ze haar plagend lachje. Ze glimlachte terug en schudde even het hoofd.

Moeder had goed lachen, dacht ze. Moeder durfde alles, die was voor geen mens bang, voor de dikste boer geeneens. Die zei tegen iedereen waar het op stond. Maar zijzelf . . . En toch was dut 'r kans . . . Dat hij nou ok juist kome most. Waarom morgen niet of nog later . . .

„Jij benne zeker al drok an 't voordrachte leren?" vroeg Klaas nu aan haar.

Ze sloeg haar ogen op en keek hem verlegen aan.

„Dat durf ik niet," zei ze.

„Durf jij geen voordracht te doen?" vroeg hij ongelovig, „waarom niet?"

„Ik zou jou wel d'rs voor zo'n kolfbaan vol volk alleen op het toneel willen zien staan te grappe verkopen," viel ze parmantig uit.

„Ik krijg er de kans niet toe," zei hij. „Maar aârs . . ."
Marie ging rechtop zitten en kneep in haar schoot de kleine handen vast ineen. Nou moet het, dwong ze zichzelf. Nou . . . dadelijk . . .
Ze beet haar lippen warm en rood en begon te beven.

„Die kans ken je wel krijge," bood ze aan en ze hoorde hoe kort en ruw ze deze woorden uitsprak.

„Hoe dan?"

„As je met mijn te bruiloft wille."
Het was gezegd. Nou kon 'ie een smoes bedenke om er of te komen. Klaas keek haar verbaasd aan.

„Met jou?"
Ze knikte. Haar vingers deden pijn van de eigen knellende greep.

„En Jaap Best vertelde dat je hem vrage zou . . ."

„Jaap Best . . . ," zei ze langzaam met een sneer in haar stem.
Het was even stil. Moeder schonk opnieuw de kopjes vol.

„Maar hoe kom ik zo gauw an een paar voordrachte," peinsde Klaas halfluid.

„Je hoeve niet heen 'oor," zei Marie. „Je magge bedanke ok."
Klaas lachte luidop.

„Jou bedanke waar je vader en je moeder bij zitten? Drie teugen één? Dat waag ik er niet op. Nee, dan maar liever teugen heug en meug te bruiloft."

Hij hief zijn kopje naar haar omhoog.

„Op de goeie afloop 'oor."

Aarzelend gaf ze hem zijn wens terug en ze dronken gelijk.

„Heb je er niks bij, vrouw?" vroeg Dirk. „We moste dut effies viere, éé."

„Ik zal d'rs kijke."

Kee ging naar de pronkkast en haalde daar een ovaal trommeltje uit. Het glansde diepzwart in het licht van de olielamp en het parelmoer van de op het deksel geschilderde vogels schitterde als iets heel bijzonders. Toen ze het opende rook Marie dat er kruidmoppen in waren. Wie weet hoe lang moeder die reeds bewaard had en toch waren ze nog even geurig en knappend als verse. Dit gaf iets feestelijks aan deze wonderlijke avond. Ze keek telkens naar Klaas als die met haar vader sprak. Naar dat hoge voorhoofd, de smalle, iets gebogen neus en de stevige vaste kin. Zijn mond leek haar ongewoon. Ze wist niet dat dit ongewone iets wreeds, iets onverzettelijks in zijn karakter aanduidde, iets dat verdween zodra hij lachte en zijn brede gave tanden liet zien. Zijn ogen waren levendig, de kleur der grote pupillen leek helderblauw en het stralende ervan gaf hem een innemend uiterlijk. Zijn donkerblond haar lag dicht golvend om zijn hoofd. Nee, Klaas was niet zoals een ander. Hij was knapper, aardiger. Of leek het het háár alleen maar zo toe?

Hoe zou hij het hier vinden? Ze oogde snel de kamer rond. Die moest nodig eens geverfd worden, de wanden waren kaal en dof. Maar ja, dat kostte te veel, volgens moeder. Eerst moesten de kinderen alle drie de deur uit zijn. Haar blik zocht de beddeur, waarachter het kleine broertje sliep. Neeltjes bed was in het achtereind, die ging komende mei van school en uit dienen, dan kon moeder misschien wel eens matten op de vloer kopen, zo'n kale houten grond met enkel een zwart en rood karpet was toch wel een beetje armoedig. Gelukkig was hier veel dat glom, want moeder hield erg van poetsen en schuren. Het ijzer aan het fornuis, de pook en de tang en dan het koperwerk aan de blazer en aan het kleine vuurpotje op de tafel, waar de koffie zo gezellig op stond te pruttelen, en de doofpot en het strijkijzer en de konkelpot. Dat alles maakte de kamer, nu de lamp brandde, veel mooier dan overdag, als het sterke zonlicht alle kaalheid onbarmhartig toonde. Weer keek ze de wand langs tot aan de klok en ze schrok.

„Bij halfnegen al? Ik moet nodig vort."

Haastig greep ze haar doek en kaper en maakte zich dan driftig klaar.

„Nou dag allegaar en welterusten 'oor," zei ze gejaagd en liep naar de deur.

„Ho, ho, wacht effies, ik gaan ok mee," riep Klaas en hij volgde haar na een vrolijke groet aan haar ouders.

Naast elkaar gingen ze door de smalle dorpsstraat. Hun klompen klopten dof onder het gaan.

„Wat moet ik nou zeggen?" dacht Marie. Zenuwachtig, als hulpzoekend, keek ze naar alle bomen, huizen en hekken waar ze langs gingen.

„Het is niet erg donker," bracht ze eindelijk uit.

Klaas, die anders steeds zijn woordje klaar had, wist ook niet wat hij vertellen moest aan dit jonge stille ding. Ze zag er toch wel lief uit, vond hij. Dat zachte en bedeesde trok hem aan.

„Het is lichte maan," zei hij vlug, blij dat zij de stilte brak. „Kijk, daar staat 'ie," vervolgde hij gans overbodig. Hij kwam iets dichter naast haar lopen. Even scheen het of ze opzij zou gaan, maar dan liep ze toch gewoon door tot aan de plaats waar ze diende.

„Ziezo, ik ben er." Ze tastte naar het poortje in het hek om dit open te duwen. Hij nam die zoekende hand in de zijne, trok haar naar zich toe en drukte zijn lippen op haar wang. „Wel te rusten." Even streelde hij haar pols en liep dan haastig door. Als in een droom ging Marie het huis binnen, hing doek en kaper in haar kast en ging naar het staltje, waar de baas, de vrouw en de knecht al aan hun avondboterhammen zaten.

„Je benne puur laat, Marie," berispte Klaver haar.

„Dat ben ik net," gaf ze toe en schoof snel bij hen aan.

„Ik docht temet al dat je een vrijer hadde," plaagde de knecht.

„Dat hew ik ok," zei ze kort.

„Zo, zo," prees de vrouw. „En wie . . . as ik vrage mag?"

„Klaas Spijker."

„Die?" vroeg de knecht verwonderd. „Al wie ik docht had, maar hij nooit. Waarom vroeg je Piet Brouwer niet, die wil zo graag."

„Bij jou is het ok nooit goed." Marie keek hem hoofdschuddend aan. „Eerst zeur je er alsmaar over dat ik nog geen joôn hew en nou is 't de goeie niet."

„Maar waarom juist die Klaas Mooi?"

„Moet jij met 'm uit of ik? Wat mankeert er an 'm?"

„Nou, mankere . . . Hij is zo verwaand, zeggen ze. Had Jaap Best vroegen, die ken zo best voordrage."

„O, as het dàt is . . . Klaas ken 't ok, 'oor."

„Dat zal jij wete . . ."

Marie schoot rechtop in haar stoel en keek hem aan.

„Zoveul vrijers as ik al versleten hew . . . en dan zou ik niet wete of deuz' voordrage ken of niet? Kom, kom . . ."

„Jij," smaalde de knecht. „Jij hewwe immers nog nooit een vrijer had?"

„Zat," schepte ze op.

„Nou, ja . . . Ik bedoel eigenlijk dat je nooit een zoen had hewwe." Toen steeg een felle blos Marie naar de wangen en vond de baas dat het tijd werd om te danken. En hij vond in zichzelf dat het kleine ding goed uitgekeken had.

Toen Klaas 's zondagsavonds bij Piet Klaver aan tafel zat en heel gezellig met hem praatte, nam hij zijn bruiloftvrijster eens goed op. Ze was aan een haakwerkje bezig, dat schijnbaar niet erg vlotte, want ze bleef maar kijken en tellen zonder veel resultaat. Ze hield haar hoofd diep voorovergebogen en hij zag hoe talloze fijne krulletjes uit haar strak achterovergekamde haren waren weggeglipt en nu als een goudbruin, glanzend waas om haar hoofd stonden. Dat stond geweldig lief, vond hij. Het leek hem anders een stug meisje toe; ze had hem nog geen blik gegund en haar groet was ook maar zó-zó geweest. Enfin, de bruiloft was deze week al, dus het was uit te houden. Daarna nog een avondje koffie-ophalen en het was aan de kant.

Toen om negen uur Klaver en zijn vrouw naar bed gingen, volgde hij Marie naar het einde van de nog lege koegang, waar de haard was. Daar stond een oude tafel met vier stoelen eromheen. Op een ervan ging zij zitten en ze wees hem de dichtstbijzijnde aan. Hij schoof die eerst nog heel kort naast haar eer hij plaatsnam. Door een groot raam recht tegenover hen viel het maanlicht naar binnen en dat maakte dit eerste avontuur voor Marie minder benauwend dan het op een donkere avond zou zijn geweest. Stil keken ze een poosje naar buiten, naar de wolken die langs de maan dreven en naar de zachtwiegende boomtakken voor het venster en beluisterden de verre schrille roep van een uil. Marie voelde hoe Klaas zijn arm op de rug van haar stoel schoof en boog zich iets voorover.

„Ben je bang voor me?" fluisterde hij.

Een korte zucht ontsnapte haar mond.

„Ik weet het niet. Ik heb nog nooit een vrijer gehad," bekende ze schuw.

Klaas lachte zachtjes. Dàt was het dus.

„Dan moet je het vrijen zeker nog lere," plaagde hij en trok haar in zijn arm.

„Och nee," weerde ze af.

„Och ja," hield hij aan en kuste haar licht op voorhoofd en wangen. Al spelend gleden zijn lippen over haar gezicht tot ze de hare namen. Toen weerstreefde ze hem.

„Niet doen," zei ze ademloos en drukte haar handen tegen zijn borst.

„Je benne nog een stoeteltje 'oor," berispte hij fluisterend. „Wat doen jij eigenlijk met een vrijer as 'ie je niet zoene mag?"
„Het moet wel om die bruiloft."
„Krek. En nou heb je er een, maar nou moet je 'm zoet houde ok." Zijn vingers speelden met een losse krul bij haar oor en hij keek geboeid naar haar jonge gezicht dat er zo gaaf en en zuiver uitzag in het maanlicht.
„Heb je al een voordracht?" leidde ze hem af toen zijn intens staren haar nog meer verlegen maakte.
„Een hele mooie, van de baas. En die heb er nog meer," vertelde hij vrolijk.
„Van Jan Metselaar?" vroeg ze verbaasd.
„Ja. Ik zei teugen 'm dat jij me vraagd hadde en dat ik wat voordrage most en niks kon of wist, éé, toen bood hij het me zelf an. Hij had vroeger erg veul succes met dat ding, zei 'ie. En die aâre benne ok goed 'oor."
„Hoe is het mogelijk, zeg. Die stijve Jan Metselaar op de planke. Ken jij je dat voorstelle?"
„Ik wist ok niet wat ik hoorde. Maar de vrouw zei dat-ie vroeger een vrolijke jonge klant was, die heel raar doen kon."
„Dan is 'ie puur veranderd, zeg."
„Wie weet hoe wij later worre." Klaas nam haar schouders in een vaste greep. „Mag ik dan nog 'rs bij je uit vrijen kome? Ik zien ons al." Hij trok een mummelmondje en wilde haar zo zoenen, doch ze ontweek hem.
„Dat is dan al lang uit de tijd."
„Zo, denk je dat? Dan mag ik er nog wel van profitere zeg."
Weer gleden zijn lippen langs haar gezicht en zochten haar mond en al bleven haar lippen ook strak onder de zijne, ze weerde hem niet meer af.
Ze begint het te leren, dacht Klaas en hield haar gestalte omvat, terwijl hij over zijn voordrachten vertelde en hoe zijn baas hem die had voorgespeeld. Zij lachte daar hartelijk om en sprak zelf over de voorbereidingen van het feest en zo tussen die gesprekken door kuste hij haar telkens vluchtig.
Toen de knecht even na twaalf uur thuiskwam stonden ze wat stijf van hun stoelen op en Marie bracht hem naar de deur, waar hij afscheid nam in een lichte omhelzing zonder hartstocht. Met een „welterusten, tot vrijdag dan," verliet hij haar.
Marie bleef nog enkele minuten in de open deur staan. De koele wind voerde najaarsgeuren langs haar heen en ze zag een paar bladeren neerdwarrelen. Anders stemde dit haar altijd triest, doch nu was ze vervuld van een ongekende blijheid. Een diepe vreugde, die vol verwachting was van iets schoons en heerlijks voor haar alleen.

„Het zit 'm zeker in de herfst, dan benne d'r meer die rare kure, krijge," prevelde ze en sloot de deur.

Er volgden voor haar enkele drukke dagen eer de bruiloftsdag er was en ook toen moest er heel wat verzet worden om tijdig gereed te zijn. De gasten was verzocht om 's middags te halfvier in de kolf-baan van de herberg aanwezig te zijn, doch dit gold niet voor haar. Zij moest eerst met de knecht nog melken en het verdere nodige werk verrichten. Daarna hielp ze die nog vlug met zijn kleren, dan kon die zijn vrijster gaan ophalen en eerst toen kon zij zich wassen en kleden voor het feest. Zorgvuldig vlocht ze haar haren en ze speldde de vlechten extra stevig tegen haar achterhoofd. Telkens en telkens kamde ze de lastige krulletjes weg, maar even dikwijls spron-gen die, wilder nog, te voorschijn. Na een blik op de klok gaf ze het op. Zij moest ook altijd en overal met een wild hoofd verschij-nen. Haar nieuwe kleedje was heel eenvoudig gemaakt van zacht-bruine wollen stof met een borststuk van crème zijde. De rok viel juist tot op haar voeten, zodat onder het lopen de gladde teenstukjes van haar knooplaarsjes te voorschijn kwamen. Voorzichtig zette ze, voor de spiegel staande, haar hoed op en keek nauwkeurig of die wel goed recht stond, eer ze hem met de twee lange naalden met zilve-ren knop aan haar vlechten vaststak. Het was een voor haar nogal dure hoed van paardehaar met opzij een grote, stijf uitstaande zij-den strik. Het effect voldeed haar volkomen. Nu haar sieraden nog. Zorgvuldig haalde ze die te voorschijn. Een kleine gouden broche, een zilveren armbandje en dito ringetje. En dan haar kristallen fla-connetje met gouden dop en de kralen beurs met zilveren beugel bij de zondagse zakdoek in de zak van haar rok en ze was gereed om te gaan. Als Klaas nu maar gauw kwam . . . Ze liep vlug nog even het hele huis door en voelde aan alle deuren of die wel goed gesloten waren. Alles was in orde en er was vuur noch licht meer in huis. Bij de achterdeur wachtte Klaas haar al op. Hij was nu niet meer zomaar een boerenknecht. Nee, hij leek haar wel een heer. Ze voel-de zich in haar beste kleedje nog pover naast dat dure lakense pak en die hoed. Diepzwart lag het zijden strikje tegen het glanzend wit van zijn stijfgestreken halfhemd.

Schuchter keek ze hem aan; hoe had ze deze jongen durven vragen? Hij merkte het niet, hij zag alleen een blozend gezichtje met stralen-de ogen en heel rode lippen. Verder was alles bruin en dat kleurde haar goed, veel beter dan het grijzige jurkje dat ze anders droeg.

„Da . . .ag," groette ze hem bedeesd.

„Ok genavond," zei hij vrolijk. „Ben je al klaar?"

„Ja 'oor. Zulle we gaan?"

Haar hand reikte naar de klink van de deur, want ze vond het wel een beetje raar zo samen met hem in het huis.

„Krijg ik niks?" vroeg hij zachtjes vleiend.

„We moete nodig vort."

„Eentje maar," lokte zijn stem, maar toen ze hem zijn zin gaf kreeg ze wel tien zoenen terug.

„Jij bent een schrok," verweet ze berispend. „As je al zo beginne dan weet ik niet hoe dat vannacht wel afkome zal as je an tafel zitte. Eén vrage en tien neme, je benne dronken eer je aan 't voordragen toe rake."

Ze gingen naar buiten. Marie sloot de deur en groette in het voorbijgaan de vrouw van een buurman, die pas van een ziekte hersteld was en dus niet naar het feest kon. Die knikte vriendelijk terug.

„Een net steltje," zei ze tegen haar man. „Niks geen achterbaksigheid 'oor."

„Nee, die Marie is helegaar geen nesk ding en hij lijkt me ok een degelijke joôn," gaf die als zijn mening terug.

Keurig, niet te dicht naast elkaar, liepen ze naar de herberg en namen daar plaats aan het tafelgedeelte dat voor de jongelui bestemd was en waar al een vrolijke stemming heerste.

Het werd een feest zó rijk en heerlijk, dat Marie het haar leven lang niet meer vergeten kon. Maar het hoogtepunt voor haar waren de voordrachten van Klaas en het uitbundig succes dat hij daarmee oogstte. Geen kon het zoals hij; hij werd de man van het feest. En de boeren en boerinnen aan de familietafel staken de hoofden bij elkaar en de naam van Klaas Spijker deed de ronde en bijna ieder wist wat er allemaal met die naam verband hield. Klaas zag dit en hij kreeg een bittere trek om zijn mond. Daar aan die lange tafel, waar het lamplicht overal weerspiegeld werd in het juweel aan voornaalden, kappespelden, ringen en broches en blonk in het goud onder de echte kappekanten, in dat van armbanden en horlogekettingen en wat al niet, daar zaten er enkelen die nog verre bloedverwanten van hem waren, al heetten ze misschien geen Spijker. Vader zou nog wel precies weten in welke graad ze aan hem verwant waren, die hield dat nog altijd bij, in gedachte dan. Hem scheelde het niet, dacht hij grimmig. Maar het scheelde Klaas wél. Want telkens onder de rijke maaltijden, onder het klinken en zingen en luisteren, dwaalden zijn ogen naar de andere tafel en dan naar die kant waar de rijkste en deftigste gasten zaten.

Tweemaal moesten allen opstaan opdat de tafels opnieuw konden worden gedekt. De ouderen gingen zich dan wat vertreden in groepjes van drie of vier en voor de jongeren was een kleine danszaal ingericht. Blozend van verwachting ging Marie daar met de anderen heen; ze danste zo graag en Klaas kon het zo goed, ze had dit meer dan eens gezien.

Zodra de muziek begon stond hij al naast haar en voerde haar mee

in zijn arm. Het was een verrukking met hem te dansen, ze voelde aan dat geen enkel paar zo één was als zij beiden. En na deze dans kwam er nòg een en dan nòg een . . .
Helaas, zo zou het niet zijn. Andere meisjes legden beslag op hem; zomaar, met een grapje, zo'n onschuldige uitdaging of een ten halve gestelde vraag. Ze waren helemaal niet vrijpostig of brutaal, die meisjes, maar ze dreven het toch zover, dat Klaas hen voor een volgende dans ging vragen. Maar één was er — een slank zwart meisje met felle lichtblauwe ogen — die noemde hem gewoon neef en deed erg aanhalig. Ze was rijk opgesierd en droeg een prachtig kleedje van wijnrode tafzijde, afgetast met meters kant. Klaas vroeg haar wel driemaal. Zelf danste ze ook; ze zat geen enkele keer. Maar Klaas en die zwarte . . . en later onder het grofkoppen waren die twee geregeld in de kring.
Toch was het heel anders dan Marie dacht. Na de eerste dans vroegen zóveel anderen Marie, dat hij gewoon niet meer aan bod kwam naar zijn eigen mening, en dus wel anderen moest vragen die erop schenen te wachten. Dat speet hem, want geen van hen volgde zijn snelle passen zo goed als zij. Behalve dan die zwarte die beweerde een soort nicht van hem te zijn. Die toonde de familierelatie wel erg duidelijk; ze was zelf overhartelijk, vond hij.
Ten slottte gelukte het hem bij het grofkoppen Marie in de kring te kiezen, en hij vroeg tussen de zeven zoenen door:
„Gaan je effies mee een klein luchie scheppe?"
Ze knikte. Zijn stem was zo dringend en zijn ogen keken zo donker. Samen gingen ze naar buiten in de zachte koelte van de herfstnacht en bleven als bij afspraak onder de oude linde voor de herberg staan. Uit alle vensters straalde licht naar buiten en een warreling van geluiden drong tot hen door. Het diepe gezoem van mannenstemmen, het stampen van een paardehoef op steen en een licht gehinnik klonk uit de stal dichtbij hen. Uit de gelagkamer klaterde het lawaai van veel lachende en pratende vrouwen met als ondertoon de muziek en zang van de nog steeds gespeelde grofkop in de achterzaal. Verderop, in kolfbaan en keuken, rammelde en rinkelde glas- en aardewerk en riep het bedienende personeel elkaar korte aanwijzingen toe. Overal daarbinnen was het vol en druk en warm, het was een genot hier buiten in de stilte de zuivere nachtlucht diep in te ademen.
„Hè, dat frist op," zei ze voldaan.
„Zo docht ik er ok over." Hij nam haar in zijn arm. „Zo, nou hew ik je tenminste effies voor m'n eigen. Jij hewwe wel oftrek, zou ik zegge. Je hadde geen vrijer nodig."
Ze lachte om de geprikkelde klank in zijn stem.
„Dat moet jij nodig zegge. Je hewwe al één keertje met m'n danst.

As ik dut vooruit weten had, dan had ik een aâre vrijer vraagd."
„Daar ken ik echt niks an doen," verweerde Klaas zich heftig. „Ik kreeg gewoon de kans niet meer om je te vragen en dan nam ik maar een aâr."
„Ik plaag je maar wat," fluisterde ze sussend. Klaas stoof zo op . . .
„Zo. Weet je wel dat daar straf op staat?" Zijn greep werd sterker eer hij haar kuste op een wijze die haar in verwarring bracht en haar snel weer naar binnen dreef, waarheen hij haar onwillig volgde.
„En nou blijf je een beetje bij me in de buurt, éé," zei hij. Het klonk meer als een bevel dan als een verzoek.
Ze knikte hem toe. „Ja baas."
In de voorzaal hield de bruid haar staande.
„Zeg Marie, jij hewwe een beste vrijer uitzocht 'oor. Wat is dat een verlegen aardige joôn en wat ken 'ie voordrage. Ik ben blijd dat je die nomen hewwe."
Marie straalde van trots over die lof en ging verder zó geheel in de feestvreugde op dat zij geen weet had van de tijd.

4

Zoals het behoorde kwam Klaas veertien dagen na de bruiloft te koffie-ophalen, en toen hij haar die nacht kort na twaalf uur verliet, toen wist Marie Veld dat haar eerste vrijer ook haar eerste liefde was. En dat hij ook wel haar enige kon zijn. Doch ze liet dit niet blijken en beantwoordde schuchter zijn laatste zoen.

Week na week zat ze daarna iedere zondagavond in spanning te wachten op wie omstreeks halfnegen binnenkwam. En steevast kreeg die na een kwartiertje zacht en vriendelijk te horen:

„As je van plan benne om bij mijn te komen, dan ken je je gang wel weer gaan."

Maar hij die zou mogen blijven die kwam niet meer. En dat deed haar meer leed dan ze zichzelf wilde bekennen.

„Hoe is het eigenlijk? Is er nooit een vrijer goed genoeg voor jou?" vroeg Klaver eens plagend op een maandagmorgen.

„Ze benne allegaar wel goed, maar ik ken slecht mijn nachtrust misse en ik heb de tijd nog wel," antwoordde ze luchtig.

„Zo is het. Je hewwe gelijk 'oor," vond hij. En niemand sprak er verder over. Dit was háár zaak.

Winter en lente gingen voorbij en geleidelijk nam het werk op de boerderij iedereen volkomen in beslag. En eer ze het wist was het twee weke voor kermis en, als alles meeliep, zou het hooi spoedig binnen zijn. Het was volop zomer toen het zover was. Een zoel windje deed wel de bladeren ritselen en het riet buigen, doch bracht geen verkoeling aan de zwetende mannen in het hooiland, waar geen andere schaduw was te vinden dan een klein plekje achter een hooirook. Tegen halfvier in de middag bracht Marie daar een ketel verse thee en helder klonk haar roep over het veld.

„Theetijd manne!"

Allen lieten het werk rusten, de leidsels van het paard voor de wagen werden opgestoken en de mannen strekten zich rond haar neer.

„Hè hè, dat rust. Ik was blijd toe ik je zag, Marietje."

Ze strekten zich rond haar neer en betuigden hun behoefte aan een korte pauze tussen het zware werk.

„Hoe ver kom jullie vandaag?" vroeg ze.

„We krijge het op een paar wagens na in huis," zei Klaver en slurpte gretig aan de hete thee.

Ze keek naar de gebruinde gezichten. Dat van de knecht was nog glad en gaaf, al trachtte hij een flinke snor te kweken, waarvan echter nog slechts een donzig laagje aanwezig was. De baas had er wel een, een smalle met keurig opgedraaide puntjes en Harm, de ene hooier uit Drente, ook, maar die hing breed en slordig over zijn mond. Als hij dronk hingen de haren in zijn thee en dan wiste hij de druppels er met zijn onderlip weer af. Het magere, rimpelige gezicht van Berend, de andere hooier, vertoonde slechts korte stoppels. Die had zijn scheerdoos mee naar hier genomen en schraapte tweemaal per week zijn huid weer glad. Dat was vanavond ook erg nodig, vond Marie.

Zodra de kommen leeg waren schonk ze die weer vol. De mannen keken stil voor zich uit in het helle zonlicht. Overal was de arbeid stilgelegd. Langzaam drentelde op een weiland in de verte een groep koeien naar het melkbon; over de dorpsweg ratelde een kar en boven het geboomte en de daken van een naburig dorp draaiden rustig de wieken van een hoge molen.

Opeens hief Berend zich op zijn elleboog iets op en keek speurend naar de kim. De anderen volgden zijn blik.

„Windvere? Dat geeft morgen aâr weer," prevelde Klaver.

De anderen bevestigden dit.

Marie keek nu ook en ze zag hoe de diepblauwe lucht aan de einder smalle wazige streepjes vertoonde, die zachtjes verder schoven.

„Dat is spijtig," vond de knecht, „konne we vandaag nou maar klaar."

„Ja ..."

De baas bezag schattend het hooi, hij telde de roken en berekende de tijd.

Marie schonk de ketel leeg.

„Het zal laat worre," stelde de knecht fluisterend vast. De anderen knikten.

„Ik zal er voor vanavond nog wat volk bij zien te krijgen en zeg maar teugen de vrouw of zij met je melke wil, Marie," zei Klaver. „Het hooi moet vandaag thuis."

Eer Marie het land verliet waren allen alweer druk bezig en ook zij legde er een stapje op. Dat werd vandaag dus het leste sjouw en dat gaf overhuis ook nog drukte. Er moesten nog warme bollen besteld bij de bakker, die maakte er altijd meer dan tevoren besteld was en anders bakte hij er nog wel een twintig bij. Wie zou de baas vragen om te helpen? Zou hij Klaas ook ...? Bij Jan Metselaar was 't hooi al binnen, dus ...

Het werd een wedloop met de tijd, die middag. Met de vrouw samen gingen ze met de hondekar te melken en zodra dat afgelopen was en de emmers schoongeboend op het rek lagen, trok ze haar melkerskleren uit en het gewone werkjurkje weer aan, want na een

35

haastige boterham moest ze mee naar het hooiland om te helpen. „De wagen is zó leeg," riep Klaver haar toe, „je benne net op tijd, dan ken je meerije."
Ze bleef op de dors staan kijken hoe het hooi werd omhoog gebracht in de bijna geheel gevulde berg. Een klein stukje boven het hooischot was een kleine ruimte in de hooimassa uitgespaard, waarin juist een man kon staan; en die man was Klaas. Telkens nam hij het hooi, dat Klaver hem van de volle wagen af toestak, met zijn hooivork over en gaf dat omhoog naar ouwe buurman Groot, wiens vork het nòg hoger voerde naar de knecht, die het in de berg stelde. Het was daar broeiend heet onder het dak en hij had al zijn bovenkleren uitgetrokken. De kruidige geur van het warme, droge hooi prikkelde haar neus en keel op prettige wijze. Ze trok een handvol uit de wagen en snoof er gretig aan. Het was prachtig gewonnen; het zou jammer zijn als het laatste deel nat, slap en verregend binnenkwam.
Zodra de wagen leeg was zette ze de mand met koffie en brood voor de hooiers erin en wipte naast de baas op het kret. Ratelend en bolderend reed de wagen door het dorp en dan het land op, waar de andere wagen reeds volgeladen wachtte. Haastig werd even gegeten en gedronken en voort ging het weer. Marie kreeg tot taak al het hooi, dat die dag bij het opladen der roken was achtergebleven, schoon weg te harken en op hopen bijeen te brengen, zodat ook dat kon worden opgestoken. Zwijgend en verbeten werkten allen door tot de laatste wagen vol was en het land leeg en kaal achterbleef. Al het volk klom op de wagen, Marie naast de voerman op het kret, en zo ging het laatste voer huiswaarts. Hortend en stotend reed de wagen stapvoets het land af. Op het rijpad ging het al beter en zette de baas het paard aan tot een matige draf. Vermoeid leunde Marie tegen de zacht prikkelende hooiwand achter haar en keek naar de zon, die in kleurige vlammen onderging. Zover ze kon zien lagen er nu zachtgrijze windveren tegen de donkere lucht. De wind was geheel gaan liggen, maar de zoele warmte bleef en maakte ieder loom en moe. Slierten nevel zweefden omhoog over het veld en voegden zich langzaam te zamen tot een lichte, wazige sluier. Boven haar hoofd neurieden de helpers een wijsje en Klaver zong het zachtjes mee:
„O Suzanna, wat is het leven schoon . . ."
Ze hoorde de stem van Klaas boven de andere uit en het werd warm in haar borst.
Nu waren ze het land afgereden en de wagen zwenkte de weg op. Het paard draafde lustig huiswaarts en de stemmen zongen luider. Overal zaten groepjes mensen buiten, het werd een roepen en groeten over en weer en iedereen wist dat Klaver vandaag zijn hooi thuis kreeg. Bij Dirk Flik zat de hele buurt voor het huis en Marie wuifde

hen uitbundig toe. Al was ze dan ook moe, wat telde dat bij het geluk Klaas zo dichtbij te weten?

Bij de dam in het hek voor de plaats van Klaver matigde het paard zelf zijn gang en liet zich rustig naar de dors sturen, waar rappe handen gereed waren het laatste voer te lossen. Marie klom van het kret, al haar leden waren pijnlijk door het ongewone werk, doch ze haastte zich naar binnen, want straks moest de tafel voor de mannen gereed staan. Ze hadden honger en verlangden koffie.

Handig hielp ze de vrouw om alles klaar te maken en juist had ze de lamp opgestoken en die aan het schot boven de lange tafel gehangen, toen het volk de koegang opkwam. Even daarna zat de hele schaar gezellig aan de maaltijd. Dampende warme bollen, met knappende, broze korst, rijkelijk gevuld met boter en stroop; en grote lokken koffie. Toen ieder voldaan was, riep Klaver:

,,Nog een ofzakkertje toe?" en hief een glazen karaf omhoog. ,,Klare met suiker vanwege het leste sjouw."

De vrouw deelde glaasjes rond en ieder werd tweemaal ingeschonken. Marie hield niet van sterke drank, zij nam nog een keer koffie en bleef rustig op haar plaats. Sigaren en lucifers gingen rond, het werd nu nog een gezellig kwartiertje. De diepe stemmen zoemden dooreen en in het lamplicht zag ze de rook der sigaren langzaam omhoog warrelen.

De baas betaalde de helpers en zei:

,,Nou ken jullie met kermis een meid onderhouwe."

,,O ja. Maar dat kon ik evengoed al 'oor," schepte Jaap Best op.

,,As ze dan maar wil ok?" plaagde Klaas.

Jaap keek hem nijdig aan en trok hevig aan zijn sigaar.

,,Ik zou niet weten waarom niet," zei hij wrevelig.

De anderen werden nu ook opmerkzaam.

,,Er valt tenminste niks op je an te merken," vond Klaver ernstig.

,,Dat docht ik ok," zei Jaap kort.

,,Hoe is het Marie, heb jij al wat zin an kermis?" leidde een ander af.

,,Jawel 'oor."

,,En heb je al een vrijer ok?"

,,Nee, die hou ik er niet op na."

,,Wees wijzer toch . . . Dus jij ete alle koek alleendig op?"

,,Vanzelf. Ik lust graag koek, weet je."

,,As ik jou nou een heel pond lekkere alderhand geef, wil je dan met mijn uit?" vroeg Jaap nu ineens.

,,Wat?" Onder algemeen gelach keek Marie hem verwezen aan.

,,Je biede te kort, Jaap," riep de baas.

,,Goed. Je krijge er nog een gulden ok bij," beloofde Jaap en keek haar vol verwachting aan.

Marie voelde haar wangen gloeien van drift en schaamte. Was die

knul mal worren? Wie vroeg nou zó een meid . . .
Ze keek hem donker aan.
„Je benne niet wijs," riep ze nors.
„Maar ik meen het echt." Jaap hield vol. „Doen je het?"
„Geen sprake van. Ik wil geen vrijer."
„Nou, je hore het, mijn knecht, het is hier lauw loenen. Vraag maar
een aâr om je cente mee op te maken," zei Klaas en hij hief zijn
glas op voor de laatste teug.
Kwaad zette Jaap zijn stoel tegen de wand en ging weg.
„Goeienavond samen."
Geleidelijk volgden de anderen. De hooiers gingen naar hun slaap-
plaats en de baas en knecht deden de laatste kleinigheden af. Marie
verzamelde de glaasjes, kommen, borden en messen om ze af te
wassen en de vrouw bracht drank en sigaren weg.
Piet Brouwer zat nog alleen. Ze voelde zijn blik zó strak op haar
ogen gericht, dat ook zij hem wel moest aanzien. Stil stond ze nu
tegenover hem voor de tafel. Het lamplicht scheen op haar kleine
ruwe handen, die 'n stapel ineengezette kommen omvatten.
„Wil je met mijn?" bracht hij uit.
Ze schudde afwijzend het hoofd en ruimde verder de tafel af.
„Toe Marie . . . ," bedelde hij.
„Nee Piet. Ik doen het niet."
„Denk jij soms dat ik niet even hard werke ken en net zoveul ver-
diene as die Klaas Mooi?" vroeg hij bitter gestemd.
„Ik denk niks," zei ze stroef, „ik wil alleen erg graag te bed."
„Praat op zolder. As hij hier maar was éé, dan had je niet zo'n drift
om te bed te komen. Maar die verwaande aap met zijn fiets zoekt
het immers toch hogerop?"
Ze gaf geen antwoord en nijdig greep hij zijn pet.
„Denk er nog 'rs over, Marie." Nu was zijn stem weer zacht.
„Ik zei het je toch al . . . ik denk niks," zei ze rustig.
Piet was zichtbaar teleurgesteld en zag er echt verdrietig uit toen hij
wegging. Dat gaf haar toch een gevoel van schuld tegenover deze
goeie jongen. Het was toch ook niet zo erg om 'rs één keer met hem
uit te gaan?
Ze speelde even met deze gedachte, maar dan prevelde ze triest:
„Ik gaan liever alleen as teugen mijn zin met een joôn te kermis."
Want met mijn zin raak ik ok niet uit, dacht ze er achteraan.
Piet Brouwer had immers gelijk met wat hij zei. Klaas Mooi zocht
het hogerop. Die verkeerde al van Kerstmis af met die verre nicht
van 'm; die met dat zwarte haar en die lichte ogen, die Sijtje de Jong
heette, die een echte boeredochter was en die ,de kermispop' noemd
werd. En omdat die 'm wat te ver weunde om te belopen had 'ie
een fiets kocht.

5

Twee weken later was het dorp kant en klaar om kermis te houden. Alle ramen blonken, alle straatjes waren geschrobd en de randen geel gemaakt, de onderdeuren en het laagste deel der boomstammen op de erven geblauwd, de schelppaden in kleurige figuren geharkt, de graskantjes recht afgesneden en binnenshuis had alles een nieuwe grote beurt gehad. Overal was het hooi binnen en rond de boerderijen hing de krachtige aangename geur van lichte broei.

Op de morgen van de eerste kermisdag verschenen tegen tienen reeds de eerste gasten in het dorp en dat hield aan tot bij twaalven. Bij de boeren reden karren en wagens de erven op, bij de burgers en arbeiders waren het meer hittewagens en hondekarren, soms ook een enkele ezelwagen was erbij; en zeer veel gasten kwamen te voet. Een enkele jongere was op een fiets, zelfs een paar meisjes kwamen op zo'n ding, maar de meesten waagden zich niet aan zo iets onvrouwelijks.

Piet Klaver had zijn huis vol gasten en Marie had het de hele dag overdruk. Toen ze eindelijk vertrokken was het al nacht, en eer ze daarna de laatste afwas had gedaan en alles weggeborgen, was ze te moe om zich nog in haar beste klere te steken en te gaan dansen met de wetenschap dat ze om vijf uur weer moest opstaan voor het melken. Ze deed beter om maar naar bed te gaan. Morgen en overmorgen was het immers ook nog kermis. Er waren zes echtparen te gast geweest en elke vrouw had haar een kwartje gegeven. Zes kwartjes maakten een daalder en daar kon je best een kermisdag voor missen. Zo suste ze haar opstandige gedachten, die naar voren brachten dat de eerste dag voor de jongelui altijd de mooiste was. De tweede ging meestal veel rustiger voorbij en de derde was meer voor de getrouwden. Wie weet hoeveel plezier haar vriendin nu misschien had, en zij... Ze had al wekenlang naar deze dag verlangd, ze had zich dikwijls ingedacht hoe die wel zou verlopen... al ging Klaas niet met haar uit, te dansen vroeg hij haar toch vast wel eens, ze werd immers altijd gevraagd zodra de muziek begon, omdat ze het goed kon... Wie had nu ook gedacht dat de baas en zijn vrouw zo'n huis vol gaste node zouwe, dacht ze verdrietig en ze huilde zich later stilletjes in slaap.

De volgende morgen zag ze er triest en stug uit onder het werk en ze sprak weinig. Vrouw Klaver deed maar alsof ze niets merkte, want ze begreep heel goed wat Marie dwars zat. Het was ok niet helegaar in orde weest, gaf ze haar in gedachten toe. Maar ja, hoe ging zuk ... Zij had 'r zusters te kermis nood en d'r man zijn broer en zijn zwager, de ouwelui van weerskante die kwame ok, dat sprak vanzelf, en zo kreeg je twaalf gaste en dan nog een stuk of wat kindere erbij. As gastvrouw kon je niet geregeld in de weer gaan, dus kwam het meeste werk op je meid neer ... Maar je had die toch feitelijk ok voor het werk ...

Toch schrok ze wel toen tegen konkeltijd de vrouw van Dirk Flik het straatje op kwam en achterom ging. Wat zou die hier moete? Haastig bedacht ze alvast wat ze die zou antwoorden als het over gisteravond was. Ze zat dan ook geheel klaar toen ze Kee's muilen over de koegang hoorde klepperen. Struis kwam die het staltje op.

„Goeie morgen," zei ze.

„Morgen Kee. Gaan effies zitten."

Maar Kee bleef liever staan.

„Je zulle misschien denke, wat moet jij, maar ik kwam 'rs kijke wat er met Marie is," begon ze. „Ons Neeltje zei dat ze guster nooit te dansen weest is en wij wiste nergens van. Is ze niet goed?"

„Nee 'oor. Dat niet. Maar we hadde guster gaste en toe die weg ware had Marie geen zin meer om weg te gaan. Och, ze is niet zo erg uiterig éé?"

„Ik weet wel aârs. Ze wil verlegen graag te dansen en dan guster niet wille ... Daar begrijp ik niks van. Was het al puur latig soms?"

„Nou laat ... laat ... ruim halftien denk ik zowat ... Zo krek weet ik het niet 'oor. En toe most vanzelf de boel nog omwassen en alles opknapt. Je kenne dat zo niet staan late, daar hou ik tenminste niet van."

Kee kneep haar mond stijf dicht en keek vrouw Klaver nijdig aan. Dirk had wel zeid dat ze d'r eigen snoek houwe most, je verlore eerder een klant as dat je er een bijkreeg en hij zag zijn dochter ok niet graag met pak en zak thuiskomen, maar ze zou die boerin toch zegge hoe ze hierover docht. In het nette dan ...

„Dus het was al teugen elven eer Marie het werk ofhad zeker?" vroeg ze scherp.

„Dat ken wel weze. Maar ze heb vast wel een daalder fooi kregen en voor wat hoort wat, éé?"

„Dat is waar. Maar mijns inziens hoort het toch niet dat ze daar de eerste kermisdag voor thuisblijve moet ..."

„Daar is ok nooit sprake van weest, Kee," viel de vrouw haar in de rede. „Ze wou zelf niet meer heen."

„Omdat het 'r de moeite niet meer was toch zeker? En ik vind dat je het enige uitje dat een jong mens de hele zeumer heb, dat je ze dat niet onthouwe magge. Ik heb ok altijd diend, maar zuk is mijn nog nooit overkomen. As er op kermis in mijn huur puur gaste kwame, nam de vrouw er altijd een hulp bij en ik was na het melken 's middags vrij. Zo hoort het."

„Alles goed en wel, maar ik heb een meid voor het werk, kermis of geen kermis."

Nu werd het Kee toch te bar en ze viel scherp uit: „Zo. Dus jij wille voor die ene harde gulden in de week nog meer hewwe as een aâr die er twee betaalt?" En toen vrouw Klaver wilde protesteren ging ze snel verder: „Ja, ik weet wel wat je zegge wille. Marie is niet zo mans as de meeste en erg stil en zo, éé. Maar ze is toch om de weerlicht geen doetje. Ze pakt mee an as dat nodig is, dat hew ik in de hooitijd wel zien. En daar heb ze geen stuiver extra voor had en voor d'r schoonmaken evenmin. Zij vraagt er niet om, dat durft ze niet en dat wil ze òk niet, maar jullie hore zuk zelf te geven."

„Jij benne puur brutaal zou ik zegge, Kee," viel vrouw Klaver scherp uit. „En as jij vinde dat je dochter het hier zo slecht heb, begrijp ik niet waarom je d'r hier zolang blijve liete en waarom ik 'r voor ankomende jaar weer inhure kon, want voor mijn was er wel een aâre meid weest 'oor."

„Ok voor een gulden in de week?" vroeg Kee vinnig.

„Nog wel een betere voor minder," zei de boerin roekeloos en ze had meteen spijt van deze uitval toen Kee bleek en toornig zei:

„Mooi dat ik dut weet. Dan neem ik Marie nou dadelijk mee naar huis, dan kan ze tenminste eerst 'rs goed kermishouwe. Ze is zeker wel in de boenluif. Leg jij d'r geld effies klaar?"

Resoluut verliet ze het staltje en ging op zoek naar haar dochter, die verdrietig en wat treuzelig het pas geschuurde koperwerk droogzeemde.

Verast keek ze op toen ze haar moeder zag.

„Jij hier? Is er wat?" vroeg ze gejaagd.

„Ja, ik hier. En pak je klere maar gauw in, want je benne vet."

„Ik vet? Waarom?"

Haastig vertelde Kee wat er gebeurd en gezegd was en ze genoot echt toen ze haar dochter driftig zag opveren onder het luisteren en haar nog altijd bezige handen zag rusten.

„En leg nou die lap en die deurhaalder maar gauw neer en gaan mee naar huis," beval ze.

Marie hing alles echter eerst nog netjes op zijn plaats eer ze Kee voorging naar de hoek van de dors, waar haar kastje stond. Daaruit zocht ze al wat ze de eerste dagen nodig kon hebben en legde dat gereed.

„Dut is het," zei ze stil.

„Mooi zo. De rest zal vader van de week wel hale. Gaan nou eerst maar om je geld; ik wacht hier wel zolang."

„Dat durf ik niet," aarzelde Marie.

„Niet durve? Het is toch zeker je eigen verdiende geld? Je hewwe er hard genog voor werkt, zou ik zegge. Hoeveul ben je nog te goed?"
„Van april òf. Negentien gulden . . ."
„Haal het dan maar gauw. Ze moet het je geven, al heb ze dan voor minder aanstonds zo weer een betere meid."
Ze had de rechte snaar getroffen. Vastbesloten liep Marie de koegang over naar het staltje, waar de vrouw zenuwachtig en ontdaan in haar hoekje zat.
„Ik kom om mijn geld," zei ze stug.
„Moet dat nou zo met ons, Marie? We hewwe je zolang had, ik heb je van alles leerd en we kenne het best samen rooie . . . Ik docht niet dat ik dut an je verdiend had," verweet de vrouw haar.
Marie gaf geen antwoord en bleef stil staan wachten.
„En wat een schandaal," ging de boerin verder. „De meid vet . . . Zuk is in mijn familie nog nooit voorkomen. En dat alles omdat jij liever te bed ging as te kermis . . . Heb je dat niet tegen je moeder zeid?"
„Nee, want dat is niet waar. Het was de moeite niet meer om te gaan," wees Marie haar terecht.
„Kom kom . . . de moeite niet meer . . ."
Het meisje keek strak langs haar heen.
„Ik wou mijn geld wel hewwe," zei ze zacht.
„Dus je late me toch in de steek?" vroeg vrouw Klaver boos.
„Dat is net zoas je het bekijke. As jullie zó weer een betere meid krijge kenne voor minder . . . Ik docht òk niet dat ik dat verdiend had," zei Marie met tranen in de ogen.
„Dat had je moeder je niet hoeve te zeggen. Dat vind ik niet erg netjes. Een mens zeit wel d'rs meer wat in zijn drift dat 'ie zo erg niet meent."
„Maar je zei het toch maar . . ."
Hoofdschuddend stond vrouw Klaver op en ging naar de kamer. Marie bleef stil staan en zuchtte een paar maal heel diep.
Wel foei, zó was alles goed en best . . . nou ja, goed en best wel niet helegaar, maar er was toch geen woord vallen . . . en zo ben je vet. Dus nou ging ze aanstonds naar huis. En wat dan? Het was nog maar half augustus, waar vond je zo gauw een aâre huur? Dat kon wel d'rs kersttijd worre . . . En as je op deuze manier wegraakte, dan beet een aâre baas of vrouw ok niet hard om je in te huren . . . En toch, moeder had gelijk . . .
Ze keek om zich heen. Alles was haar hier zo eigen en vertrouwd geworden in bijna zes jaar. Ze wist precies de gang van zaken in elk seizoen.
De vrouw kwam terug en telde haar loon uit op het donkere tafel-

zeil; zes rijksdaalders en vier guldens. Blinkend lagen ze voor Marie, die ze weifelend opnam.

„Zo, dat is dat," beet vrouw Klaver haar toe. „En zeg maar teugen je ouwelui dat ik een aâre skoenmaker neem."

Nu klemde Marie het geld in haar trillende vingers en zag naar het halfafgewend gezicht van haar werkgeefster, wier mond trok of ze zou gaan schreien. Haar eigen gezicht deed trouwens ook heel raar.

„Dag 'oor," zei ze en ging haastig naar haar moeder terug.

„Dat hield nogal wat," mopperde die. „Wou ze het niet geve soms?"

„Jawel 'oor. We hewwe nog effies praat. Vader heb hier niet meer an te kommen om werk."

Kee snoef verwoed.

„Docht ik het niet? Nou, het is niet aârs. Voor die weer een aâr," zei ze minachtend. „Op die manier benne zukke lui je altijd de baas. Heb je alles dat je je vandaag en morgen redde kenne?"

Marie dacht na.

„Ik zal mijn melkersgoed nog effies uit de boet hale. De rest zit in mijn kassie."

In draf liep ze naar de schuur en griste de kleren van de haak. Toen ging ze naar het kleine raampje dat op de sloot uitzag. De sloot waar Klaas Spijker dagelijks langsvoer. Die zou ze nou wel haast nooit meer zien en dat was misschien wel goed ook, want wat je niet meer zag vergat je eerder. Laat hem maar met die kermispop gaan. Zij had hem niet nodig. Ze kon beter in een ander dorp gaan dienen . . .

Samen met haar moeder verliet ze het erf van Klaver. Elk een bundel kleren over de arm, en Marie droeg een hoededoos en een pakje. Onderweg naar huis voelden ze als het ware hoe vele ogen haar bespiedden, van achter gordijntjes en horretjes.

„We zulle vandaag wel aardig over de tong gaan," zuchtte Kee.

„Maar dut ging me toch te ver 'oor zus. Die boere doene maar net of ze je baas benne."

„Dat benne ze toch zeker ok?"

„Niks 'oor. Geen sprake van."

Maar thuis bleek Dirk Flik daar anders over te denken. Zijn dochter vet en voorlopig thuis op de kost; een beste klant kwijt; en bovendien kreeg je door zo'n geval een slechte naam ook . . .

„Hoe kon je dat nou zo doen, Kee?" mopperde hij kwaad. „Die lui trekke immers altijd an 't langste end. Wat heb je hier nou mee wonnen?"

„In elk geval zoveul dat hullie zonder meid zitte."

„Goed. Maar wat worre wij daar beter van? Jij leze veul te veul in de krante, jij. Die stane ophéden vol over die lui die werkstake wille en voor zukke opperateurs as jij is dat helegaar niet goed, het maakt je maar dwars en ontevreden. Er benne altijd baze en knechte weest en dat zal altijd zo blijve. En as je je voor een jaar bij een baas verhure, dan hoor je er dat jaar uit te blijve, maar je loopt niet tussentijds om een wissewassie weg, dat hoort niet. Ik had Marie ok wijzer bekeken."

Toen stak moeder Kee van wal en somde alles op wat ze op Klaver en zijn vrouw had aan te merken en knoopte daar nog wat algemene opmerkingen aan vast. Dirk liet haar rustig uitrazen.

„En wat wil je nou met 'r?" vroeg hij dan. „Ze had daar een beste plaats bij goeie mensen en zo'n huur krijgt ze niet dadelijk weer. Je benne puur onbesuisd in de weer weest, vrouw, en ik vrees dat je er Marie ok geen dienst mee daan hewwe."

Hij zuchtte en keek zijn vrouw even aan. Kee zweeg en glimlachte flauwtjes.

„Enfin," ging hij door, „dut geval is nou toch zo en we zulle er maar geen lillijk gezicht meer om zette. Het is nou kermis, en dat zulle we eerst maar d'rs viere. Later zien we dan wel verder."

„Dat is gezonde taal," vond Kee. „En dut geval zal de mense wel anstaan, want die hewwe vandaag weer d'rs wat te praten."

Maar Kee dacht verkeerd. Er was een veel smakelijker nieuwtje dat die dag druk de ronde deed, maar waarvan zij nog niets wist.

6

Met Klaas Spijker ging het die zomer de goeie kant uit volgens zijn eigen inzicht. Wel had hij het grootste deel van zijn zuinig overgespaarde geld aan een fiets besteed, maar die uitgave achtte hij volkomen verantwoord en hij voelde zich er even rijk mee als een echte boerenzoon. Zijn baas voelde eerst niet voor fietsen en in geen geval dat een gewone knecht zo'n ding bezitten zou. Dat de grote lui er een kochte, nou ja, die moste d'r geld toch ergens an verkladde, sommige kochte er warempel een otomobiel voor; ja, die dede soms heel gekke dinge. Maar een boerenknecht — en dan zijn knecht — op een fiets, nee, dat was te mal... Klaas, die eens een balletje had opgegooid, bleef kalm. Hij wachtte zijn tijd eens rustig af. Het was nog niet vast dat zijn verkering doorgaan zou. Maar wàs dat zo, dan moest de fiets er zijn. Dat lopen en meerijden op zondagavond zat hem tot aan de keel. Sijtje de Jong woonde ook zo ver.
Sijtje de Jong...
Twee weken na zijn koffie-ophalen bij Marie Veld was hij naar háár uit vrijen gegaan. Te voet. Twee uur lopen erheen en twee uur terug. Ze was hem op die bruiloft zóver tegemoet gekomen, dat zijn gedachten af en toe bij haar verwijlden en bij al de mogelijkheden die met haar persoontje verband hielden. Mogelijkheden die bij Marie Veld, hoe lief ze ook was en hoezeer ze hem ook aantrok, niet aanwezig waren. Daarom besloot hij bij die Sijtje eens een kansje te wagen. Kreeg hij blauw, dan was het ook niet erg. Op een zondagavond was hij er direct na het melken op af gegaan. Eerst naar de herberg in het dorp waar ze woonde. De daar aanwezige jongelui keken hem eerst niet erg vriendelijk aan, maar hij zette zich rustig aan een tafeltje en bestelde een borrel en een dubbeltje sigaren van de zes.
„Opsteke?" noodde hij toen de jongeman die tegenover hem zat, en stak hem het zakje sigaren toe.
„Jawel... omdat je er zo op anstane...," zei die en koos zich er een uit. Klaas nam zelf ook een sigaar en ze staken er beiden de brand in met dezelfde lucifer. Ze rookten een hele poos zwijgend en keken naar het biljarten van een viertal anderen.
„Waar kom je vandaan?" vroeg de overbuurman ten slotte. Klaas noemde zijn naam en woonplaats.
„Moet je hier koffie-ophale of wou je uit vrijen?"

„Eigenlijk geen van tweeën. Ik hew hier nog een stuk familie zitten en die wou ik 'rs opzoeke. Sijtje de Jong."

„De kermispop? Is dat een nicht van jou?"

„Nou, een nicht helegaar . . . maar toch wel in de permetasie. Waar weunt ze zowat?"

„Hier vlak bij. De derde boereplaats westop."

Boerderij . . . dacht Klaas. Dat rooit erop. Hij bood een nieuw aanzittende ook een sigaar en nog een en nog een, tot het zakje leeg was. Nu wist hij zich hier thuis, want hij werd aan de ronde tafel genood. Hij zou van de jongelui uit dit dorp geen hinder ondervinden, hoewel ze bekend stonden als vechtersbazen die geen vreemden duldden.

Klaas had goed gezien. Ze beschouwden hem niet als een vreemde kaper, maar als een doodgewone neef van de kermispop, een meisje waar zij toch niet meer heengingen. En hij was niet benauwd, deze knul, hij keek niet op een sigaar . . . hij kon zijn gang gaan.

Even daarna zat Klaas bij zijn familie op de stoel die Sijtje hem gewezen had en dronk de koffie die zij hem schonk.

Dadelijk vertelde zij aan haar ouders wie hij was en waar ze hem had ontmoet. Ze knikten tevreden. Ze wisten het nu. Deze jonge man was van moederszijde nog aan hen verwant. Ja, ze hadden van zijn grootvader wel gehoord . . . Er ontstond al spoedig een geanimeerd gesprek van vraag en antwoord over en weer. Toen het bijna halftien was en de vader zijn vee ging bestellen had Klaas nog geen blauw gekregen, maar een speculaasje bij zijn koffie. Later zat hij met Sijtje in de donkere warme koegang te vrijen en eer hij vertrok moest hij beloven weer eens te komen. Ze vroeg hem dit zelf.

Bleef de verkering daarom aan? Of was het om de wel kleine, maar keurige hoeve en het goedverzorgde vee op de stallen? En omdat Sijtje enig kind was?

Klaas peinsde daar niet over. Ook niet over het verschil in zijn eigen gevoelens jegens Marie en Sijtje. Als hij in zijn leven vooruit wilde komen, moest je niet zo diep op alles ingaan. Dan moest je aanpakken en doorzetten, vond hij.

En dit deed hij. Meermaal liep hij de lange afstand heen en terug in de barre winternachten, en hij versleet zijn schoenzolen dermate dat vrouw Metselaar hem op een maandagmorgen vroeg of hij bang was dat Dirk Flik niet genoeg te doen had en waar of hij toch wel heenging.

Hij vertelde het toen.

„Zo zo, jij," zei zijn baas en keek hem met gefronst voorhoofd even strak aan. „Zo zo."

„Nou, jij hewwe heel wat voor die Sijtje over," vond Nies. „Je lope er met recht een poot op of."

„Ken je nooit 'rs met d'een of d'aâr meerije?" vroeg de vrouw.
„Nee. Dirk Veer gaat ok wel die kant op, maar die heb een fiets.
Paard en kar werd 'm te lastig. En te duur ok met dat stallen en zo."
„Dat is wel spijtig voor je," zei Metselaar, „maar je hewwe nog
jonge bene."
Meer werd er niet over gesproken tot Klaas op een zondagnacht
door en door natgeregend thuisgekomen was. 's Morgens aan de
eet-en-drinkerstafel vertelde hij dit.
„Ik most mijn helegaar verschone en mijn schoene benne deurwa-
terd. Maar mijn pak, dat vind ik het ergste. En dan mijn overjas. Die
hange nou op de dars uit te druipen. Zouwe die niet uit 'r model
rake?" besloot hij bezorgd zijn relaas.
„Ik zal wel d'rs effies kijke," beloofde de vrouw, „best is zuk vanzelf nooit voor je klere en je hewwe zo'n mooi stel . . ."
„Waarom gaan je ok zo veer? Zoek het wat dichterbij," zei Nies.
„Dat is nou gekheid vanzelf, maar zo is het toch meest geen doen,"
viel de vrouw haar bij. „De baas most je voortaan maar peerd en
kar geve," voegde ze er heel gewoon aan toe.
„Die weerlicht nee," zei die rad. „Mijn kerkboek mag 'ie lene en
mijn hoge hoed ok, as dat 'rs zo komt, maar mijn peerd niet en tenminste niet om ermee uit vrijen te gaan." Toen keek hij Klaas afkeurend aan. „Wat mieter, waarom doen je niet net as die joôn
van Jan Veer en je kope zo'n fiets, as je daar dan juist heen
wille . . .?"
Klaas keek hem onbewogen aan.
„Die dinge koste nogal wat," zei hij bedachtzaam.
„Dat ken je aârs wel betale, docht ik."
„Nou ja, dat wel . . ."
„Waarom doen je het dan niet? Je kenne kome en gaan wanneer je
wille en dan ben je gauw heen en weerom . . ."
Metselaar begon de voordelen van een fiets te bepleiten en Klaas
luisterde vol aandacht en knikte instemmend. Nou had 'ie de baas
waar 'ie 'm hewwe wou. Dank zij de opmerking van de vrouw, die
verstolen lachte. Maar hij wilde zich niet te happig tonen.
„Met lopen kom ik aârs puur goedkoper uit," prevelde hij nog halfluid.
„Dat geef ik je toe. Maar as jij die dochter van Jaap de Jong krijge,
dan ken jij er gerust zo'n ding op nahouwe 'oor."
„Ik moet er nog 'rs over denke."
„Vanzelf. Zuk koop je niet zomaar."
In de loop van diezelfde week leerde Klaas op een stille zijweg fietsen op zijn pas gekocht rijwiel en toen hij aan Metselaar geld op-
vroeg om dat te betalen legde die er zelf tien gulden bij, die hij ca-
deau kreeg.

„Omdat jij naar raad luistere wille," zei hij.

Zo fietste Klaas toen om de andere zondag naar Sijtje, en ieder die dit wist beschouwde hem zachtjesaan als de toekomstige eigenaar van haar vaders spul. Een mooi spul, waarop een jonge ijverige boer vooruit kon komen. Klaas zelf dacht er ook zo over. Aan andere dingen dacht hij liever niet. Niet aan de felle hartstocht die Sijtje in hem deed oplaaien, een hevige begeerte zonder iets van zuivere liefde. Het was enkel een lichamelijk iets, dat zijn innerlijk wezen onberoerd liet, maar dat haar toch een zekere macht over hem gaf, waaraan hij zich niet onttrekken kon. Hij dacht ook liever niet aan wat zijn moeder gezegd had toen hij vertelde met wie hij vrijde.

Dat die Sijtje een bedorven kind was, bazig en inhalig; dat ze altijd weer tussen anderer vriendschap en liefde stookte en daarom vriendinnen noch vrijers kon behouden; dat ze zo dikwijls op kermissen, feesten en uitvoeringen gezien werd, zodat ze de naam van kermispop gekregen had; dat ze het met de waarheid niet al te nauw nam als dat zo in haar kraam te pas kwam . . .

„Hoe weet je dat allemaal?" had hij woedend gevraagd.

„Dat weet iedereen hier immers. Gerust, mijn joôn, dat meidje is niks voor jou. Je zouwe later je dage beklage, vrees ik. En dan is het nog familie van vaders kant ok . . ."

„Ja, moeder, wat jij op de Spijkers teugen hewwe, dat weet ik lenigan wel," viel hij haar in de rede. „Maar dut is een zaak waar ik geen woord meer over hore of zegge wil 'oor."

Ant keek hem donker aan.

„Goed, mijn kind," zei ze gedwee.

Het was een paar minuten heel stil in het kleine kamertje tot vader Jan vroeg hoe zijn fiets hem beviel en zo het gesprek weer op gang bracht. Over Sijtje werd nooit meer gesproken in de zeldzame keren dat hij zijn ouders bezocht. Doch als een van die beiden verjaarde, verwachtten ze hem steevast en op die dag kwam hij trouw bij hen te gast. En al trof het dit jaar al heel slecht dat zijn vaders verjaardag op de eerste dag van de kermis viel, hij had beloofd te zullen komen. En vertelde dit aan Sijtje toen ze een week daarvoor samen opzaten.

„Maar dat ken niet, Klaas," stelde die vast. „Ik heb net een brief an Antje Baas schreven, dat ik daar met kermis te warskip kom voor een paar nachte."

„Antje Baas?"

„Ja, je wete wel, de vrouw van Arie Oud. Ze weune op die grote plaats in het Zuidend bij julle. Zij is nog een achternicht van mijn moeder," lei ze hem ongeduldig uit.

„En ken je daar kome?"

„Vast wel . . . Ik schrijf het altijd zó dat ze het slecht weigere kenne.

En ik ben van de zeumer nog zowat nergens weest en nou wil ik beslist bij julle te kermis."

„Dan is het wel spijtig dat ik er de eerste dag niet ben, éé."

Ze weerde dit lachend af.

„Maar je benne d'r wel . . . Je gane een week later naar je ouwelui te gast."

Vleiend drukte ze haar hoofd tegen zijn schouder en streelde hem met aanhalige gebaartjes. Doch hij duwde haar handen weg.

„Nee, dat gaat niet," zei hij beslist.

Sijtje gaf het echter niet op.

„Dat ken toch best," fluisterde ze. „As jij hulle schrijve hoe de zake hier staan is het of. Ik gaan toch vóór je ouwelui? Of niet soms?"

„Ja, hoor 's, nou vraag je zoveul . . . Ik heb mijn ouweheer eenmaal beloofd dat ik te gast kome zal en dat moet dus beure. En van jou planne wist ik toe niks of."

„Maar die weet je nou wel, en dat maakt alles toch heel aârs, Klaas?"

„Niet dat mijn vader jarig is. Dat blijft zo."

„Vanzelf . . . Maar wel dat jij er niet heengane."

Haar stem kreeg een scherper klank en ze trok zich iets terug.

„Of wel soms?" vroeg ze toen hij zweeg.

„Hoor d'rs Sijtje, je kenne hoog springe of laag, maar ik gaan zondag naar mijn thuis," zei hij nu vrij kortaf. En toen wachtte hij met iets van onrust op haar antwoord. Doch dat bleef achterwege. Ze bleef alleen wat koel en nors zodat hij vóór twaalf al opstapte. Het viel hem mee dat ze hem nog naar de deur vergezelde en daar haar gezicht ophief voor een zoen, die hij vluchtig gaf.

„Tot zondag dan, éé," zei ze kalm en beslist.

„Tot maandag," wees hij haar kortaf terecht.

Dit afscheid bezorgde hem toch een week vol onrust. En die onrust bracht hem tot nadenken. Moeder had toch wel goed hoord, dat Sijtje wat bazig was. Meerdere feiten kwamen hem nu voor de geest; dingen die ze gedaan en gezegd had, ok tegen hemzelf. Toen had hij daar niet op gelet, maar nu wist hij ze ineens weer.

„Ik gaan toch vóór je ouwelui," had ze zeid.

As het goed was most dat ok wel zo weze . . . in z'n eigen dan, want te gast ging 'ie toch vanzelf . . . maar het was niet zo. Sijtje was best en goed, maar as ze een arme boeremeid weest was, dan was 'ie er geen tweede keer heengaan misschien. Dat erge aanhalige in haar, dat stond 'm soms teugen, je konne amper baas van je eigen blijve bij d'r. Maar ja, dat mooie spul van vader De Jong, daar most je wat voor doen en late. Nou most Sijtje aârs niet denke dat 'ie 'm daarom op z'n kop zitte liet, daar prakkezerde 'ie niet over, al had ze nòg zoveul achterland. Nou niet en nooit niet. Ze kon wat hem betrof gerust zondag te kermis kome, maar hem zou ze niet zien. Maandag en dinsdag konne ze nog genog danse. En dan wist ze meteen maar wat ze an 'm had.

En toen hij zag hoe blij zijn ouders waren met zijn komst, toen was hij dankbaar voor zijn besluit; de onrust gleed uit hem weg. Tegen negen uur in de avond stapte hij weer op zijn fiets en reed kalm langs de donkere stille wegen terug. Zou 'ie aanstonds nou nog effies te kermis gaan om Sijtje te verrassen? Die rekende niet meer op 'm vanzelf en dan zou het erg meevallen en was alles meteen weer goed. Bij zijn baas zette hij zijn fiets stilletjes in de schuur en ging te voet verder het dorp in naar de herberg. Het ging daar heel gezellig toe; van verre hoorde hij al de muziek en het gezang en gejoel van vele opgewonden jongelui. Halverwege kwam hem een bekende figuur tegemoet, doch in het duister kon hij niet onderscheiden wie het was. Zeker een meisje dat kiespijn had, want ze hield iets wits voor haar mond. Dat lieve kind moest maar gauw naar de ouwe bakker gaan om die kies te laten belezen, dan kon ze zo weer te kermis, want die leek alle pijn zó weg te nemen. Het was wel erg, want hij hoorde haar huilen.

Klaas keek scherp uit. Wie was het nou toch? Maar wat drommel, het was Nies. Huilend en zonder d'r vrijer. Snel liep hij op haar toe.

,,Ben jij dat, Nies?"

Het meisje bleef staan en slikte haar snikken terug.

,,Ja," nokte haar stem.

,,Wat is er? Heb je kiespijn?"

Al zijn medelijden lag in zijn stem. Die arme meid. Ze was al dagen lang blijd en best in t' zin weest, omdat 'r vrijer met verlof uit Brabant overkwam met kermis. Ze was stapelverliefd op die Jurie Rond en nou kon ze d'rs echt met 'm pronke. Zelf had 'ie er zo geen kijk op, maar volgens de vrouw was die Jurie een merakel knappe joôn en dat pakkie van het peerdevolk maakte 'm nog mooier. Mense, wat had die Nies een zin an deuze dage had, ze praatte nergens aârs meer over. En nou kiespijn? Dat was toch begrotelijk . . .

,,Mijn verkering is uit, Klaas."

Hij lachte ongelovig.

,,Och meid, dat bestaat toch niet. Ik heb zelf zien hoe smoor Jurie gusteravond op je was. Heb jullie soms ruzie had?"

,,Nee, dat niet. Hij kijkt me zomaar niet meer an. Hij wil niks meer van me wete."

,,Hoe ken dat nou? Is 'ie dronken misschien?"

,,Dat ok wel wat. Maar het komt allegaar deur die meid van jou, die joônsgek, die akelige kermispop."

Haar hese stem schoot schel uit bij de laatste woorden.

,,Wat zeg jij?" Ruw greep hij haar arm vast. ,,Hoe zit dat? Vertel op,

wat heb Jurie met mijn meid te maken?"
„Vraag liever wat zij met hem te maken heeft, want zij is begonnen."
„Met wat?" Driftig schudde hij haar heen en weer.
Ze rukte driftig haar arm los en snoot heftig haar neus. En toen vertelde ze, nog nasnikkend, dat ze die avond met haar vrijer naar de danszaal was gegaan, waar Jurie door al zijn oude vrienden werd begroet en door velen werd getrakteerd, waardoor hij al spoedig een weinig beneveld raakte. Eerst had hij tussendoor geregeld met haar gedanst, maar toen had hij Sijtje gevraagd.
„Omdat ze me geregeld zit an te kijken, of ze wat van me moet," had hij gezegd. Die had hem toen, tijdens het dansen, het hoofd op hol gemaakt en daarna hing hij geregeld om haar heen als hij niet dronk. Ten slotte had Nies hem gevraagd naast haar te komen zitten, en toen had hij haar toegeschreeuwd dat 'ie een veel aardiger vrijster had en dat zij wel naar huis en naar bed kon gaan.
„Doen dat ok maar, meid," suste Klaas de nieuw opwellende tranenvloed weg. „Morgen is Jurie wel weer nuchter en dan is alles weer goed 'oor. Maak je maar niet overstuur. Ik zal wel effies kijke hoe de zake staan."
„Zou het echt weer goed kome, Klaas?"
„Ik dénk het niet, ik wéét het. Kom, ik zal je tot an de poort toe wegbrenge."
„Je doene Jurie toch niks, éé? Je gaan toch niet met 'm vechte?" vroeg ze nog ongerust.
„Ben je bang dat ik 'm oftuige zal?"
„Ja. En hij is puur dronken, zie je."
Troostend klopte hij haar op de schouder.
„Ik zal 'm niks doen 'oor. Ik ben veuls te bang dat ik dan weer van jou op mijn kop krijg."
Toen Nies veilig binnen was ging Klaas nogmaals naar de herberg en keek daar eerst door de ramen naar binnen, maar noch van Sijtje, noch van Jurie was enig spoor te bekennen.
Zou 'ie 'rs binnen kijke?
Hij weifelde tussen gaan en niet gaan.
Stel voor dat die twee samen op stap ware? Dan zou 'ie mooi voor gek staan. Wat zouwe ze 'm uitlache. Hij wist zó al wat ze zegge zouwe over Klaas Mooi, die deur zijn rijke kermispop in de steek laten was. Gemeen toch van Sijtje as het waar was wat Nies zei . . .
Had moeder 'm voor zuk al niet waarschuwd . . . ?
Een kille woede deed hem huiveren en dreef hem verder naar het huis waar Sijtje logeerde. Eer hij daar was klonk hem de stem van Jurie al tegen, die jammerend om Sijtje riep. Voorzichtig, dicht langs de hekken gaande, sloop hij nader. Op de weg vóór hem stond een groepje opgeschoten jongens ginnegappend te luisteren hoe Jurie

roepend en huilend om het huis dwaalde en op de ramen bonsde. Tot een luid gerinkel verried dat hij een ruit kapot geslagen had. Daardoor iets ontnuchterd trachtte hij snel het erf te verlaten, doch de eigenaar was vlugger en ving hem bij de voordeur op.

„Wat geeft dut allegaar? Wat zoekt die zatlap eigenlijk?" vroeg hij nijdig aan de jongens.

„Hij zit achter je warskipper an," riep er een.

„Maar die heb toch verkering. Is 'r vrijer dan niet meekomen?"

„Nee. Klaas Mooi was er niet."

„Zo, maar wat moet hij hier dan? Jurie is toch met die meid van Jan Metselaar? Dan heb 'ie hier toch geen boodschap?"

Terwijl hij Jurie voor zich uitduwde kwam hij nu naar het hek toe en daar werd de zaak hem uitgelegd. De heldere jonge stemmen klonken ver in de nacht en Klaas voelde zijn gezicht heet van ergernis. Want wat Nies verteld had bleek meer dan waar te zijn. Sijtje was op de knappe cavalerist verliefd geworden en ze had al haar verleidingskunstjes gebruikt om hem onder haar bekoring te brengen. „Ze vrat 'm zowat op," volgens de jongelui. Klaas kende dat van haar. Dat Jurie intussen meer dronk dan hij verdragen kon was een misrekening voor haar. Dat hij toen die Nies van zich had weggejaagd en nu háár naar huis wilde brengen, daar voelde ze weinig voor en ze trachtte stil te ontsnappen. Jurie ontdekte dit echter meteen en was haar, gevolgd door de nieuwsgierige jongens, achterna gegaan met dit gevolg.

„Zit het zo," zei Dirk, „nou, dan zal ik het raam maar voor Jurie's rekening make late. En brenge julle 'm thuis, joôns? Hij mocht nog meer bratte make."

Ze beloofden dit grif en voerden de stil geworden Jurie met zich mee. Klaas wist genoeg voor die dag en ging, woedend om Sijtjes ontrouw, naar huis en naar bed. De slaap bleef echter verre. Het hem reeds zo vertrouwd geworden bedrijf van de goedige vader De Jong zweefde hem steeds voor ogen. Ook de volgende dag liet het hem niet los. Hoe moest zijn houding zijn in dit geval? Hij wist het niet. Wel had hij Nies gerustgesteld over haar Jurie en haar aangeraden om alles maar gauw af te zoenen; zelf was hij echter zo iets heel niet van plan.

's Avonds na het melken verkleedde hij zich vlug en spoelde daarna zijn boterhammen weg met grote slokken koffie. Vrouw Metselaar keek bezorgd naar zijn nors gezicht.

„Je hale vannacht toch geen gekke dingen uit, éé Klaas," waarschuwde ze.

„Nou . . . zo erg . . ."

„Ja, dat wete we wel as het om een meisje gaat. Eerst een paar slokkies om moed te krijgen en dan een paar omdat je die er nog wel bij hewwe ken en dan weet je niet meer wat je doene. Het slot is in de regel dat de knip leeg raakt, de klere kapot en de verkering uit."

Klaas bromde maar wat voor zich heen, maar gaf geen rechtstreeks antwoord. Raar toch dat 'ie niet echt kwaad weze kon om Sijtje zelf. Wel om wat ze daan had. Maar d'r om vechte . . . ? Dat was het hele geval 'm niet waard. Eer hij wegging bekeek hij zich in de kamer voor de grote damspiegel, die tussen de ramen hing, nog eens nauwlettend. Wat hij zag stelde hem tevreden, hij zag er piekfijn uit. Met recht Klaas Mooi, dacht hij grimmig. Bedaard ging hij op weg. Overal liepen paartjes en groepjes kermisgangers en uit het gedrag der jongeren, kon hij reeds van ver hun leeftijd schatten. De lacherige, drukdoende meisjes en de schreeuwende, opscheppende jongens, dat was het „zeuvenuursgoed" van tussen veertien en zeventien jaar. De ouderen hadden ook wel pret, doch uitten dat op een andere, meer beheerste wijze. Allen die hij groetend passeerde zagen hem opmerkzaam aan alsof ze iets van hem verwachtten. Hij glimlachte wrang; hij wist drommels goed wat dat was. Ze hadden het dit keer lelijk mis. Wat er ook gebeurd was, er werd door hem niet gevochten vanavond.

Bij de plaats van Klaver keek hij even opzij. Dat deed hij meer na verleden herfst.

Marie . . .

Die zou zuk niet doen as Sijtje. En às ze hem dat lapt had . . . hij dacht zich dit in . . . dan sloeg 'ie die vent voor de wereld, ja, met één slag, en haar . . . haar keek 'ie niet meer an . . . ja, toch wel . . . maar hij zou 'r zukke kure voorgoed oflere . . . Dat zou 'ie.

Zijn spieren spanden zich reeds bij de gedachte alleen aan Marie . . . Het was toch ok beroerd dat zij niet wat geld te wachten was; dat ze uit net zo'n arm nest kwam als hijzelf . . . En nog beroerder was het dat je, as je vooruit kome wou in de wereld, altijd en overal geld nodig hadde. Maar vooruit, daar most 'ie nou maar niet meer over prakkezere.

Klaas zette zijn hoed iets meer voorover, zodat de rand zijn ogen beschutte tegen het licht van de dalende zon en verhaastte zijn schreden. Dat geslenter gaf toch niks. Hoe eerder 'ie in de herberg was, hoe gauwer was het 'm lukt zijn figuur te redden.

Toen hij binnenkwam was het dansen nog niet begonnen, al zaten de drie muzikanten reeds op de tribune hun instrumenten te stemmen. Op de banken langs de wand zaten veel meisjes in druk gesprek en gluurden onderwijl naar de kant van het buffet waar de jongens bijeen stonden. Bij zijn binnenkomst verdiepte zich de klank der stemmen, en de kring der kameraden opende zich om hem door te laten.

Van drie, vier kanten werd hem gelag aangeboden en een uit hun midden vroeg:

„Waar was jij guster, Klaas? We hewwe je mist, man. Jij hadde er bij weze moeten, zeg."

Hij was echter op zijn hoede; hij stelde de borrels nog wat uit en bracht de dag van gisteren slechts flauwtjes ter sprake. Zodra de eerste dans werd ingezet vroeg hij daarvoor lukraak een meisje dat dichtbij hem zat. Maar onder het dansen lette hij scherp op wie er naar binnen kwamen, tot hij ten slotte Sijtje zag. Fier en uitdagend bleef ze bij de ingang staan en haar blik gleed over alle aanwezigen. Toen hij haar aankeek knikte ze hem lachend toe alsof er niets gebeurd was, maar hij wendde zijn ogen af als was ze een vreemde, al stond ook haar beeld scherp in zijn gedachten. Die hoge, slanke gestalte, zo keurig omsloten door een lichtgrijze japon met kant en zijde gegarneerd. Haar grote hoed met veel lint, bloemen en veren en al de sieraden die ze droeg. Het dikke zwarte haar, dat onder de hoedrand uitkuifde en haar wangen blozend als nooit tevoren. Sijtje was knap, ze was heel knap, maar haar ogen bedierven dat weer grotendeels. Die ogen waren niet eerlijk.

Nu kwam, bedeesd als immer, Marie naar binnen, gevolgd door haar zusje. Neeltje zocht aanstonds een plaats op een der banken, maar Marie bleef staan kijken, het was alsof ze iemand zocht. Nietig en onopvallend leek ze in haar eenvoudig bruin kleedje naast de rijke verschijning die Sijtje was. Niets glansde er aan haar dan de kleine gouden broche aan haar hals, en het enige stralende waren haar ogen. En toch wist Klaas nu ineens waarom het tussen Sijtje en hem, ook zonder haar gedrag van de vorige avond, nooit het ware zou worden.

Dat kwam enkel en alleen door Marie Veld.

Diep in hem was dit weten er aldoor geweest, doch hij had het zelf nooit willen toegeven. Hij had het met al zijn willen van zich gezet.

Nu wenkte Marie haar broertje, die in een hoekje stond, bij zich en gaf hem wat geld. Het kind keek blij en gaf haar een zoen. Zou ze nu hierheen komen? Daar vroeg warempel die Jaap Best haar te dansen... Hij en Piet Brouwer zouden wel weer geregeld om haar heen dwarrelen.

Wel allemensen, daar kwam Nies met 'r Jurie. Wat keek die knul ongelukkig. Wacht, hij zou Nies te dansen vrage, dan kwam 'ie meteen te weten hoe het tussen dat stel verlopen was. Zo deed hij. En onder de kruispolka en de Duitse, de wals en de veleta hoorde hij dat het weer helemaal „an" was en dat Jurie niet begreep hoe 'ie zo gek wezen kon op de kermispop.

„Ik ben zelf naar 'm toegaan," zei ze. „Hij durfde me niet eens of te halen, zo zat 'ie ermee. Hoe staat het nou met jullie?"

Ze liepen gearmd rond in afwachting van het laatste deuntje en beider ogen zochten Sijtje, die nog steeds bij de ingang stond. Ja, hoe staat het met ons? dacht Klaas. Maar het antwoord werd hem bespaard, omdat de schaatsenrijderswals al hun aandacht in beslag nam.

Zodra de muziek een volgende dans aankondigde haastte Klaas zich naar de plek waar Marie zat en keek haar vragend aan. Blozend stond ze op en kwam naar hem toe, vast sloot hij haar in zijn arm en leidde haar passen naar de zijne. Toen, terwijl de wals hen meevoerde in een wiegend ritme, boog hij zich dicht over haar heen en vroeg: ,,Gaan wij vanavond samen uit, Marie?"

Ze wierp het hoofd achterover en keek hem recht in de ogen. Talloze vragen las hij op haar gezicht, doch ze uitte er geen. Ze keek slechts, tot ze voor de dwingende eis in zijn blik bezweek en knikte. Dit was Klaas echter niet genoeg en hij hield aan.

,,Wil je?"

Hij lei zijn wang bijna tegen de hare, totdat hij haar duidelijk ,,ja" hoorde zeggen. Toen werd de greep van zijn arm als staal en hij voerde haar mee door de zaal als in een droom. Hij voelde zich vrij en gelukkig nu. Zelf had hij in één minuut het roer omgegooid en in een opwelling, zonder verder na te denken, zijn schepen achter zich verbrand.

Driemaal, vijfmaal, danste Klaas Mooi nu al met Marie, zagen de anderen in de zaal. Geen ander kreeg ook maar de kans om haar te vragen. Het leek wel of hij met 'r uit was. Sijtje de Jong zat tussen de meisjes op de bank en met Nies en Jurie was alles koek en ei zo te zien. Dat viel erg tegen, ze hadden voor deze avond heel iets anders verwacht. Schelden en vechten, sensatie, schandaal . . .

Sijtje had het zich ook heel anders voorgesteld. Klaas keek haar niet aan, voor een dans werd ze nauwelijks gevraagd en dan nog door een jongen die ze anders beslist een blauwtje had gegeven. De meisjes mochten haar tòch al niet en lieten haar nu helemaal links liggen. Ze vertrok al vroeg en schreide onderweg in diep zelfbeklag.

Haar moste ze altijd hewwe en zij werd altijd verkeerd begrepen. Het was of zij het helpe kon dat die vrijer van Nies achter d'r an ging, toe zij een beetje aardig tegen 'm weest was. Dirk Oud en Antje hadden er ok al een grote mond over had. Enfin, ze zou morgen wel weggaan, dan hadde ze geen last meer van d'r. Maar Klaas . . . dat was het ergste. Die Nies had 'm zeker wel erg teugen d'r opstookt en ze had het enkel maar bedoeld om 'm een beetje jaloers te maken omdat 'ie toch weggaan was. Het was toch min van 'm dat 'ie dadelijk alweer met een aâr ging. En nog wel met dat rare stille kind van toe . . . Zij kon nou nooit 'rs wat zegge of doen zonder dat iedereen het direct verkeerd opnam. Of het nou een

vriendin was, of een vrijer of een stuk familie ... er leek altijd wel wat. Het leek wel of ze jaloers ware ... de een om dut en een aâr om dat. Maar as Klaas ankomde zondagavond weer kwam met hangende pootjes, dan zou ze hem niet merke late hoe blijd ze daarom was. Niks 'oor, ze zou 'm goed voele late dat het zijn eigen schuld was dat Jurie zin an d'r kreeg. Zo'n arme schrobber as hij was, hij mocht wel meer as dankbaar weze dat ze 'm hewwe wou en dat 'r ouwelui het goedvonde. Het was omdat 'ie familie was, maar aârs ...
Maar as Klaas nou 'rs niet kwam ...
Nee, hij zou kome, hij mòst kome. En zo niet, dan zou ze 'm schrijve. Wacht ... ze most morgen schrijve zo gauw as ze thuis was. Dat het 'r erg speet dat het zo lopen was en dat ze er niks geen kwaad mee bedoeld had. Dat ze enkel maar porrelig en verdrietig weest was omdat hij er niet was. En of 'ie zondag nog 'rs kome wou om te praten ... En as 'ie kwam ... dan zou ze het wel zó make dat 'ie met 'r bleef ... Blijve mòst ... Want vóór vandaag had Sijtje nooit geweten hoeveel ze van Klaas Spijker hield.

De dag na kermis zou Piet Klaver 's morgens zijn paard inspannen en ontdekte toen dat het werkhaam kapot was. Hij krabde zich driftig achter het oor. Dat was me ok een brat. Verleden week zou zuk niks erg weest hewwe. Je ging er effies mee naar Dirk Flik en het was zó klaar. Maar nou ... Vóór zaterdag ging er geen vrachtman naar stad en zolang kon 'ie niet wachte met zijn werk. Die weerlichtse vrouwe ok met 'r klammerij ... Daar zat je nou. De meid weg, de vrouw hande met werk en dus slecht in 't zin; de knecht most nou het boeregoed boene en zo, die was ok niks blijd, zelf most je nou alle kere meemelke, zodat je geen hiel lichte konne; en omdat je vrouw de schoenmaker opzeid had zat je ok nog met een kapot haam.
En dat alles omdat je vrouw te zuinig weest was om een dag een hulp te nemen. Nou zat je met een zood drukte en armoed en nog koste erbij, want as dat haam mee naar de stad ging kostte het je nog vracht ok.
Nauwkeurig bekeek hij het gescheurde leer. Ja, het was maar een klein sjouwtje, Dirk had het zo klaar ... Moedeloos hing hij het haam weer aan het tuigenrek en bleef er nog even naar staan kijken. Hij was toch eigenlijk gek ok. Wat hadde Dirk Flik en hij met die vrouweheibel nodig? Niks toch zeker?
Resoluut nam hij het tuig weer ter hand en ging ermee naar de kaasplaats, waar zijn vrouw en de knecht bezig waren. Vluchtig riep hij onder het langsgaan:
„Ik moet effies naar de schoenmaker met een stukkenig haam 'oor,"

en beende meteen snel het straatje af. Eer ze hem goed begrepen had was hij al de weg opgegaan. Bij Dirk ging hij als gewoonlijk achterom en trof daar Marie aan de wastobbe.

„Morge meid," riep hij opgewekt.

Ze keek op en prevelde geschrokken een groet.

„Mooie kermis had?"

Ze knikte en ging weer door met wassen.

„En hoe was het met de vrijers?"

„Oh, best zover ik weet."

„Mooi. En is die van jou op tijd vortgaan?"

„Ja 'oor. Hij was melkerstijd thuis."

„Dat mag ik hore. Is vader in de werkplaats?"

„Ja 'oor."

Toen Klaver weg was zuchtte ze verlicht. Was me dat verschieten. Gelukkig was de baas helegaar niet kwaad en hij brocht weer werk ok. Ze zouwe daar de hande wel vol hewwe nou zij er niet was; vooral vandaag door het karnen. En hier liep je feitelijk in de weg. Vandaag kon ze de was doen en morgen spoele en stijve en strijke, en dan nog het naai- en stopwerk ofmake, maar verder had ze weinig omhande. Moeder kon alles best zelf of. En je verdiende ok niks zo.

Er was meer.

Nou ze al zoveul jaar op een dik verenbed alleen slapen had, viel dat op haverdoppen, en dan naast je zuster, eerst niet mee. Met het eten was het al krek zo, de baas en vrouw hielde van een rijke tafel en hier was de kost puur mager. Maar het ergste was dat je Klaas alle dage niet meer zage langsgaan.

Marie zuchtte weer en keek het achtereind eens rond. Vroeger had ze er nooit geen erg in had hoe kaal de wande hier ware en hoe klein de raampjes. Nee, as je eenmaal uit diene was, dan voelde je je thuis niet meer op je plaats, tenzij je er nodig was met ziekte of zeer. Te warskip en te gast of zo 'rs effies om een koppie, dat deed je natuurlijk dolgraag, dan was je nergens liever. Maar as ze hier nou was voelde ze d'r eigen een overbodige opeter.

Ze most maar gauw naar een aäre huur uitzien, had vader vanochtend zeid. En hij had gelijk. Maar wat kon ze krijge? Een vet geraakte meid name ze in een grote huishouwen, of bij een gierig stel mense voor niet teveul loon, of in een huur waar de baas zijn hande niet thuishouwe kon. Soms lukte het nog wel d'rs op een ofgelegen plaats wie weet hoe ver van huis. Je moste al erg veel geluk hewwe as je goed slaagde. Enkel as er onverwachts een meid ziek werd of as er eens holderdebolder een trouwe ging. Maar zuk beurde vrijwel nooit. Het was mis weest dat ze zo daan had. Vader had wel gelijk had.

Ze hoorde in de werkplaats Klaver hartelijk lachen om iets dat vader hem vertelde. Moeder deed de kamerdeur open en vroeg:
„Wie is bij vader?"
„De baas met werk."
„Zo. Dus die staat niet met zijn vrouw. Zei 'ie nog wat?"
„Niks. Hij deed heel gewoon."
„Dat valt me mirakel mee van 'm."
„Het is immers altijd best volk."
„Nou ... bèst ..."
Meer kon Kee niet zeggen, want haar man riep van uit de schoenmakerij:
„Marie, kom 'rs effies hier!"
„Mag ik ok meekome?" vroeg Kee.
„Waarachtig zeker."
Samen gingen ze erheen. Marie snoof even. Dat deed ze altijd als ze in de werkplaats van haar vader kwam waar de prettige geur van pik nauwelijks overheerst werd door die van vers leer en tuigensmeer.
„Wat moet ik?" vroeg ze en kwam dicht naast hem staan. Kee bleef met de handen op de heupen in de deuropening.
„Weet je wat je vader zei?" zei Klaver. „Dat je deuze twee leste dage wel zó kermishouwen hewwe dat je die eerste best misse kon."
„Maar dat wist ze niet vooruit," zei Kee fel.
„Nou wete we het dan wel," oordeelde Dirk. „En daarom zei ik teugen Piet dat we Marie's kassie maar bij 'm staan late moste en die vindt dat erg best."
Ze doen warempel net of ik een trekhond ben die je over en weer weggeve kenne, dacht Marie boos en ze viel meteen uit:
„De vrouw zei dat ze zó een betere meid had voor minder geld as ik verdiende. Laat ze het daar eerst maar d'rs mee probere. Ik begrijp nog niet waarom julle me de vorige maand weer inhuurd hadde ..."
„Omdat we je immers niet misse wouwe, mijn kind," suste Klaver goedig. „En as je vandaag de dag weer bij ons kome wille krijg je ankomde jaar een kwartje in de week meer en dan prate we nergens meer over. En gaste of geen gaste ... jij magge voortaan te kermis 'oor."
Hulpzoekend keek Marie haar moeder aan. Zou die niet ...?
Maar Kee was tevreden. Piet Klaver had zijn vrouw ongelijk geven en dat was voor haar genoeg. Ze knikte haar dochter toe en zei dat ze voor melkerstijd weer present zou zijn.
„Waar lachte julle zonet zo om?" wilde Kee nog weten.
„Dat durf ik niet over te vertellen," zei Klaver effen. „Julle huwelijk is nou nog goed zover ik weet."
„Zei 'ie wat over mijn soms?"

„Ik vrees wel dat 'ie jou bedoelde."
Dreigend stoof Kee op haar man toe, die snel van zijn kruk gleed en tussen de kapotte schoenen onder de tafel gleed, zodat ze hem niet bereiken kon en lachend een muil achterna wierp.

Hoe Piet Klaver het met zijn vrouw geregeld had kwam Marie niet te weten, maar toen ze diezelfde middag met haar spullen terugkwam was het met recht:
Zoetlief, kom binnen, of ik zoen je op de mat.
En haar leventje ging verder alsof er nooit ruzie was geweest.

Alleen kwam Klaas twee weken later te koffie-ophalen en keek ze meer nog dan tevoren door het achterraampje naar wie er langs voer.

7

„Wat hoor ik?" vroeg Metselaar een paar dagen na de kermis aan Klaas. „Is je verkering uit? Heb je 't gat aârsom gooid? Dat is spijtig voor je, joôn."
„Ik laat me niet voor de gek houwe," zei Klaas.
„Dat hoeft ok niet. Maar tussen dut en dat is ok wat. Weet je wel wat je verspeule?"
En Metselaar somde op . . .
Klaas fronste de wenkbrauwen. Hij wist het zelf ook wel. Hij had dit zichzelf al wel honderdmaal voorgehouden na het lezen van Sijtjes brief, een heel aardige brief, waaruit bleek dat het gebeurde niet haar bedoeling was geweest en evenmin haar schuld. Maar nou 'ie Marie weer in zijn armen had gehad, nou wist 'ie voor altijd wat hij wilde.
Eerst haar. En dan later . . . nou, dan zou het bij leven en gezondheid niet aan hem liggen als hij niet evengoed een eigen spulletje kreeg. Al zou 'ie dag en nacht moeten ploeteren.
Maar eerst Marie!
Hij, de nuchtere Klaas, had haar steeds in zijn gedachten.
Ze was zo lief weest deuze twee avonde. Ze was zo heel aârs as Sijtje en dat maakte jezelf ok aârs. Sijtje had bij alles beslist zelf het roer in hande, zij niet; je konne om zo te zege met Marie leze en schrijve, zo meegaand was ze. Tot op zekere hoogte dan . . . En dat ze weer bij Piet Klaver terugkomen was, dat toonde toch ok wel hoe goed ze was. As 'ie weer bij d'r was, zou 'ie probere een beetje vastigheid te krijgen, er waren meer kapers op de kust.
Daarom vroeg hij toen ze weer samen opzaten:
„Zou je met me blijve wille, Rie?"
Ze ging even van hem af zitten en staarde voor zich uit in het rustige duister.
Hoorde ze wel goed? De knappe Klaas Spijker met zijn fiets en zijn pas uitgeraakte verkering met die boeredochter, die vroeg háár om met 'm te blijven . . .?
Toch had ze zijn woorden duidelijk gehoord. Maar misschien bedoelde hij ze wel niet zo en dacht zij dit zelf maar. Of hield hij 'r soms een beetje voor de gek?
Ze zei heel rustig, met iets van afweer in haar stem:
„Je kenne me nog kwalijk."
„Och kom. Ik zien je toch alle dage zowat."

„Maar zien is nog geen kennen."
Ze lachte kort en helder.
Hij moest eens weten hoe graag.
„Ja, ik mag je wel," gaf ze toe.
Zijn greep om haar schouders werd vaster.
„Liever as Jaap Best en Piet Brouwer?"
„Nou vraag je zoveul. Daar hew ik nooit bij stilstaan."
„Doen dat dan maar gauw."
„Ja baas."
Het ging als in scherts en Marie durfde de ondertoon van ernst er niet in beluisteren.
Maar toen hij afscheid nam was hij heel anders dan na de bruiloft. Veel liever en inniger vond ze. Het spottende was nu uit hem weg. Eer hij ging klemde ze zich een moment stevig aan hem vast en drukte haar gezicht dicht aan zijn schouder. Doch ze zei niets, al fluisterde Klaas ook iets over „gauw elkaar weer zien en spreke." Ze was de maanden van na de bruiloft nog niet vergeten. Zij verwachtte niet meer en ze wachtte evenmin.
Nu ging het echter heel anders. In de donkere wintermaanden die kwamen trof ze, als ze van een kort bezoek aan haar ouders terugkwam, dikwijls toevallig Klaas op haar weg, die haar dan tot aan Piet Klaver's achterdeur vergezelde en daarvoor zijn tol eiste.
„Eén nachtzoen, Rie."
Maar ze kuste hem nooit terug en probeerde zo snel mogelijk in huis te komen, hoewel ze beefde van geluk.
„Jij benne krek een zwaluw," fluisterde hij eens, na zo'n, ditmaal mislukte, vlucht.
Ze bleef stil in zijn armen staan.
„Een zwaluw?" vroeg ze verbaasd.
„Ja. Die lijke ok zo mak. Ze dwarrele zomaar om je heen. Maar probeer nooit om ze te vangen, want daar houwe ze niet van."
Ze lachte zachtjes.
„Zo ben ik toch niet."
Vast hield hij haar tegen zich aan.
„Nog veul erger. Jij benne nog veul liever en schuwer," vleide zijn stem en zijn lippen streelden langs haar voorhoofd en wangen. Stil liet ze hem begaan en sloot de ogen. Ze hoorde hoe de kille wind om huis en schuren woei en gierend door de boomkruinen joeg. Maar hier in de luwte was het heerlijk veilig en Klaas weerde de kou van deze novemberavond.
„Hou je van me?" prevelde hij en maakte zelf met zijn lippen een antwoord niet mogelijk.
„Toe, Rietje . . ."
Ze durfde echter haar liefde niet te verraden zolang ze van de zijne

niet geheel zeker was. En daarover sprak hij nooit, ondanks zijn lieve woordjes. Licht streelde haar hand over zijn mouw. „Ik weet het niet 'oor. Welterusten." Snel dook ze uit zijn armen weg en glipte meteen het huis binnen. En Klaas was nog even wijs. Toch wilde hij graag weten hoe ze tegenover hem stond en in de nu komende week besloot hij haar niet meer achterna te lopen en ook een paar keer niet naar haar uit vrijen te gaan. Als hij een kennis sprak, zou hij als terloops zo eens vertellen dat hij er vroeger wel eens over had gedacht om in Duitsland werk te zoeken en tevens vaag aanduiden dat het hem ook nu geen gek plan leek om het te wagen. Meer niet. De rest maakte een ander er wel bij en dan moest het al heel gek zijn als Marie er niets over hoorde.

Daardoor verliepen er enkele weken zonder dat ze elkaar spraken. Alleen zag Marie hem dikwijls langs varen. Maar in haar gedachten was hij altijd, hoe ze zich er ook tegen verzette. En ze speurde en luisterde angstig en toch heel voorzichtig waar hij zijn zondagavonden doorbracht zonder dat ze iets te weten kwam. De knecht wist nergens van, hij was niet in de herberg geweest. En het schrikbeeld Sijtje, dat aldoor de achtergrond van haar kort geluk had verduisterd, nam nu angstig grote vormen aan. Zou hij het met háár weer anmaakt hebbe? Ze loerde immers nog geregeld op 'm. De leste uitvoering was ze warempel weer bij Wouter Stapel te warskip weest. En zoas ze Klaas alsmaar ankeek ...

Op een avond, toen ze bij haar ouders zat, zei Neeltje:
„Weet je wat ik vandaag hoorde?"
„Nou?" vroeg Kee benieuwd.
„Dat Klaas Mooi naar Duitsland te werk wil."
„Wanneer?"
„Na vrouwendag vanzelf. Hij zal eerst zijn tijd bij Jan Metselaar wel uitdiene, verwacht ik. Mijn baas hoorde het bij de smid. Eer 'ie met Sijtje de Jong verkeerde was 'ie het ok al van plan weest. De smid zei dat ze er een zood geld verdiene kenne. Die wist er al van meer die er ware."
Dirk en Kee wilden er nu alles van weten en ze vroegen meer dan Neeltje beantwoorden kon.
Marie vroeg niets. Zij wist genoeg. Het was niet om Sijtje dat hij wegbleef. Stil dronk ze haar koffie op. Ze trachtte het gehoorde te verwerken en het zich goed in te denken.
Klaas weg. Voorgoed. Heel naar Duitsland toe. Ze voelde zich suf en leeg worden en besefte dat haar verder leven voortaan ook zo zou zijn. Haar keel trok samen in een lichte kramp en ze voelde een snik onweerhoudbaar opwellen. Ze slikte verwoed om die te overwinnen.

Je kon toch bij je ouwelui an tafel niet zitte gaan te huilen om een vrijer, dat was om je dood te schamen. Dat deed je stilletjes in je hoofdkussen, dan had geen mens er erg in. Overdag deed je vanzelf gewoon. Net of het je niks schele kon. Ze balde haar handen zó vast in elkaar dat de nagels in het vel drongen en klemde haar tanden knersend opeen. Gelukkig kwam er een klant voor haar vader en kon ze vluchtig afscheid nemen en vertrekken. Eenmaal onderweg gelukte het haar zich in zoverre te beheersen dat bij Klaver niemand iets aan haar merken zou. Alleen vroeg de vrouw:

„Wat zien je verreisd. Ben je niet erg lekker?"

„Een beetje loof denk ik."

„Gaan dan maar gauw te bed. Ik ruim de boel wel op."

Ze knikte gretig, zei zacht haar „welterusten" en ging naar haar bedstee op de koegang. Doch het duurde uren eer ze insliep. En in die uren had ze een plan bedacht dat haar een weinig rust gaf. Ze zou Klaas een brief schrijven en hem daarin eerlijk vertellen hoeveel ze van hem hield, maar dat ze het niet durfde te zeggen en ook niet wist of hij wel om haar gaf. Woord voor woord stond alles in haar gedachten en de volgende dag schreef ze die woorden onder haar werk door neer, zonder dat de vrouw dit zag. 's Middags voor theetijd verzon ze even een boodschap en deed de brief in de bus. Toen ze terugkwam en langs het huis liep zag ze hoe in de sloot achter de schuur Klaas kwam aanvaren. Rustig boomde hij de schuit voort zonder haar te zien. Met één ruk ontdeed zij zich van doek en kaper, wierp die over de pomp, greep een emmer van het rek en liep naar het bleekveld om een paar stukjes wasgoed op te rapen, die ze 's morgens in het winterzonnetje daar te bleken had gelegd. Ze deed of ze zó in haar werk opging dat ze hem niet zag eer hij haar een groet toeriep. Toen keek ze op.

„Mooi winterweer," riep hij nu en hield de gang der schuit iets in.

„Je hewwe het puur drok zeker?"

Marie ging rechtop staan en zette de emmer neer.

„Niet erg 'oor. Jij wel?"

„Ik helegaar niet. Weet je nog wat nuuws?"

De schuit lag nu stil en Klaas leunde licht op de kloet, die rechtop in de sloot stond.

„Nee. Jij?"

„O ja. Maar kom dan effies hier op de stoep staan, aârs hoort het halve dorp wat ik zeg."

Ze kwam naar hem toe.

„Ziezo, nou kenne we prate," zei Klaas tevreden.

„Wat weet je voor nuuws?" vroeg ze zacht. Ze voelde hoe haar hart wild bonzend het bloed naar haar wangen dreef, en omdat haar benen eensklaps zo gek deden, zette ze zich schrap tegen de walkant. Want nu zou hij het haar wel zeggen dat hij vertrekken wou.

„Het is eigelijk al oud nuuws 'oor. Ik wou alleen maar zegge dat jij er weer bar lief uitziene," zei hij vrolijk en hoewel zijn mond lachte, getuigden zijn ogen dat hij het meende. Maar de hare, die ze naar hem ophief, waren donker van leed toen ze uitbracht:

„Ik docht dat je me vertelle wou wanneer je naar Duitsland gane."

„Ik naar Duitsland?"

„Ja, jij. Ik hew het gusteravond zelf hoord."

„Van wie?"

„Neeltje wist het. Het kwam bij de smid vandaan."

Hij lachte luidop.

„Dat is nog'rs nuuws," riep hij vrolijk. „Ik wist er zelf nog niks van. Maar as ze het zegge, dan zal het wel zo weze."

De door zijn verbazing snel opbloeiende hoop schrompelde bij deze laatste woorden weer weg in Marie's denken.

„Dus je gane toch?" stamelde ze.

„Welnee. Vroeger hew ik er wel over docht, maar nou al lang niet meer. Dan zou ik bij jou vandaan moete en dat wil ik voor geen geld."

Weer die spot in zijn toon, die haar van de wijs bracht.

„Gaan je echt niet?"

„Geen sprake van." Dit was ernst.

Ze kreeg nu een gevoel of er een last van haar was weggenomen; ze voelde zich licht worden van geluk, tot ze aan haar brief dacht en aan alles wat ze daarin geschreven had, en een nieuwe ontsteltenis dwong haar om op de onderste stoeptrede te gaan zitten.

„O, dat is nou wat," prevelde ze halfluid.

„Wat? Dat ik hier blijf?"

„Nee, dat vanzelf niet. Maar toe ik hoorde dat je wegginge heb ik een brief an je schreven en dat most niet weest hewwe vanzelf."

„Wat staat erin?"

Nu was het haar of er vuur in haar hoofd zat en ze verborg het gezicht in beide handen.

„Had ik het maar nooit daan," kreunde ze. „Je magge 'm niet leze 'oor. Dat moet je m'n eerlijk belove, want nou geldt het niet meer."

„Dat wil ik wel," zei hij. „Maar dan spreke we dut of. Ik kom zondagavond bij je en dan moet je mijn precies vertelle wat je me schreven hewwe. Goed?"

Ze knikte heftig.

„Je hand erop."

Gretig stak ze die toe en hij klemde haar vast in de zijne.

„Maar wat doe je nou met mijn brief?" vroeg ze bezorgd.

„Die zal ik verbrande."

Hij trok haar dichterbij en met een snelle blik over de naaste omtrek streelde hij haar wang. Dan voer hij met een blij „Tot zondag" haastig weg.

Marie zag hem na, een zonnige lach om haar mond. Ze had het idee dat een waas van geluk haar omving en van haar afstraalde, zodat iedereen de wilde vreugde die door haar lichaam zong kon zien. Er was nu geen aarzeling meer noch angst. Sijtje en Duitsland waren in het niet verzonken. Er waren enkel Klaas en zij, en ze waren het samen eens.

De komende zondagnacht, toen ze op de koegang zaten, trok Klaas haar op zijn knieën en hield haar daar omvat.

„En nou eerst vertelle," beval hij.

Ze legde haar hoofd op zijn schouder en fluisterde bijna woordelijk in zijn oor wat zijn ogen enkele dagen tevoren zo gulzig hadden gelezen. Nooit zou hij haar zeggen hoe zijn trillende vingers geweigerd hadden de brief ongelezen te verbranden; hoe hij de bekentenis van haar liefde zó dikwijls in zich had opgenomen dat die voor hem onvergetelijk was. Eerst toen had hij die vernietigd.

Toen ze uitgesproken was drukte hij haar bevend lichaam tegen zich aan.

„Dus zoveel hou je van me?" vroeg hij gesmoord.

„Veel meer as ik zegge ken. Dat weet je nou toch. En jij?"

„Ik?" Hij lachte schor. „Zegge ken ik het ok niet. Maar as het kon, dan trouwde ik je morgen."

En hij zoende haar tot ze smeekte haar vrij te laten uit zijn knellende greep.

Zo hadden ze nu vaste verkering en waren zuiniger dan ooit tevoren, want elke cent bracht hen dichter naar de trouwdag.

„Over twee jaar," spraken ze af.

Half februari kreeg Jan Metselaar de geling en nog geen zes weken later was hij dood en begraven. Zijn weduwe was eerst noodgedwongen van plan om, althans dit jaar, nog door te boeren, maar toen ze vernam dat een jonge neef trouwplannen had stelde ze die voor om de plaats van haar te huren en alles over te nemen zoals het was. Ook het volk. Zelf nam ze haar intrek in een huisje aan de andere kant van het dorp dat per één mei leeg kwam en nog niet verhuurd was. De huur, een rijksdaalder in de week, was de mensen veel te hoog. Haar kon dat niet schelen; haar scheelde niets meer, nu Jan dood was.

De wederzijdse ouders kwamen om huis, land, vee en inventaris te keuren en te schatten en ze besloten op het aanbod in te gaan. En omdat de jongelui nog heel jong waren, kwam het wel goed uit dat het personeel voorlopig aanbleef, al moesten ze wel wat veel verdienen. Te veel naar hun zin. Vooral Klaas, die, toen hij zijn aanstaande baas één keer had ontmoet, aanstonds twee kwartjes opsloeg met zijn looneis. Hij vond de jonge boer een brutale windhapper. Nies trof het beter. Dat vrouwtje bleek een aardig, vriendelijk schepseltje en toch lang geen doetje.

Begin mei nam het jonge paar zijn intrek in de boerderij en eer het juni was zei Nies:

„Hoe jij er over denke weet ik niet, maar ik zal blijd weze as het kersttijd is en ik hier vandaan ken. Is me dat een vent, dat stuk baas van ons. Hij meent maar dat 'ie alles zeggen mag wat 'm voor z'n mond komt. Ik heb 'm effies leden de huur alvast maar opzeid."

Nies had gelijk, vond Klaas. De baas was onmogelijk. Hij sprak altijd van „jij moete" en schreeuwde zijn bevelen, want van behoorlijk spreken was bij hem geen sprake. Alles wat geen boer was beschouwde hij als minder in rang, en arbeiders als een soort lijfeigenen, die hij kon behandelen naar het hem goed docht en die hem veel te veel geld kostten. Nooit was iets helemaal goed in zijn ogen en dan was het:

„Nee, ezel, dat moet aârs," ofwel: „Wat ben jij toch een grote stommerd."

Klaas hield zich in. Voor zijn drie guldens wilde hij heel wat verdragen; en hij koelde dan zijn stille woede maar op zijn werk en presteerde daardoor meer dan hij zijn baas feitelijk gunde.

Kort na staltijd verzocht de vrouw hem, vriendelijk als steeds, om een nieuwe stok voor de waslijn te maken. Aanstonds ging hij op zoek tussen het vruchtboomhout naar een lange, stevige tak, schaafde die zo glad mogelijk en sneed de bek, waarin de waslijn moest rusten, op goede grootte. Toen dit gebeurd was zette hij de stok tegen de schuur en ging de mest van de varkens stellen. Even later kwam de baas naar buiten, nam het ding in handen en liet het een paar maal door zijn vingers glijden in de hoop een ruwe plek te vinden. Toen bekeek hij de bek en bewoog zijn witblond haar in hevige afkeuring.

Wat is er nou weer, dacht Klaas nijdig.

„Die bek is veuls te klein," hoorde hij hem roepen, maar hij deed alsof hij niets hoorde en spreidde rustig de mest over de hoop.

De baas riep het nog eens, en nu keek hij op. „Wat zeg je, baas?"

„Ik zeg dat die bek veuls te klein is, ezel."

„Dat ken best 'oor," gaf Klaas gemoedelijk toe, „maar ik docht zo in m'n eigen: er benne hier al zoveul grootbekke, laat ik deuz' maar wat kleiner make."

En hij keek de jonge boer een moment strak aan, eer hij weer doorging met zijn werk.

Die liep nog een poos over het erf te dwalen en kwam dan bij hem staan.

„Ik had docht, jij moste met vrouwendag maar vort," zei hij kortaf.
„Zo denk ik er al lang over," zei Klaas kalm.
„Heb je soms al een aâre huur ok? Want dan mag je wel opschiete."
Klaas gaf geen antwoord op deze spottend geuite woorden.
Voor jou tien aâre, dacht hij woedend.
Hij had verkeerd gedacht. De ene week na de andere verliep zonder
dat er een plaats open kwam die hem leek, hoe ijverig hij de adver-
tenties ook nazocht. De een was hem te ver, een ander bood te weinig loon en een derde stond hem niet aan; de tijd ging door.
„Je benne veuls te kieskeurig, mijn joôn," vond vader Dirk. „Hier
vind je wat en daar laat je wat 'oor; dat moet je voor ogen houwe
as je je bene bij een aâr onder de tafel steke moete. Jij benne bij Jan
Metselaar wel wat verwend. Zo'n baas krijg je niet meer, al zoek je
nog twee jaar."
Klaas gaf hem grif gelijk. Hij wou teveel. Een beste baas, die je
zelfstandig werken liet, en minstens drie gulden loon, en dan nog in
de naaste omgeving . . .
„Je benne wat te oud om knecht te wezen," vond Kee. „In zo'n huur
as jij er een zoeke, daar hewwe ze geen inweunende knecht, daar
neme ze een werkman. Op die manier kwam je dadelijk wel scheep."
„Ja . . . as werkman . . . ," zei Klaas. „Bij Gerrit Veerman op Zwaag-
dijk wordt er een vraagd. Dat moet een mirakele beste huur weze."
„Dan ging ik daar maar gauw op an," plaagde Neeltje. „Dan zit je
mooi in het werkmanshuisie en je steke je bene onder je eigen tafel."
„Ik zien Klaas al kluizen," lachte Marie. „Maar moet 'ie dan van
Vrouwendag tot mei op een houtje bijte? Want as werkman heb 'ie
vóór mei geen boodschap bij een baas."
„Ik weet nòg beter," ging Neeltje door. „Herke Mol op Driehuizen
wil zijn lege zaadschuur verhure. Daar ken je dadelijk in, voor twee
kwartjes in de week en vrij licht toe zolang as het dag is. Mijn liefie,
wat wil je nog meer?"
„Jij doene me wat an de hand," zei Klaas vrolijk. „Ik zal d'rs over
prakkezere 'oor."
„Dat doen je al veuls te lang," viel Kee vinnig uit. „Ik dééd nou
maar d'rs as ik jou was. De eerste de beste baas was mijn. Weet je
wel dat over zeuven weke je tijd om is?"
„Och, er komt nog wel wat," suste Dirk en hij keek naar de klok.
„We moste te bed gaan, vind ik. Morgen komt er weer een dag,
niet?"
„Al zo laat?" Marie trok Klaas overeind. „Kom we gaan, éé?"
Op de verlaten dorpsweg sloeg hij een arm om haar heen. Dat deed
hij dikwijls, ze vond dit heerlijk; het gaf haar een idee dat hij haar
ergens heenvoerde waar het mooi en prettig voor hen samen zou
zijn.

Zwijgend gingen ze door het nevelig duister, tot hij langzaam vroeg: „Wou jij wel op Driehuizen weune?"
Ze wist dadelijk geen antwoord. Op Driehuizen weune in dat ouwe boerehuis van Herke Mol? Het werd nou al in tweeën beweund, dus dan zou het drie gezinne herberge.
„Het is erg ofgelegen," zei ze.
„Maar wou je er wel heen?" hield hij aan.
„Hoe bedoel je?"
„Met mijn. As we trouwe."
„Dan wil ik overal wel weune," antwoordde ze heel zacht.
„Jij lieverd." Hij hield zijn pas in, keek snel om zich heen en greep haar in zijn armen. „Een zoen daarvoor," fluisterde hij en nam heftig haar lippen. Zo stonden ze een poosje roerloos, tot een verre voetstap hen weer verder deed gaan.
„Zulle me het dan maar doen?" stelde hij voor.
„Wou jij die zaadkamer hure en trouwe?" vroeg ze verbaasd.
„Staat dat je niet an?"
„O ja." Marie slikte even om dan heel diep adem te halen. „Maar hewwe we wel geld genog om te beginnen? Ik heb nog maar klein honderd gulden en dan mijn klere."
„Ik zowat driehonderd," zei Klaas opgewekt. „Is dat voor ons niet genog?"
„Dat moet ik eerst effies uitzoeke 'oor."
„Doen dat dan gauw, wijfie. Dan prate we zondag verder, éé. Ik zien er zomaar teugenop om voor dat ene jaar een nieuwe baas te zoeken en ik wil zo verlegen graag trouwe. Dus as het half ken . . ."
Die avond kon Marie de slaap niet vatten. Urenlang beluisterde ze de bekende geluiden van het vee op de stallen, geluiden die ze anders niet eens meer hoorde. En ze rekende. Rijen getallen stonden in haar gedachten; ze telde die op; en nog eens weer; en nog eens, tot de bedragen zo in haar hoofd rondwaarden dat ze het eindcijfer niet berekenen kon en het haar te binnen schoot dat Klaas nog een nieuw pak en zij een nieuw kleedje moest hebben. Toen zette ze alle zorg uit haar hoofd en ze gaf zich tevreden over aan de zoete droom van een eigen huishouding met Klaas, tot ze insliep.
In de paar dagen die haar nog restten voor de zondag speurde ze stilletjes in de kranten van de laatste weken de advertenties na en schreef de prijzen der aangeboden artikelen die ze beslist nodig had op een strookje papier. Van de rest maakte ze een ruwe schatting en telde toen dit lijstje op. Ontmoedigd schudde ze het hoofd. Het kon niet, ze moesten nog een heel jaar sparen.
Een heel jaar, wat leek dat lang als je zo naar elkaar verlangde als zij tweeën. Ze hadden hun trouwdag al nabij gewaand en nu was die weer zo ver. Wat zou dit Klaas tegenvallen.

Ze boende, schrobde, dweilde en schuurde; ze deed het werk even kalm en netjes als gewoonlijk. Baas, vrouw noch knecht vermoedde iets van haar wilde gedachten. En toch deden die haar een oplossing aan de hand, want toen de knecht vertelde dat het ene weivat weer lekte, zei Klaver:

„As er eerstdaags weer een boereboelhuis is gaan ik d'rs op an om een aâr, en as er een knappe zoutkist is koop ik die ok."
Een boelhuis! Dat was de oplossing! Wat hinderde het of een tafel of een stoel al door een ander gebruikt was? Je kocht er soms beste en mooie spullen voor weinig geld.
Toen ze dit twee dagen later met Klaas besprak was die overgelukkig. „Het scheelt mijn niks hoe je het inpikke 'oor. As we maar gauw trouwe kenne. Zeg jij morgen je huur alvast op? Dan gaan ik naar Herke Mol om die kamer te huren. Of moet je 't eerst nog zien?"
„Dat hoeft niet. Maar moete we eerst niet met onze ouwelui prate?"
„Dat vleit wel, éé? Met die van jou tenminste. Mijn vader en moeder vinde het zo wel goed. Die gaan ik het ankomde week zelf wel vertelle."
Met Dirk en Kee ging het niet zo vlot. Marie was nog erg jong, wat was nou een meisje van achttien? En ze hadde nog maar zo kort verkering. Nee, ze dede wijzer as ze nog een paar jaar wachtte, vond Kee. En Dirk zei:
„Marie ken toch zo d'r huur niet opzegge? Het is zó kersttijd. Hoe komt Piet Klaver zo gauw weer an een aâre meid?"
Klaas hield echter voet bij stuk. Het was allemaal waar wat ze zeiden, dat gaf hij dadelijk toe, maar ze hadde zich dut nou eenmaal in 't hoofd zet en wouwe het graag deurzette.
„Ben julle vergeten hoe je er vroeger zèlf over dochte?" vroeg hij ondeugend.
„Die weerlicht nee," zei Dirk. „En jij, moeder?"
Kee glimlachte.
„Ze zulle, net as wij, met schade en schande wijs worre moete, verwacht ik," zei ze. „Jullie moet het zelf wete 'oor. Maar het lijkt me een armoedig begin."
Dat was dus in orde, doch nu kwam voor Marie het moeilijke moment om hun plannen aan vrouw Klaver mee te delen. Die nam het tot haar grote verlichting heel goed op. Wel zei ze:
„Het spijt m'n erg dat ik je missen moet, we benne zo an mekaar wend, éé. Maar hoe is het, heb Klaas werk?"
„Nee, nog niet."
„Mijn lieve kind, waar moet jullie dan van ete?"
„O, hij vindt wel wat."
„Docht je? Jullie wille in februari trouwe, éé?" Marie knikte. „Nou,

dan is het best mogelijk dat 'ie vóór mei geen cent meer verdient, 'oor. En van de liefde ken je niet leve. Weet dus goed wat je beginne."

,,We zulle het er toch maar op wage."

,,Vanzelf." Vrouw Klaver lachte even. ,,Je houwe eerder een hollend peerd teugen as een jong stel dat trouwe wil. Maar om op kersttijd terug te komen, weet je soms of dat oudste meidje van Andries Weel al een huurtje heb? Die moet uit dienen, heb ik hoord."

,,Zover ik weet heb ze nog niks."

,,Dan moet de baas er aanstonds maar effies heen, dan kenne we het weer mooi dichtbij redde."

Nog geen dag later haden Klaas en Marie een woning en Piet Klaver een nieuwe meid gehuurd.

Nu vlogen de dagen voorbij en het jaar was om eer Marie het zelf begreep. Het afscheid uit haar dienst was haar niet zwaar gevallen, want de toekomst lokte.

De hele maand januari naaide ze aan haar uitzet, of ze ging met haar moeder op stap naar winkels en boelhuizen om haar huisraad bijeen te kopen. Al het gekochte werd in een hoek van het grote achtereind voorlopig opgeslagen. Telkens als Marie erlangs ging streelde haar hand een der stukken.

In de middag van de tweede februari gingen ze eerst in ondertrouw en daarna nam Klaas zijn jonge bruid mee op zijn fiets om hun aanstaande woning te zien.

Driehuizen was toch wel een erg afgelegen oord vond ze, toen ze het lange aarden pad overgingen dat erheen voerde. Zo van de dorpsweg af had ze daar nooit op gelet. Eindelijk waren ze er. Twee stolpen en een oude boerenhoeve stonden daar bijeen tussen wat armoedig geboomte. Het geheel gaf een indruk van verlatenheid.

,,Hier moete we weze."

Klaas duwde een deur van de hoeve open en riep luid:

,,Volluk!"

Na een poos piepte ergens een kamerdeur en door de lege koegang slofte een grof vrouwmens naar hen toe.

,,Ja, wat moet je?" vroeg ze ruw.

,,Goeiemiddag, vrouw Mol," zei Klaas opgewekt. ,,Wij benne je nuwe huurders en we wille graag ons toekomstig huis effies zien. Kan dat?"

,,Welja. Ik zal je de sleutel geve en dan ken julle die meteen wel houwe voor schoonmake en zo. De huur gaat in as julle d'r weune, heb Herke zeid."

,,Dat is mooi. Gaan je niet effies met ons mee te kijk?"

,,Ja, dat kon ik ok wel doen."

Toen de vrouw even later met de sleutel in haar hand naar buiten kwam schrok Marie van haar uiterlijk. Ze was groot en zo mager als een mens maar zijn kan. Grauwgrijze haarslierten vielen rond een grof, lang gezicht, waaruit de neus en de kin sterk naar voren kwamen. De diepliggende, ontstoken ogen knipperden zonder ophouden. Aan haar figuur was weinig vrouwelijks te vinden. De ruwe, bruine handen waren groot, evenals de vormloze sloffen aan haar voeten. Dit was lange Jans, de vrouw van Herke Mol. Jans, die tabak pruimde en jenever dronk en het liefst mannenwerk verrichtte.

Ze ging hen voor naar de grote dorsdeuren en maakte de kleine deur daarin open.

„Hier is jouw werkplaats," zei ze en wees Marie een ruimgemaakte hoek van de dors aan. „En hier," ze opende een deur daar dichtbij: „Hier is julle weuning."

Gretig keek Marie om zich heen. Het was een grote, geelbruin geverfde kamer met twee grote ramen op het zuiden. Open deuren lieten een hangkast, een legkast en een bedstee zien. De schoorsteen was tegenover de ramen. Het zag er alles vuil, vervallen en oud uit, maar ze had niet anders verwacht toen ze het verwaarloosde rieten dak en de verveloze buitenwanden van het huis had gezien. In de diepe vreugde van deze dagen zag ze alles echter veel mooier, omdat het over enige dagen het tehuis van hen samen zou zijn.

„Nou, hoe vind je het?" vroeg Klaas vol spanning.

„Het valt me mee," antwoorde ze blij. „We zulle het hier best redde."

Half februari trouwden ze. Marie had gehoopt op zonnig weer, dat iets van de komende lente toonde. Doch toen ze 's morgens de zware, dreigende, grauwe lucht zag en het sombere gesuis van de lage wind hoorde, toen wist ze al dat ze blij zou moeten zijn als het nog niet spoedig ging regenen ook. Tegen konkeltijd kwamen vader Spijker en zijn vrouw in het gerij van zijn baas. Klaas was al eerder op de fiets gekomen en die liep nu rusteloos door het huis en ieder in de weg, tot Kee hem naar de kamer joeg met het bevel daar te blijven.

„Wel foei," mopperde ze. „Dat de bruid last van d'r zenuwe heb, nou ja . . . dat hoort zo, zulle we zegge. Maar as de bruigom nou ok al zo doet . . . Dat is een slecht begin."

Een slecht begin!

Marie hoorde deze woorden en ze schrok ervan. Ze had die gister ok al gehoord toen de buren er waren en ze vernamen dat Klaas nog geen werk had. En al eerder van deze en gene.

Een slecht begin.

Ze dacht dit zelf vanmorgen toen ze de zon miste. En nu zei moeder het ook weer. Ze beet haar lippen rood en warm; het was ook

71

zo druk deze morgen, er was zoveel te doen waaraan ze haar volle aandacht moest besteden, dat er geen tijd overbleef om aan straks te denken; aan het trouwen en daarna... Want nu het zo nabij kwam voelde ze toch een vreemde angst voor het onbekende leven dat wachtte.

„Nou kome de zurge," had buur Pik guster zeid.

Maar om die voorspelling glimlachte ze nu, terwijl ze een korte poos in het zachtglorende vuur van de vuurpot staarde. Laat ze maar kome, dacht ze dapper. Met Klaas samen durf ik die wel an. Alles wat we hewwe is betaald, en er zitte nog acht en zestig guldens in mijn kralen beurs. Eer die op benne heb Klaas wel werk. As je heel zuinig was kwam je met vijf gulden in de week makkelijk toe met z'n tweeën. En zuinig zou ze weze...

Nee, die zorgen gaven haar geen angst. Wel dat vreemde in Klaas, die vandaag zo anders leek dan gewoon. Ze had nog amper 'n zoen van 'm had en aârs wist 'ie altijd wel een hoekje te vinden waar 'ie er gauw een paar stele kon. Zou 'ie opeens niet meer om haar geve misschien? Nee, dat was het toch ook niet, want hij keek haar alsmaar zo strak aan dat ze ervan kleurde... Was 'ie soms net zo onrustig als zijzelf?

Wat ze deed, at, dronk en zei, ze wist het nauwelijks. Alleen de tijd hield ze in het oog. Die jachtende tijd, die zo razend snel voorbijging...

In de bovenzaal van het deftige raadhuis kwamen ze ten slotte een weinig tot rust. De ernstige, vredige sfeer die er heerste deelde zich aan haar mee en maakte dat ze kalm en ontspannen naast Klaas midden voor de grote tafel tegenover de burgemeester zat, die een druk gesprek met vader Jan voerde, in wie hij een schoolvriend uit zijn jeugd ontdekte. De oude Spijker leefde helemaal op bij de oude herinneringen die ze samen ophaalden. Door de hoge ramen zag ze hoe dikke, loodkleurige wolken snel voor de wind uitdreven, maar dat de lucht erboven zwaar en dicht bleef en geen straaltje zonlicht doorliet. De kale boomtakken zwiepten wild heen en weer en zover ze kon zien was er niets opwekkends te bekennen.

„Hoe is het eigenlijk? Zouwe we nog trouwd rake? Die twee ouwe here prate maar door," fluisterde Klaas dicht aan haar oor.

Ze keek hem aan en zijn diepe stralende ogen maakten alles weer goed en dreven de sombere gevoelens uit haar weg.

Ineens schrok ze op. Lieve tijd, het begon... Haastig stond ze op en legde haar trillende vingers in de grote, warm aanvoelende hand van Klaas.

Scherp luisterde ze toe. Ze hoorde alle woorden duidelijk en toch gingen haar eigen gedachten razend snel een andere weg.

„... wederkerig getrouwheid, hulp en bijstand..."

Nu zat je hier nog als twee aparte mensen en straks was je samen, één.

„... door de enkele daad des huwelijks..."
Al wat je in het leven overkwam, goed en kwaad, mooi, lelijk, zorg of geluk, je moest het samen doorleven.

„... hunne kinderen te onderhouden en op te voeden..."
Dat hoopte je allebei, en zo niet, dan had je genoeg aan elkaar, daar moest je in berusten.

„... de vrouw is aan haar man gehoorzaamheid verschuldigd..."
Natuurlijk. Klaas moest de baas zijn.

„hem... overal te volgen waar hij het dienstig oordeelde zijn verblijf te houden..."
Dat deed ze nu al heel graag, en dat zou zo blijven ook.

„... uw beider antwoord..."
Marie haalde heel diep adem. Ze voelde dat de hand van Klaas zó vast en stevig de hare omsloot dat het beven was opgehouden. Ze zag naar hem op en ontmoette de sterke dwingende glans van zijn ogen, die haar aanzagen. Zo stonden ze even, hij slank en groot, het hoofd fier geheven, het gezicht strak van ernst; zij klein en bescheiden, aantrekkelijk door de zuiverheid en zachtheid van haar wezen, oog in oog.

Toen zei Klaas kort en duidelijk:

„Ja."

„Altijd," dacht hij en zijn lippen fluisterden het haar toe, eer haar zangerig klinkend jawoord hem tegenklonk.

Het was slechts één woord. Het was nu aan hen om al wat daarin was vervat tot een daad te maken.

Daarna sprak de burgemeester hen toe, dat het hun steeds een vreugde moest zijn elkaar in liefde te dienen en elkaars zorgen te verlichten; dat het huisgezin een intieme kring moet zijn die iedereen aantrekt om er een poosje te vertoeven doordat het prettig is er te zijn in een geest van hartelijkheid en liefde; dat het geluk van zo een huisgezin van geen weelde of armoede afhankelijk is, doch wel van een zeker iets dat de stichters ervan samen moeten opbouwen en trachten te behouden, opdat het kan groeien en bestand raakt tegen alle kwade invloeden van binnen en van buiten en alle leden van het gezin vaster bindt dan de sterkste koorden; dat het hun gegeven mocht zijn, die innerlijke harmonie, dat zekere „iets", te scheppen en te bewaren.

De woorden die hij sprak waren even rustig en eenvoudig als het Westfriese land voor hun ogen en als de aard van alle aanwezigen. Maar juist daardoor herinnerde Marie die zich tot haar laatste levensdag.

Na de huwelijksvoltrekking was de gastdag spoedig voorbij, want de wind begon al meer op te steken en volgens vader Jan kon je de regen al haast grijpen. Vandaar dat iedereen spoedig afreisde.

Eer de tafel werd afgeruimd pakte Kee ook nog een voorraadje van al wat er stond in een mandje voor Marie, om mee naar huis te nemen. Er moest nog wat melk ook mee, en had Klaas wel lucifers bij zich om straks de lamp aan te steken? Onder het afwassen hoorde Marie hoe een slagregen tegen de ruiten spoelde en de wind gierend en bulderend over het veld joeg. Ze schoof de gordijnen iets opzij en probeerde naar buiten te zien.

„Wat treffe onze gaste het slecht," zei ze bezorgd.

„Maar voor julle wordt het aanstonds ok een hele reis," vond vader Dirk.

„Dat is temet geen doen," zei Kee. „Ken julle vannacht niet beter hier blijve en morgenochtend naar Driehuizen gaan? Je hewwe daar geen hen uit de butter te jagen."

Marie gaf haar gelijk. Het wàs geen doen. Je kon buiten geen hand voor je ogen zien, en dan die regen en die wind . . .

Maar nu schoot Klaas uit zijn slof.

„Niks 'oor moeder, geen sprake van. We hewwe in alle eer en deugd vrijd, maar nou benne we trouwd en gaan ik niet meer alleen in die smalle koets bij julle in het achterend slape. We gaan naar huis. Kom vrouw, opschiete."

„Jij benne niet wijs," vond Kee. „En jij evenmin." Dit tegen haar man, die Klaas gelijk gaf. „Julle worre deurnat en je rake onder de prut."

„Dan verklede we ons eerst," zei Klaas.

Kee fronste het voorhoofd en keek haar pas verworven schoonzoon ontstemd aan. Zou hij helemaal niet 'rs om Marie denke? Hoe nat en koud die worre zou, en dat na zo'n zenuwachtige dag? Dan was Dirk toch altijd puur bezorgder weest, en hij was dat nog . . . Zuk was 'r al meer in Klaas opvallen. Die docht veulal enkel om zijn eigen. Maar misschien werd dat op den duur wel beter en most 'ie nog leren erom te denken dat zijn vrouw ok meetelde . . .

Het kwam allegaar wel goed. En dut van nou . . . Ineens verhelderde haar gezicht door een spottend lachje. Welfoei, ze kon nou toch ontdekke dat ze oud werd. Hoe kreeg ze 't toch ok in der hoofd om dat jonge stel hier te houwen. Die reefde immers nergens voor . . .

Nog geen kwartier later gingen de jonggehuwden op weg. Eerst, in de luwte van de huizen, met de wind in de rug, viel het niet tegen, doch toen ze over het doorweekte pad in het open veld hun weg zochten, terwijl wind en regen hen striemden, werd het moeilijk voor Marie, die in het donker een paar maal struikelde. Nu legde Klaas al wat hij meedroeg in zijn ene hand en legde de vrijgekomen arm om haar heen. Zo gingen ze verder in het donker, steeds pogend op

het pad te blijven, waar niets van zichtbaar was dan de zwakke glinstering der vele plassen in de oude wielsporen. Aan het eind wees een magere heg hun eindelijk de goede weg naar de dorsdeur en toen stonden ze ineens in de bescherming van de oude hoeve. Marie voelde dit als een soort van welkom. Zij beiden hier veilig en goed, terwijl het noodweer rondom woedde. Klaas moest eerst nog even naar het sleutelgat zoeken, maar toen klikte het slot en de geuren die aan dit huis eigen waren kwamen hen tegemoet. Aangenaam waren deze niet. Er was iets in van schimmel en bederf en de scherpe reuk van een slecht onderhouden schoorsteen. Toch snoof ze die in als iets eigens toen Klaas haar naar binnen leidde en de deur weer sloot. En daar, op de donkere dors, onder het halfvergane rieten dak, wisselden ze de eerste kus als man en vrouw. Daarna zochten ze tastend hun weg naar de kamer, waar Klaas de olielamp ontstak, terwijl Marie de luiken voor de vensters schoof. Ze waren thuis. Tevreden keek Marie in het sterker wordende licht om zich heen. Haar blik liefkoosde de lichte biezen matten en het zwartrood gestreepte karpet op de vloer, de glanzende stoelen, de mooie linnenkast met de drie gebloemde bekers erop, de gladde tafel waarop het theeblad met het daagse servies al gereed stond, de lamp, de kachel ... Het was oud en nieuw door elkaar, maar de op de boelhuizen gekochte stukken waren zó door haar gereinigd, gelapt en gewreven, dat het in haar ogen nu ook kostelijk nieuw spul was. Achter de kastdeuren lag, onder helderwitte kleedjes geborgen, hun bescheiden uitzet keurig op de planken geschikt, en in de vaste kasten stond hun weinige pronkgoed en hingen hun knappe kleren. De beste waren nu nog thuis gebleven. Ten slotte zochten haar ogen aarzelend de bedsteedeuren. Daarachter, verborgen door bontgebloemde gordijntjes, lag hun nieuwgekochte zwaar veren bed met de dikke peluw en kussens en mooie, ook nieuwe dekens. En daarboven hing een prachtig groene beddekwast.
Plotseling begon ze te huiveren en ging ze gauw in haar stoel bij het raam zitten. Klaas had aandachtig haar houding bespeurd en kwam nu naar haar toe.
„Rietje," vleide zijn stem. Voorzichtig nam hij haar gezicht in zijn handen en wendde het zó dat ze hem moest aanzien. „Niet bang weze 'oor. We houwe toch van mekaar?"
„Ja," fluisterde ze met gloeiende wangen.
Ze bleven elkaar aanzien in het milde licht van de olielamp en ze zag het gezicht van haar man veranderen, ze zag al het harde en besliste eruit wegglijden, het werd zó vriendelijk en open en innig dat het haar toescheen of de liefde zelf haar uit zijn ogen tegenstraalde. Toen sloot ze de hare om dat beeld voor altijd te bewaren en gaf zich over aan zijn wil.

8

De buren schenen gelijk te krijgen met hun beweringen over een slecht begin, want wáár Klaas in de eerste week van zijn huwelijk ook werk probeerde te vinden, het lukte hem niet. Om bezigheid te hebben besloot hij toen om de drie oude stoelen die in hun hoek van de dors bij een kleine tafel stonden en die Marie voor twee kwartjes te zamen had gekocht, opnieuw te matten. Dit zag de bakker toen die bij hen kwam te venten en de kruidenier, die om de klandizie vroeg; die vertelden het aan iedere huisvrouw die naar het laatste nieuws informeerde.

„Nou... en dan Klaas Mooi, éé, die heb nog geen werk, die zit nou bij Marie thuis stoele te matten..."

„Zo. Nou, as je pas trouwd benne is dat geen slechte plaats, maar de schoorsteen ken d'r niet van roke. Of... mat 'ie ze ok voor een aâr?"

„Dat ken wel 'oor. Zelf hewwe ze nog wel geen stoelzitting versleten denk ik. Had je soms kapotte stoele?"

„Weja man. Er staan d'r vier op zolder. Vraag 'rs voor mijn as je weer bij 'm komt te venten."

Zodoende kreeg Klaas toch werk, al was het niet het werk dat hij zocht. Toen dankte hij in zijn gedachten Jan Metselaar, die hem ook dit eenmaal leerde. Al gaf het niet veel loon, het was toch iets. En het hield de verveling weg, al had je daar twaalf dagen na je trouwen nog niet zoveel hinder van. Zo dacht hij erover toen hij op een kille, sombere namiddag tegenover zijn vrouw aan tafel zat en hun kamer weer eens rondkeek. Het was er zo echt gezellig nu, met het brandende theelichtje op tafel en de flauwe vuurschijn uit het kachelgat bij de asla. Langzaam genoot hij van zijn hete thee; niet te sterk en met weinig suiker; Marie was uiterst zuinig, je kon niet weten hoelang ze op hun geld moesten teren. Bovendien had hij haar in deze heerlijke dagen van zijn toekomstdroom verteld; en van zijn eigen leven en dat van zijn vader en zijn grootvader. En hoe dolgraag hij aan het rad van avontuur eens een nieuwe draai wilde geven, in opwaartse richting dan nu, want de Spijkers hadden al heel wat jaren onderaan gezeten; en hij hoopte erg dat dit hem lukken zou. Maar de eerste vereiste was geld. Zonder dat bleef je in de regel wie je was. Ze moesten dus werken en sparen.

Marie had vol aandacht geluisterd, maar was het niet helemaal met hem eens.

„We benne zo toch ok gelukkig," had ze gezegd. „Waarom ben je daar niet mee tevreden?"

„Ik ben dolgelukkig met jou," wees hij haar terecht. „Maar ik ben nou eenmaal liever een klein baasje as een grote knecht."

„Dat is mijn vader ok," zei ze spottend. „Die kon aârs beter gewoon werkman worren hewwe. Wel foei, zóveul zorge om zó'n beetje geld, en dan nog fatsoenlijke armoed toe..."

Klaas lachte hartelijk.

„Maar ik wil ok geen schoenmaker worre."

„Vanzelf niet. Voorlopig ben je stoelematter, dat is puur deftiger vak, éé."

„Wacht jou."

Toen was er een wilde jacht over de dors en een dolle stoeipartij gevolgd eer hij weer verder kon gaan om haar tot zijn zienswijze over te halen. Of hem dit helemaal gelukt was kwam hij nooit te weten. Wel wist hij dat ze hem helpen zou met alles wat ze vermocht te geven, ziel en lichaam; en dat was hem genoeg. Hij keek naar haar zoals ze daar zat te breien. Ze was zo zacht en lief en zo volgzaam. Hoe verwende ze hem niet met kleinigheden en lichte liefkozingen. En toch had hij het gevoel haar nog niet geheel te bezitten; er moest nog iets in haar zijn dat hij nog niet ontdekt had, iets wat ze hem onthield. Wat het precies was kon hij zich niet indenken, doch dat scheelde hem niet; hij wilde haar geheel bezitten, dus moest hij ook dit nog veroveren.

Marie voelde zijn sterke dwingende blik en zag hem aan. Hij lachte haar toe.

„Wat zit mijn Rietje weer allegaar te prakkezeren?"

„Ik?" vroeg ze verwonderd. „Niks."

„Zo. Maar ik zàg dat je ergens over docht."

„Dat is toch eigenlijk ok wel zo..." Ze dacht even na en ging dan verder: „Lange Jans vertelde netzo dat ze bij Dorus Kurver om een wasvrouw verlegen benne. Zou ik daar op an gaan?"

„Jij te wassen naar een aâr?" Klaas keek naar de kleine breiende handen. „Wat levert dat op?"

„Het is nogal een groot huishouwen daar; ik wou twaalf stuivers vrage boven de kost. Voor minder doen ik het niet."

Klaas sloot de ogen en dacht na.

Zou 'ie dut toestaan? Vader had nooit willen dat moeder naar een aâr te werk ging, die wou zelf alleen de kost verdiene... Maar die was aanstonds oud en arm en had al zijn leven armoed had... As Marie dut nou zelf wou...? Hier in huis had ze lang geen werk genog immers... Alle weke twaalf stuivers schoon geld...

„As jij dat nou graag wille, is het mijn best 'oor," gaf hij ten slotte toe.

„Mooi. Dan gaan ik er morgen effies heen."
Het werd schemerig in de kamer, alle vormen verdoezelden; de figuurtjes op het transparant van het theelichtje werden nu heel duidelijk zichtbaar en het vuurschijnsel van de kachel werd nu helder.
„Ik ken niet meer zien." Marie legde haar breiwerk voor zich op tafel.
„Zal ik de lamp opsteken?" bood hij aan.
„Wacht nog effies, het is nog zo vroeg en ik wil graag wat schemere."
Ze zaten rustig en zwijgend tegenover elkaar en keken naar buiten over het schier eindeloze vlakke veld, dat zachtjes vervaagde in het duister van de komende nacht. In de kamer was het stil, slechts de klok tikte plechtig en duidelijk de seconden af. Seconden van zuiver geluk.
„Er komt volk," zei Marie opeens met verwondering in haar stem.
„Dat hoor ik. Wie mag dat weze. Je vader soms?"
De kleine dorsdeur werd geopend.
„Is er volk in?" riep een onbekende stem.
Klaas stond op en ging erheen.
„Kom maar verder 'oor. Ken je zien?"
„Dat zal wel gaan."
Haastig trok Marie de lamp neer, nam het glas van de brander en stak de pit aan. Toen die goed brandde zette ze het glas weer om de vlam en zag toe of die wel mooi gelijk bleef. Na een poos duwde ze het licht op de gewenste hoogte en zag toen wie de bezoeker was die binnenkwam. Een bouwerman uit het dorp. Wat zocht die hier? Zou 'ie werk voor Klaas hewwe?
Scherp luisterde zij naar wat de beide mannen bespraken, terwijl zij koffie zette en die, toen ze getrokken was, voor hen inschonk.
„Ik zoek een manje die voor mijn moddere wil," zei de man ten slotte. Heb jij daar zin an?"
Klaas knikte kalm en tuurde naar de lamp.
... Ja," zei hij eindelijk. „Wat is de bedoeling? In daghuur... of per schuit..."
„Ik betaal altijd een dubbeltje voor een schuit vol."
Ze spraken er nog wat over door, maar Marie luisterde nu nauwelijks meer. Ze deed nog een turf in de kachel, stak het kleine lampje op de dors aan en maakte daar hun avondbrood gereed. Ze wist genoeg. Klaas had werk. En zijzelf misschien morgen ook. Zorgvuldig besmeerde ze vier stevige boterhammen met een weinig boter en belegde die met dunne plakjes spek en kaas. Voorlopig moest ze hier maar blijven staan, want als die man dit zag kon hij wel denken dat zij maar opmakers waren. Die kon ook niet weten dat ze met hun trouwen een halve zij spek van de ouwelui van Klaas hadden

gekregen. Als hij nu straks te modderen ging kwam dit hem wel toe. Toch wel flink van Klaas dat 'ie later op z'n eigen wou. Haar scheelde dat niks. Als zij hèm maar had en een beetje huishouwersgeld om rond te komen, dan was ze voor nou en voor later altijd gelukkig. Ze wou voor hem leve en misschien later voor hulle kindere, as ze die tenminste krege. Maar voor Klaas in de eerste plaats. En nou 'ie dut wou, most ze 'm natuurlijk helpe zoveul as ze maar kon. Hij te modderen en zij te wassen en dan samen spare ...

Toen hij de bezoeker had uitgelaten kwam Klaas handenwrijvend op haar toe en gaf haar een zoen.

„Ziezo, ik heb voor drie weke werk," riep hij blij. „Ik zal aanstonds an Herke vrage of ik zijn modderschuit en zijn beugel hure mag en dan ken ik morgen al beginne. Je zulle zien, liefie, we komen d'r wel."

In het zwakke licht van het kleine wandlampje zag Marie zijn gezicht vaag en onduidelijk, maar toch viel ook nu het aparte ervan haar weer op. Klaas was niet zomaar een gewone man zoals iedereen, die met hard werken de kost verdiene most. Nee, hij was heel aârs. In gezicht, houding en maniere, in zijn stem en zijn klere ... in alles.

„Ik vond het toch wel echt om zo een dag of wat bij mekaar te wezen," fluisterde ze. Dat moest hier wel zo op de dors, want net als de hunne grensde ook die van de buren eraan en door de dunne houten wanden was elk gesproken woord duidelijk hoorbaar.

„We leefde helegaar op z'n grotelui's, alleen ginge we niet op reis zoas die doen as ze pas trouwd benne," zei hij. „En we hewwe misschien minder geld omhande." voegde hij er aan toe.

Geld, dacht ze. Klaas denkt oftig an geld. Zij zou daar voortaan ok meer rekening mee diene te houwen ...

Hun leven werd nu heel anders. 's Morgens heel vroeg, in het maanlicht, stond Klaas al in Herke's schuit en baggerde die vol slik van de bodems der sloten. Was de schuit vol, dan voer hij die naar het land van zijn opdrachtgever en loste het daar achter een schoeiing. Het werk was zwaar, doch het viel hem licht in zijn groot geluk. Wel deed zijn schouder hem pijn en waren zijn leden stijf in de eerste dagen, maar zijn lichaam gewende spoedig aan deze nieuwe bezigheid. Vroeg in de middag beëindigde hij zijn dagtaak. Dan spoelde hij de bagger van schuit en laarzen en ging naar huis. Dat hoorde zo bij dit werk. Na de warme maaltijd rustte hij een uurtje en matte daarna nog een paar stoelen, die hij achter op zijn fiets naar de eigenaars terugbracht, waar hij dan zijn loon ontving.

De eerstvolgende maandag ging Marie uit wassen. Ook zij had een zware dag. Het vele wasgoed was zeer vuil en de hoeveelheid zeep die haar daarvoor werd uitgereikt was lang niet voldoende om een heerlijk vet sop te verkrijgen. Meer vragen durfde ze niet en ze probeerde het dus zo maar te redden, met het gevolg dat ze haar handen tot bloedens toe verwondde om alles schoon te krijgen. En de kost van die dag bestond uit enkel een bord boekweit in zoete wei gekookt, met een lepel slechte stroop erover. Het weer was die dag guur en schraal en het water in de sloot, waar ze het bonte wasgoed spoelde, ijzig koud aan haar pijnlijke vingers. Na de was werd nog enig ander werk van haar verlangd, en toen dit tegen de avond gedaan was, begon het te sneeuwen. Doodmoe liep ze in het duister voorzichtig over het witte veld naar Driehuizen terug. Wel probeerde ze zo goed mogelijk het pad te houden, doch dat was niet ge-' makkelijk omdat dit een paar bochten maakte en ze het nog niet genoeg kende om die precies te weten. Daardoor struikelde ze een paar keer in een greppel en viel dan voorover in de sneeuw. Maar eindelijk stond ze toch op de straat voor de dorsdeuren en toen telden de honger, de vermoeide rug en de pijnlijke handen niet meer. Ze was thuis en bracht geld mee. Toch wist ze toen nog niet eens hoe heerlijk deze thuiskomst wel was, want toen ze de kamer binnenkwam, had Klaas de lamp nog niet aan, maar het brandende theelichtje gaf zoveel licht dat ze aan weerszijden van het theeblad de klaargemaakte avondboterhammen zag staan. Tevens rook ze de geur van vers gezette koffie. Dit stemde haar zó blij en gelukkig dat het haar ontroerde.

„Oh, Klaas, wat gezellig!" riep ze verheugd en ze liep naar hem toe om hem te kussen. Hij trok haar naar zich toe.

„Is het goed zo?" vroeg hij vrolijk. „Moet ik licht make ok?"

„Nee nog niet. Het is veuls te echt zo."

„Ok best. Maar een kop koffie is toch zeker welkom, éé?"

„Graag."

Ze hing haar mantel en kaper weg en ging met een diepe zucht in haar stoel zitten. Klaas schonk koffie in met veel suiker en melk.

„Hier Rietje."

„Dank je wel 'oor."

Gretig dronk ze zijn brouwsel en koesterde zich in de warme rust van hun gezellige vertrek.   ‹

„Hoe is het gaan?" vroeg Klaas.

„Best. En met jou?"

„Ik had tien schuite vandaag."

„Mooi zeg. Was je al thuis toe het begon te sneeuwen?"

„Ja, ik was net klaar."

Hij sprak niet over de koude van water en wind en hoe hard hij had geploeterd om aan die tien volle schuiten te komen, en zij vertelde niets over alles wat haar deze dag tegenviel.

Het was best gaan bij hen alle twee ...

Maar toen de lamp brandde en ze hun brood aten zag Klaas de handen van zijn vrouw, en hij vroeg scherp:
„Wat is er met je vingers?"
„O, die heb ik stukgewassen."
Het klonk of het slechts een prikje was, maar hij stond op en nam die kleine handen voorzichtig in de zijne en bekeek aandachtig de diepe, vurige wondjes aan al haar vingers en ook aan de polsen.
„Komt dat enkel van die was?" vroeg hij verwonderd.
„Ja. Het is daar puur zo'n huishouwen en ze make het goed erg smerig."
„Zo." Hij liet haar handen los en keek op haar neer. „Al zouwe we nou nooit één cent bezitte, jij kome daar niet weer heen. Ik zal het hulle morgenmiddag wel vertelle."
„Maar het is alle weke zestig cente . . ."
„Dat ken me niks schele. As die zo duur verdiend worre moete, redde we het wel zonder. Er is misschien wel een aâre manier voor je om te helpen als je dat graag wille."
Marie werd warm van binnen toen hij dit gezegd had. Het getuigde immers van zijn grote liefde voor haar. Ze besloot meteen om nog zuiniger te zijn en op de kleinste kleinigheden te letten.
Toen Klaas zijn moddersjouw af had streek een buurman hem aan.
„Zeg Klaas, ik hew nog een hoek te spitten. Is dat niks voor jou?"
„Hoe groot is het?"
„Duizend roede zowat . . . Maar ik hew niet veul in de knip 'oor."
Klaas dacht na. Duizend roeden, dat was weer een poosje werk, en bij dàt kwam er wel eens een karweitje bij een boer en liep het al mooi naar het voorjaar.
„Wat ken ik bij je verdiene?" vroeg hij voorzichtig.
„Vijfentwintig stuivers het honderd," zei de buurman.
„Niet meer?" vroeg Klaas ongelovig.
De man schudde het hoofd.
„Geen cent meer," zei hij beslist. „Het is omdat ik van de winter een tijd in bed leid heb en nog puur slap ben; aârs had ik het zelf daan. En as ik meer betale moet dan doen ik het nòg zelf."
Klaas begreep; deze man kòn niet meer betalen dan dit bedrag.
„Nou, vooruit dan maar," gaf hij toe.
Ook aan dit werk moest hij eerst gewennen. Aanvankelijk liep hij te hard van stapel en kreeg hij een gevoel of zijn rug zou breken; daarna legde hij het iets kalmer aan tot het spitten hem „lag" en het was alsof heel zijn lichaam meegaf met elk gebaar.
Van toen af was hij geen dag meer zonder werk. Iedereen vond hem bijzonder „slagtig" omdat hij in alle hamen pas was en alles aanpakte. Terwijl hij nu geregeld verdiende kostte het thuis weinig. Dat kwam door lange Jans. Zij, de ruwe grove vrouw, voelde een soort

van deernis met het zachte bescheiden buurvrouwtje en toonde dit
door haar nu en dan iets te brengen; een mandje aardappelen, of
wat groente en soms zelfs een stukje spek. Marie aanvaardde dit
dankbaar en gaf Jans in ruil daarvoor een kop koffie of thee en een
gezellig praatje. Dit wekte echter de jaloezie op van Neel, de derde
bewoonster, een nog jonge vrouw, maar een echte helhaak, die dan
later op de dors haar mening over Marie luidop uitsprak, in de
hoop die daardoor uit haar kamer te lokken en dan met haar een
prettige ruzie te ontketenen. Toen haar dit niet lukte begon ze tegen
Jans nog meer uit te pakken over dat malle wijf van hiernaast, zoals
ze Marie noemde.

„Ze doet wel erg mooi en lief jegen je, maar houw 'r in de gate 'oor,
Jans, want het is een stiekemerd. Ze voelt 'r eigen veul te groôsk om
met ons te bemoeien. Komt ze wel d'rs bij jou? Niks éé? Nou, bij
mijn evenmin. As je d'r wat brenge dan ben je goed, maar verder
. . . Wil je wel gelove dat ze geeneens tijd heb om te theegasten? Ze
is immers zowat altijd an 't werk in dat vlinderhokkie van één kamer
en aârs wel hier op de dars. As wij er dan niet benne vanzelf . . . Ik
vind het een raar stel 'oor, want die Klaas Mooi is een echte bobbe-
kop, die doet ok al geen mond open teugen je. En heb je wel d'rs
ontdekt hoe onwijs verliefd ze doen? Bij het misselijke of, mens.
Nou, dat zal wel gauw over weze of ik hew het mis. Zukke lui leve
later as kat en hond . . .”
Lange Jans gaf weinig commentaar. Ze kauwde eens extra hard op
haar tabakspruim en schudde al mompelend met het hoofd, wat zo-
wel in- als ontstemming kon betekenen.
Zo bleef de vrede onder het oude dak gehandhaafd, want alléén kon
Neel geen ruzie verwekken, hoezeer haar dit ook speet.
Toen het half mei was wist Marie dat ze moeder zou worden en
het was haar toen of ze, los van de wereld, rondzweefde in een wolk
van verrukking.
Enkele dagen bewaarde ze dit zoete geheim voor zichzelf alleen eer
ze het 's avonds voor het naar bed gaan aan Klaas vertelde. Vol
spanning wachtte ze op zijn blijdschap.
„Dat is nogal gauw, éé,” zei hij nuchter.
„Ja,” gaf ze bedrukt toe. „Vind je dat erg?”
Hij lachte haar toe.
„Welnee. Maar ik zou het ok niks erg vonden hewwe as we nog een
paar jaar met z'n tweeën bleven ware. Dut brengt nog wel puur on--
koste mee, verwacht ik.”
„Wel wàt natuurlijk.”
Alweer geld, dacht ze bedroefd en ging naar de dors om even stil
in haar eentje te huilen.
Zodra ze weg was begon Klaas zich alvast uit te kleden. Marie zou

zó wel komen. Behaaglijk strekte hij zijn vermoeid lichaam in de zachte veren en schikte de dekens over zich heen.

Waar bleef Marie nou? Marie een kind ... Hij sloot zijn ogen en een flauw glimlachje kwam om zijn mond. Een kind van hulle samen ... misschien wel een joôntje. Een meisje was ok wel pittig, maar een joôn, daar had je meer an ... later ... Wanneer zou het kome? Ankomde herfst vanzelf. As 'ie dan nog maar in de verdienste zat ... Plotseling opende hij de ogen weer en hield het hoofd een weinig op. As alles maar goed ofkwam met Marie ... Buurman Herke had verteld dat zijn eerste vrouw in de kraam bleven was. Alles dood. Maar kom, zo most je niet denke ... het kwam immers zo goed as altijd best of ... Waar bleef Marie nou toch? Zou 'ie 'rs roepe?

„Waar blijf je, vrouw? Kom je?"

„Ja."

Het klonk gesmoord.

Ze was zeker bang dat Neel d'r hoort. Zou ze nog wat vergeten hewwe te doen? Ze was daar 's avonds nooit zo laat meer in de weer.

Toen Marie de kamer inkwam probeerde hij haar in het gezicht te zien, maar ze hield het afgewend en het was al aardig donker ook.

„Wat deed je toch?" vroeg hij korzelig.

„Niks," zei ze stroef.

„Dat is een beetje. En most dat juist op de dars beure?"

Geen antwoord. Ze had zich uitgekleed en stapte nu ook in de bedsteê. Snel draaide ze hem haar rug toe en trok meteen de dekens over zich heen.

„Wel te rusten," mompelde ze.

„Krijg ik geeneens een nachtzoen?" vroeg Klaas verbaasd en hij richtte zich op zijn elleboog een weinig omhoog.

„Nee."

„Dan niet. Zelf wete 'oor."

Met een ruk wierp hij zich weer in het kussen en rukte nijdig aan het dek.

Waar had 'ie dut nou toch an verdiend? Wat bezielde Marie? De hele avond was ze best in 't zin weest, erg best in 't zin nog wel; en nou ineens zo ... Wat had 'ie daan? Waarom was ze naar achter gaan?

Hij haalde zich het laatste halfuur weer voor de geest. En toen kreeg hij een vermoeden ... hij had vanzelf blijd doen moeten, toe ze 'm vertelde dat 'ie vader worre zou. Dat had ze natuurlijk verwacht. Maar zuk overviel je en dan most je het eerst effies deurdenke ... Je was zomaar niet uitgelaten ...

Huilde ze nou? Nee, ze lag heel stil. Hij most ok maar net doen of

83

'ie slape ging; morge was ze het wel weer vergeten misschien.
Dat léék werkelijk zo. Toen 's morgens de wekker afliep stond Marie op om thee te zetten en brood gereed te maken eer ze hem riep, net als anders. Alleen was er nu dit verschil dat ze zelf niets at noch dronk.

„Moet jij niks?" vroeg hij.

„Nee, ik voel me niet lekker. En die thee stinkt zo naar..."

„Och, liefie..." Zijn armen waren al om haar heen. „Zou dat van ons kindje kome?"

Ze knikte en haar bleek gezicht verhelderde even. Klaas zei „ons kindje".

„Gaan nog maar een uurtje te bed," drong hij dan aan. „Misschien wordt het dan wel beter. Of weet je wat? Je ete daar je brood op, zeg."

„Dat kon ik wel proberen."

„Zo'n stoute joôn. Hij maakt zijn moeder het leven nou al zuur," plaagde hij.

„Een joôn?" Ze trok de wenkbrauwen vragend omhoog.

„Het mag een zussie ok weze 'oor. Wat heb jij liever?"

„Het maak mijn niet veul uit. As het maar gezond en goed is, éé?"

Hij vond dit ook en meteen was alles weer goed.

Dat van gusteravond zat 'm daar ok wel in, dacht Klaas. Vrouwe doen dan wel meer wat nukkig, hew ik wel d'rs hoord.

Diezelfde tijd besloten ze om twee biggen te kopen, die vet te mesten en dan weer te verkopen. Vooral Marie lokte dit bijzonder aan. Dan had zij toch weer iets om handen, dat op den duur geld opleverde. Toen Herke dit plan vernam stond hij hun het lege hok in de schuur daarvoor af en Jans beloofde dat ze alle tafelafval en schillen, die ze anders toch in de askuil wierp, nu aan Marie zou geven. Klaas zocht twee flinke schrammen uit en bestelde bij de molenaar alvast een zakje gerstemeel. Verder kocht hij later kriel en groene aardappelen en slechte erwten, die Marie dan gaar kookte en daarna met flink wat meel en water er doorheen fijnstampte. Daarvan schepte ze driemaal daags een stevige portie in de varkenstrog en de beesten knorden en slobberden; ze groeiden zienderogen. En Klaas verwierf achter de schuur een aardig stuitje mest.

Heel de zomer naaide en breide Marie aan het uitzetje voor hun kindje. Elk stukje werd met zoveel zorg en liefde vervaardigd dat het haar soms speet als het gereed was. Dikwijls vroeg ze zich af of de mogelijkheid bestond dat dit geluk voor Klaas en haar bestendigd kon zijn en ze nam zich voor van iedere dag te genieten zoveel ze maar kon.

Zodra het werk aan kant was nam ze het stuk waar ze aan bezig was, mee naar buiten en ging op een oude primitieve bank onder de scheve appelboom voor haar kamer zitten te handwerken. Dan keek ze uit over het verre land naar de akker waar Klaas soms werkte of, dichterbij, naar het armoedige veld van Herke Mol, waar die met lange Jans in de felle zon ploeterde om de schrale oogst zo goedkoop mogelijk binnen te halen. Toch blijven ze arm, peinsde ze soms. Hoe ken dat toch? Ze werke as peerde, ze hebbe geen kindere, het huishouwe kost er een beetje . . . Zou Herke soms geen goeie bouwerman weze? Een goed huisheer was 'ie in elk geval niet, want nergens zag je zo'n verwaarloosd geval as dut hier. As Klaas al het gras om huis niet geregeld ofmaaide voor zijn varkens en Neels man de heining of en toe niet schoor, dan was het helemaal hopeloos. Nou léék het tenminste nog wat. Maar wat deed het er weinig toe hoe en waar je weunde, as je zo gelukkig was as zij.

En dan streelden haar ogen als het ware het ruige dak, de kale vermolmde wanden, de haveloze schuur, de armoedige bomen, heel de ellende van Driehuizen, dat voor haar een klein paradijs was.

Als de zon naar het westen zonk en de hitte week, dan kwam Klaas op zijn fiets het huis om. Eerst ging hij zich vlug wassen en omkleden en dan aten ze hun warme maaltijd. Eenvoudige doch stevige kost. Daarna verrichtte hij enkele kleine karweitjes bij de varkens of om het huis, terwijl zij de afwas deed en koffie zette en ook zijn ovale, groengeverfde broodtrommel vulde met de boterhammen voor de volgende dag, als dat voor zijn werk nodig was. Later zaten ze dan in de schemering op de bank en luisterden naar de geluiden der mensen uit het dorp en dat van de dieren om hen heen. Soms nam Klaas haar dan in zijn arm en leunde ze tevreden tegen zijn schouder. Dan rook ze niet meer de zomergeuren van de velden, maar die van tabak en zweet, geuren die ze vroeger niet kon verdragen, maar die ze gewoon vond omdat ze bij haar man behoorden. Bijna iedere zondag gingen ze uit de kerk vandaan naar Dirk en Kee te gast en bleven tot de avond. Dan verzorgden Herke en Jans hun varken. Marie vond het heerlijk, zo'n dag in het ouderlijk huis. Vader en moeder hadden dan tijd om aan te zitten en alle nieuwtjes uit het dorp te vertellen, die in de schoenmakerswerkplaats verhandeld waren. Klaas gaf daar weinig om, die bleef liever rustig thuis, maar de kerk stond middenin het dorp, dus waren ze er toch eenmaal al en het kostte hun zo'n dag weinig, want ze bleven tot na de avondboterham.

Ongelooflijk snel ging in hun beider ogen deze mooie zomer voorbij en het was herfst eer ze het wisten. Al wat voor het kindje nodig was, tot een tweedehands wieg en een matten wagen toe, was aanwezig; de varkens groeiden nog best; Klaas was geen dag zonder werk en het bedrag aan spaargeld klom. Iedere zaterdagavond, als Klaas uit de scheerwinkel terug was, haalde Marie haar kralen beurs uit de kleinste lade van de linnenkast en dan telden ze samen de inhoud op de tafel uit. Met centen, stuivers, dubbeltjes en kwartjes, doch soms ook met een hele gulden erbij, groeide het bedrag gestadig aan. En nooit was Klaas gelukkiger dan wanneer hij dit bezit voor zich uitgespreid zag. Marie had een geheim. Toen ze gemerkt had hoe slecht Klaas kon verdragen dat er een week niets bijkwam spaarde ze apart voor buitengewone uitgaven. Want er moest brandstof zijn voor de komende winter en aardappelen en groente, een potje met boter en een met vet en de vroedvrouw en de baker moesten aanstonds betaald worden ... allemaal zaken waar Klaas geen weet van had, maar waar ze toch voor moest zorgen. En de varkens hadden elke nieuwe week meer meel nodig dan de voorafgaande en ook dàt kostte geld.

Ja, Marie had soms een hoofd vol kleine zorgen en was dan dubbel dankbaar voor wat lange Jans haar bracht. Nu, in de herfst, gaf ze dikwijls fruit. Het was wel niet veel zaaks, het was gelijk aan alles wat om het oude huis groeide, als de aardbeien, de bessen en de peulvruchten, de knollen en de wortelen, maar ze was er rijk mee, want wat ze kreeg behoefde ze niet te kopen. Kopen was immers geld uitgeven ... Daarom was ze ook heel blij toen Klaas in de tijd dat hij te erwten en bonen dorsen ging, iedere avond zijn trommel gekneusd goed meenam. Ze zocht dit uit en bewaarde het beste ervan voor de winter.

Ik wor gierig, dacht ze soms met angst, doch ze kon niet anders meer. Dit was nu eenmaal begonnen en ze moest het volhouden ook. Het diepste verlangen van haar man behoorde immers ook het hare te zijn.

In het eind van oktober was er nog één stralende, mooie zondag, mild en schoon als ware het nog volop zomer, doch met de weemoed van de herfst. Hoewel de wandeling haar zwaar begon te vallen wilde ze deze dag nog naar de kerk en naar haar thuis. Het kon immers wel weken duren eer ze weer kon gaan? En dan was het kindje er en was er vooreerst van te gast gaan geen sprake meer.

Die zondagavond kwamen, zoals wel eens meer het geval was, Neeltje Veld en Kees Mos, haar vrijer, ook nog even bij vader en moeder aanlopen, en terwijl de vrouwen zich in een moeilijk breipatroon verdiepten, waar Neeltje geen kijk op had, bespraken de mannen het nieuws, dat hèn interesseerde. De wisseling van enkele arbeiders, de verkoop van een huis en het verhuren van land. Toen zei Kees zomaar, heel gewoon:

„Ik ben van de week op een avondje naar mijn ouwelui weest en die vertelde dat bij hullie in de buurt, in Noordwoud, een mirakel mooi spultje te huur was. Het is een flink huis met zowat zeshonderd roede grond erachter. Het spijt m'n dat ik zo arm ben, want as ik een paar cente had dan wist ik het wel. Ik huurde het zó en we ginge trouwe."

„Dat most ik dan toch zeker ok wille," plaagde Neeltje, die met een half oor meegeluisterd had. „Goed dat we nog maar niet veul geld hewwe, dan krijge we hier tenminste al geen ruzie over."
Kees plaagde terug en het gesprek was uit. Maar niet voor Klaas; die wilde er meer van weten en vroeg en vroeg ... tot vader Dirk zei:
„Het lijkt wel of jij er ok zin an hewwe?"
„Dat hew ik ok," gaf Klaas toe. „Ik zou dat bedrijfie wel d'rs zien wille. Waar staat het zowat, Kees?"
Iedereen lachte, behalve Klaas en Marie.
„Nee, echt, ik meen het," zei hij.
„Hoe wil je dan?" vroeg Kee. „Zonder geld krijg je de boel toch nooit voor mekaar. Er moet heel wat weze as je zelf bouwe wille."
„We hewwe flink spaard 'oor moeder," vertelde Klaas. „En as ik over een paar maanden de varkens verkoop, brenge die ok nog wel een mooie cent in 't laadje."
„Zo zo," riep Dirk, „al wat ik docht had, maar dut niet ..."
Ze spraken erop door. Ook Kee en Neeltje. Marie zat echter stil te luisteren en ze dacht:
Zó ver van huis op een eigen spultje ... vader en moeder niet meer geregeld zien ... geen vaste inkomste meer ... van Driehuizen weg in een vreemd dorp ...
Ze bleef zwijgzaam, ook later op weg naar huis en nòg later toen ze zich hield of ze sliep ...
Nog diezelfde week ging Klaas erop af. En heel die dag hoopte Marie dat het hem zou tegenvallen of dat de huur veel te hoog was voor hen. Maar zodra hij thuis was zag ze aan zijn gezicht, zijn ogen en gebaren, en hoorde ze aan de klank van zijn stem, dat het goed was — nog eer hij haar dit ronduit zei. En hoe zei hij het ...
Hij liet haar huis en land haast zien. Een nog betrekkelijk nieuw burgerhuis met een aangebouwde schuur erachter, niet ver van de weg. En alles eromheen zwarte grond met de hoogstnodige paden erin aangelegd. Geen bleek, geen tuintje, geen boom of struik. Niets. Een mooi spul, een prachtspul volgens Klaas. Zijn stem zòng door de kamer.
„Waarom gaan de mense die er nou weune, erof?" vroeg ze gejaagd tijdens een korte pauze.
„Die hewwe 't er zó best had dat 'ie nou puur groter bouwer wordt."
„Oh."
Dit was niet het antwoord dat ze gewenst had. Die mensen hadden eigenlijk uit armoe alles moeten opgeven ...
„Ik wou dat jij het ok zien kon," ging Klaas door. „Alles is er zo

echt op gerief maakt en het ziet er zo welvarend uit. Ik had docht, we moste het maar hure, Rie."

„Wanneer moet je uitslag geve?" leidde ze hem af.

„Over veertien dage. Zolang houdt die eigenaar het voor m'n vast." „Nou, dan hewwe we de tijd nog, éé?"

„Dat wel. Maar we weten het wel eerder. Feitelijk weet ik het nou al."

Maar ik niet, ging het door Marie's gedachten en ze huiverde. Toch wilde ze zijn stemming niet verstoren en ze bleef luisteren en vroeg zelfs naar enkele dingen.

In de komende dagen, nu Klaas weer dagelijks van huis was, liep ze zomaar doelloos van de kamer naar de dors en dan naar buiten over het erf tot aan de wrakke schuur. Ze bedacht dan hoe alles hier geweest was toen ze hier kwam, hoe het werd in de lente, hoe mooi het er uitzag in de zomer en nu ... Zelfs de scheve appelboom en de lelijke bank eronder pasten volkomen in dit beeld. En na één heerlijk jaar zou ze dit weer moeten verlaten? Als ze nu eens zei dat ze niet weg wilde, absoluut niet? Dan zou Klaas het niet doorzetten, zóveel hield hij wel van haar ... Maar dan? Zou hij dan met evenveel lust en moed blijven werken? En hoe werkte Klaas? Als in deze verlopen maanden? Zolang het dag was en ook nog vroeger en later waren zijn handen bezig geweest voor hun beider toekomst, die straks ook de toekomst van hun kind zou zijn. Mocht ze zich wel tegen zijn wensen verzetten?

Zo dacht Marie, en ze kon geen beslissing nemen.

Zou ze er eens met haar vader over spreken? Niet moeder; die dacht nooit veel na bij wat ze zei en bekeek alles uit haar eigen hoekje; maar vaders raad was altijd goed. Vader luisterde vol aandacht en peinsde er lang over na; zó lang soms, dat het leek of hij je vergeten was.

Zo ging ze dan op een stille neveldag, zonder dat Klaas er iets van wist, naar het dorp om een paar boodschappen en vroeg dan aan Kee of die een gast gebruiken kon die dag.

„Natuurlijk, kind," zei die gul, „maar wat moet jij hier in vredesnaam nou nog doen? Je lope zowat op alle dage. Foei ... die jonge dinge toch ... gaan maar gauw zitten, dan maak ik achter het werk effies of 'oor."

„Heb vader volk?" vroeg Marie.

„Nee, hij is alleen. Wou je bij 'm zitte? Doen dat, dat is gezellig voor 'm."

En Kee liep al vooruit met een stoel en een stoof en haalde koffie en koekjes in de schoenmakerij.

„Ziezo, julle redde je nou wel en hou mekaar maar mooi zoet. Ik gaan nog een tijdje an de veert."

Ze dribbelde weg naar het achtereind.
Dirk keek onder het werk een paar maal naar zijn dochters gezicht
eer hij vroeg:
„Is Klaas nog om dat spultje uitweest?"
„Ja 'oor." Marie vertelde al wat Klaas erover gezegd had en ook hoe
blij hij was. De hamer rustte af en toe even en dan streek Dirk over
zijn baardje. Toen draaide hij zich ineens om op zijn kruk en zat
meteen recht tegenover haar.
„Jij lijke aârs wel niet zo blijd te wezen?"
„Nee, eerlijk gezeid ben ik erop teugen dat 'ie het huurt."
„Zo. Ben jij erop teugen? En waarom ben je dat, zus?"
Toen kwam Marie los. Dirk luisterde scherp naar elk woord dat
haar zachte stem zo kalm uitsprak.
„... en ik hoor opheden zoveul over de opbrengst van de bouwerij
praten deur onze bure en deur de mense waar Klaas bij werkt,
maar het lijkt wel niks aârs as zorg en armoed. Nou wordt elk uur
arbeid an Klaas betaald, maar dan ken het wel d'rs aârs weze..."
„Maar zuk weet 'ie toch zelf ok allegaar wel. Hij loopt beslist al
weke met dut plan in zijn hoofd."
„Weke, vader? Al maande... al zolang as we trouwd benne en nog
wel eerder misschien."
„Nou, stel je voor. Dan heb 'ie dat ok gerust wel goed deurdocht."
„Maar ik heb liever niet zoveel zorge, vader. Ik heb er hier genog
van zien. As julle d'rs een paar stuivers overspaard hadde most het
huis nodig van buiten opknapt en verfd en aârs was er hier in de
schoenmakerij wel weer dut of dat nodig, maar moeder kwam nooit
ergens an toe voor d'r eigen of in de huishouding. En nóg wel niet
zeker? Eigen baas weze... het zou wat. Armoed lije en niks aârs."
„Kom kom. We hebbe alle dage immers ons natje en droogje nog
had. En ware we niet altijd gelukkig hier in huis?"
„Dat wel. Altijd."
Het klonk zo spontaan dat Dirk in een lach schoot.
„Nou, kijk 'rs an. En bij julle wordt het nog wel zo dat Klaas niks
koopt; hij wil enkel maar wat hure. As het niet bevalt ken 'ie er met
een jaar weer of immers."
„En dan?"
„Och, dan zien je wel wéér. Hij houdt zijn hande altijd nog over. En
jij prate maar van as het niet gaat, maar bij de teugenwoordige
huurders is het bepaald toch wèl gaan. Die hewwe er vast wel een
paar cente verdiend."
Hierin moest ze hem gelijk geven. Maar ze was nog lang niet uitgesproken. Nu vertelde ze wat bij haar het zwaarste woog. Dirk had
zich weer afgewend en naaide nu een nieuwe rand aan een leren
muil.

89

„Het is zo ver hier vandaan en ik kan zo slecht van huis. Wie weet hoe lang het duurt eer we mekaar weer d'rs zien en spreken. Klaas begrijpt dat niet, die komt al jare haast nooit bij z'n ouwelui, maar ik ken julle niet misse. We weune hier net zo mooi."
„Nou . . . mooi . . ." weerlegde Dirk deze woorden.
„Och ja. Maar ik ben er toch best mee tevreden."
Het was een korte tijd stil. Dirk naaide rustig door zonder op of om te zien en Marie keek door het grote brede raam naar buiten in de nevel, die alles net zo triest en uitzichtloos maakte als haar eigen stemming van deze dagen.
Toen zei Dirk heel ernstig:
„Je moete niet vergete dat je nou een getrouwde vrouw benne, zus. En dus hoor je je vader en moeder te verlaten en je man te volgen. Daar heb je nou eenmal ja voor zeid. En och, julle gaan de wereld toch niet uit. Eerst zal je wel d'rs verlangst hewwe, maar dat slijt gauwer uit as je nou wel denke, ok al omdat je strakkies een kleine handebinder hewwe . . ." Hij wachtte even en ging dan verder: „Ik hoor wel an je, dat Klaas er erg veul zin an heb en er graag heen wil. As jij nou echt van 'm houwe — en dat doen je immers? — dan moet jij net doen of jij dat ok graag wille en niet of het tegen je zin is, aârs gaat voor hem het allermooiste erof. Denk er altijd om dat je in je trouwen samen dezelfde weg uitgaan moete, en niet elk zijn eigen kant op. En wat die zorge angaat . . . mijn is altijd leerd dat God altijd die mense helpt die 'r eigen helpe kenne, en zo is het ok werkelijk 'oor. Daar moet je altijd op vertrouwe, kind. As alles je in de steek laat, hou je dan daaraan vast, dan kom je d'r wel."
Weer was het stil. De sterke vingers van Dirk Flik dreven de naald telkens opnieuw door het zachte leer. Zijn baard hing dicht tegen het zwart zijden bef dat hij onder zijn hals droeg, zó ver boog hij het hoofd voorover.
Marie zuchtte een paar maal heel diep. Er was een benauwenis uit haar weggenomen door haar vaders woorden. Ze zag nu de weg die ze moest gaan. Niet naast Klaas, maar mèt Klaas moest ze leven; niet hem enkel met daden steunen, maar ook met woorden en gedachten. Ook moest ze op God vertrouwen om sterk te staan als er slagen vielen.
„Ik zal het probere te doen 'oor vader," beloofde ze eenvoudig.
„Best, mijn kind." Dirk draaide zich weer naar haar toe. „En hoe make de varkens het?" vroeg hij nu. „En hoe is het, heb Klaas al citroenboontjes voor ons opdaan?"
Alles was nu weer gewoon, en toen Kee even later bij hen kwam zitten was de ernst geheel geweken. Er werd over en weer geplaagd en gelachen. Het was weer de echt zorgeloze huishouding van Dirk Flik.

Eer ze die middag naar Driehuizen terugging zei Kee:
„Nou mag je hier niet meer kome, 'oor. Zo of en an kome wij nou wel d'rs naar jullie toe."
„Wanneer?"
„Nou ja... wanneer...? Late we stelle van zondag over een week."
„Goed. Daar reken ik dan op 'oor."
We moete mekaar in deuze leste weke nog maar zoveul as mogelijk is zien, vond Marie, want as we aanstonds eenmaal weg benne...
Nog geen week later had Klaas het bedrijf gehuurd en weer week daarna werd er op Driehuizen na een zware nacht een jonge zoon geboren. Een flink kind met blond haar en blauwe ogen.
Jan Spijker lag in de wieg.

9

In heel de wijde omtrek leefde in deze dagen geen gelukkiger man dan Klaas.

Flink wat geld in de kast, twee vette varkens op hok, winterbrand en eten in huis, over een paar maande eigen baas op een mooi spultje en nou ok nog een zeun in de wieg. Het kon niet op. Wat had een mens nog meer nodig om blijd te wezen?

En Marie, die zich de hele zomer al zo rijk had gevoeld, die wist zich nu schatrijk.

Hoe konden andere vrouwen toch klagen over hun zwaar en moeilijk leven, terwijl ze toch zoveel weelde bezaten?

Toen de baker weg was en ze zelf voor het eerst haar kleine zoon verzorgde, hield ze hem een poos naakt in haar schoot en keek peinzend naar het kleine lichaampje. Nu pas gevoelde ze hoe nauw Klaas en zij vereend waren, omdat dit wezentje geen voortzetting van hem of van haarzelf was, doch van hen beiden. Ze nam zijn handje tussen haar vingers en zag dat het breed was en de vingers kort. Klaas had lange, smalle handen en de hare waren mollig en klein. Wiens handen waren als deze? Hoe vaak hoorde je niet dat een kind op een van zijn voorouders of een oom of een tante geleek? Ze kuste de vingertjes eer ze die losliet om haar kleine zoon te gaan kleden en dacht niet meer aan familie-eigenschappen. Hun Jan was goed zoals hij was.

Maar toen grootmoeder Antje drie weken na de geboorte van haar kleinzoon voor een nachtje te warskip kwam, toen dacht die er wel aan. Ze had geen rust gehad in haar propere huisje; ze moest en zou het kind even zien. Daarom had ze op een windstille morgen haar mooiste hul en boerehoedje te voorschijn gehaald en haar mooiste kleedje aangetrokken en toen was ze, gewapend met paraplu en spoormandje, te voet naar Driehuizen gegaan. Jan kon zich best een paar dagen alleen redden, had hij gezegd.

,,En as ik het niet ken dan wordt het toch tijd dat ik het 'rs leer,'' vond hij. ,,Bekijk jij eerst die kleine man maar goed.''

Zo ging Antje dus op pad. Door volle dorpen en langs stille wegen op haar tocht van drie uren. En toen stapte ze nog fris en monter bij Marie binnen, die haar blij verrast begroette. Zij hield van de sterke, rustige vrouw, die haar schoonmoeder was.

,,Mag ik nou eerst jullie joôntje d'rs zien?'' vroeg die na het eerste kopje koffie.

„Natuurlijk wel," zei Marie bereidwillig en ze legde de kleine Jan voorzichtig in de armen van zijn grootmoeder. Die liep met hem naar een der ramen en beschouwde het kleine gezichtje en de ogen, die dadelijk het licht zochten, vol intense aandacht. „Wat is 'ie licht, éé?" was haar eerste opmerking. „En julle benne alle twee nogal donker van haar.

„Ja, hij is erg blond," gaf Marie grif toe.

Weer keek Antje. Toen kuste ze de kleine op zijn voorhoofd en gaf hem aan zijn moeder terug.

„Wat het worre zal wete we natuurlijk niet, maar hij rooit niet op de Spijkers," zei ze voldaan.

„Mag dat dan niet?" vroeg Marie verbaasd.

Antje keek haar ernstig aan.

„Beter van niet," zei ze.kort. „Die deuge niet."

„En vader dan? En Klaas?"

„Er benne goeie, ok al is het niet veul."

Meer zei Antje er niet over. Ze was nou gerust en kon dat teugen Jan ok zegge, en waarom zou ze dan al dat ouwe zeer weer oprakele? En evengoed, ze hadde wel wat aârs te bepraten.

Klaas werkte door totdat een paar dagen na Kerstmis de winter inviel. Toen was er bij niemand meer iets te verdienen en hij kon enkel nog wat stoelen matten. Doch het scheelde hem nu niet, want over een week of zes konden ze verhuizen. Kort daarna verkocht hij zijn varkens en daarna fietste hij alle boelhuizen in de omtrek af en kocht daar broeiramen, zakken, wanden, gereedschap en alles wat hij verder op zijn nieuwe bedrijf beslist nodig had. Ook liet hij er de mest van de varkens heenbrengen.

Een jaar na hun trouwdag trokken ze uit Driehuizen weg naar de onbekende omgeving. Terwijl ze, zittende op het kret van de grote bakwagen waarin hun huisraad vervoerd werd, langzaam het pad afging, keek Marie strak vooruit naar de horizon.

Omkijke gaf immers niks aârs as verdriet?

De nieuwe woning vond ze kaal en ongezellig en de omgeving eveneens. Maar Klaas was er rijk mee tevreden en voor haar zou het op den duur vast ook wel wennen. Het was er tochtvrij en droog en er was veel ruimte in de stijlloze vertrekken.

Toen alles betaald was keerde Marie, net als een jaar tevoren, haar kralen beurs op de tafel om en Klaas ging weer aan het tellen.

„We hewwe nog zesenvijftig gulden overhouwen, zou dat toekenne?" vroeg hij onrustig.

Ze telde ... maart, april, mei, half juni ... dat werden ongeveer zestien weken ... Dat werden voor elke week ruim drie guldens ...

„Huur hoeve we nog niet te betalen," prevelde ze voor zich heen.

„Eten is er genog in huis ... Het ken wel toe 'oor."

„Gelukkig," zuchtte Klaas. „Ik begin liever niet met skulde, weet je."

„Maar die belastingbrief, die eerguster komen is," zei ze ineens zenuwachtig. „Die ken er eerlijk niet òf, Klaas."

„Dan stelle we die maar uit tot de nuwe aardappele klaar benne," stelde hij haar gerust.

Moedig ging Klaas aan de slag en hij werkte nog meer en nog harder dan tevoren. Toen een zaadfirma hem aanzocht om bloemzaden te verbouwen nam hij dit gretig aan. De fijnbouw gaf immers goed geld, werd steeds beweerd, en daarmee moest hij het op dit bedrijfje zoeken.

Het weer hield zich dit eerste jaar best. Op een droge maart volgde een natte april met als gevolg een vruchtbare mei. Al wat gezaaid en gepoot was ontwikkelde zich voorspoedig en groeide gestadig door. Nachtvorst bleef achterwege en het werd een vroege roderstijd. Er kwam een waarschuwing van de belasting en na enkele weken volgde een aanmaning . . . Doch eer het gevreesde dwangbevel verscheen kon Klaas betalen. De aardappels gaven overvloedig en de prijs was hoog. Dankbare vreugde vervulde hun huis en hart, van de morgen tot de avond, toen al het gewas gaaf en gezond bleef en de prijzen van alle produkten meevielen. Het bloemzaad spande echter de kroon.

„We houwe een aardige duit over," wist Klaas reeds eer het jaar verstreken was. Weer stapte hij deze winter bij maanlicht in de modderschuit, doch nu was het zijn eigen schuit en hij wierp de vergaarde bagger op zijn eigen land, al was het dan gehuurde grond. 's Avonds, als ze aan tafel zaten en Marie haar naaiwerk deed, rookte hij, achterover leunend in zijn stoel, zijn pijp en peinsde dan over zijn werk. Over wat gedaan was en gedaan moest worden. Over het geld dat in de kralen beurs zat en over de lege koestallen en varkenshokken in de achter het huis gebouwde schuur. Want in zijn hart leefde nog de oude droom. Boer zijn. Land en vee . . . Wekenlang speelde hij met allerlei plannen zonder er tegen Marie over te spreken, tot hij een oplossing vond.

De beide wegbermen langs de stille wegen tussen Noordwoud en Opkarspel werden opnieuw verhuurd. Als hij die eens probeerde te krijgen? Dan had 'ie gras en hooi; voerbieten kon 'ie zelf telen en als 'ie dan ook nog een paar varkens nam . . . Het gaf wel heel wat meer werk, maar bracht, als je een tegenslag kreeg, aardig wat geld in.

Toen hij dit met Marie besprak was alles voor hem reeds een bestaand feit. Ze lachte er in zichzelve even om.

Klaas werd helegaar een grote baas. Zij telde niet meer mee. Maar het hinderde niet. Zij had immers heel andere gedachten, want over enkele weken zou hun tweede kindje komen. En ze had andere plannen ook dan Klaas. Zij spaarde voor een naaimachine en voor nòg een veren bed met al wat daarbij behoorde, en ze droomde van de linnenkast vol lakens en slopen en ondergoed en tafellakens en handdoeken en wat al niet meer. Klaas wou al het geld wel in zijn bedrijf steken, maar zij zorgde ook een deel ervan te besteden voor het hare.

Zo kreeg Klaas spoedig de handen overvol met werk en dit nam hem volkomen in beslag, al stond Marie hem met alles terzij. Haar handen stonden nog niet verkeerd voor het boerenwerk. Meestentijds was zij het die het vee verzorgde en de koeien molk. De kralen beurs werd steeds voller naarmate de jaren verstreken.

Jan was ruim een jaar toen zijn broertje Dirk geboren werd en nog geen drie toen de kleine Johannes in het wiegje lag; en telkens als Klaas naar zijn drie zoons keek, groeide zijn wens. Tot die gedàchte werd.

Dat was in het zesde jaar van hun huwelijk, toen hij twee koeien en twee hokkelingen op stal had staan en drie varkens in het hok, toen die droge zomer kwam die hij zijn leven lang niet vergeten zou. Hij noemde dat jaar in gedachten later altijd het bloemenjaar, want grotendeels door de opbrenst van het geoogste bloemzaad bracht zijn bedrijfje hem een zuivere winst van ruim elfhonderd gulden op. Nimmer achtte hij de zweetdruppels die het hem gekost had, noch telde hij de uren die hij ervoor werkte. Hij rekte slechts zijn schraal geworden leden, beproefde zijn spieren en was gereed opnieuw te beginnen.

Toen hij het bloemzaadgeld mee naar huis bracht en op het tafelblad neertelde, haalde Marie oudergewoonte haar beurs uit de kastla en legde die alvast gereed om het bedrag er straks in te doen. „Die ken het lang niet berge, vrouw!" riep hij uitgelaten. „Kijk nou toch 'rs wat een geld, zeg. Allegaar van mijn. En dut is er vanzelf ok nog."

Zijn vingers tastten in de beurs en haalden er een bundeltje papiergeld uit, dat hij naast het andere uitlegde. „En dan het vee nog en mijn bouwersspulle ... As ik zo deurgaan dan kom ik er wel."

„Waar moet al dat geld dan nou in," peinsde Marie halfluid, toen zij, dicht naast hem staande, alle bankbiljetten aandachtig mee bezien en geteld had. „We hewwe nog zo'n mooi klein sigarenkissie. Zal ik het effies hale?"

„Doen dat," zei hij afwezig, zonder zijn ogen van het geld af te wenden.

Ze zocht het kistje en zette het naast de kralen beurs. Hij schatte de diepte en breedte.

„Ja, dat is er krek goed voor," prees hij. Met zijn jas nog aan en zijn hoed op legde hij er, soort bij soort, de bankbiljetten voorzichtig in en daarna het zilvergeld. Toen paste hij het zelf in de grootste binnenlade van de linnenkast die voor zijn papieren bestemd was, en zette het daarin weg. De kralen beurs lag vergeten naast het theeblad. Terwijl Klaas zich omkleedde nam Marie die in handen; ze sloot de fijne zilveren beugel en betastte even de talloze kraaltjes. Die heb zijn werk of. Ik zal 'm maar weer in mijn laadje leggen, dacht ze. Doch toen ze dit deed wist ze dat het mooie kistje haar nooit zo eigen zou worden als deze beurs.

Ze ploeterden voort en weer werd hun arbeid beloond. De oogst was ongedacht groot en de prijzen goed. Er kwam een dag dat het „trommeltje", zoals Klaas het blikken sigarenkistje noemde, vierentwintighonderd gulden bevatte.

„Nou houwe we een grote gastdag," stelde hij voor. „De hele familie moet kome en er moet van alles op tafel weze. Dut wil ik viere, vrouw."

Die gastdag kwam. Hun ouders alle vier, Neeltje en Kees, nu ook al twee jaar man en vrouw, en dan Hannes nog, het broertje van Marie, dat pas van school was.

Nu kon Jan Spijker, wat zelden gebeurde, zijn drie kleinzoons goed opnemen, vooral de oudste twee. Jan, het drukke stevige baasje, hoogblond met rode wangen en stralend blauwe ogen en de tengere Dirk, een rustig, donker kind, dat stil zijn eigen weggetje ging. Over deze twee was hij erg gerust, zij hadden niets over zich dat aan zijn teringachtige, onevenwichtige familie deed denken. Maar over de derde, de kleine Joop, was hij diep in zichzelf minder te spreken. Wel zag ook deze jongen er lichamelijk flink uit, maar het onrustige en driftige stonden hem niet aan. Tot hij ontdekte dat Joop op zijn oom en naamgenoot Hannes Veld geleek, waarvan Kee een paar staaltjes vertelde. Toen was ook deze zorg gestild en gaven zijn kleinkinderen hem enkel vreugde.

Klaas niet. Toen die, al heel spoedig, vertelde hoeveel geluk dit bedrijf hem tot nu toe had aangebracht stond diens manier van spreken en de toon der woorden Jan heel niet aan.

Klaas wordt aârs, dacht hij. Het geld maakt 'm nou al groôsk. Gelukkig dat Marie 'm wat neerhoudt, aârs zou 'ie nog gekke dinge doen.

„Heb julle hier nog wat aardige bure?" vroeg Kee.

„Nee, an onz' bure hewwe we niet veul," vertelde Marie. „Maar Klaas heb een paar goeie kennisse. Die vrachtman die ons hier naar toe haald heb, Jan de Vries heet 'ie, dat is een verlegen aardige man, en dan weunt hier nog een Arie Tuinman, daar ken 'ie ok erg best mee opschiete. Zo over en weer kome we wel d'rs bij elkaar,

maar toch niet zoveul as die manjes wel wille, want we hewwe allegaar ons huishouwen, éé."
Na de middag werd het land bekeken en toen het vee; en Klaas werd geprezen omdat alles er zo verzorgd uitzag. Vooral vader Jan was in de wolken; die stapte op de stallen en streelde de koeien, het eigendom van zijn zoon.
Een boer blijft toch altijd boer, dacht Ant toen ze hem dit zag doen en het speet haar dat Jan dit zèlf nooit had kunnen bereiken. Ook Marie liet haar bezit zien, enkel aan de vrouwen. Moeder Kee sloeg de handen ineen van wat ze zag en zei: „Nou zus, hier ken jij een paar slechte jare mee deurkome 'oor." Marie lachte om deze woorden. Slechte jaren ... en dat met een man als haar Klaas ...
Het was een mooie gastdag voor allen. Een dag die ze zich later steeds met veel genoegen herinnerden.
Het werd al laat in de herfst dat Klaas op een drukke dag met zijn rug tegen een boneschans zijn brood zat te eten, en hij een gesprek opving dat niet voor zijn oren bestemd was.
Twee schuiten passeerden elkaar in de sloot naast zijn land en geen der beide mannen die erin stonden had hem blijkbaar gezien. Ze bleven dicht bij elkaar even praten over zaken die hem heel niet interesseerden en waar hij ook nauwelijks naar luisterde, doch juist toen hij wilde opstaan om zijn werk te hervatten hoorde hij iets dat hem de oren deed spitsen.
Er was ergens een bedrijfje te koop.
Hij bleef doodstil zitten en zorgde dat geen woord hem kon ontgaan. „Net wat voor jou," zei de ene. „Zo'n pittig spultje met drieëneenhalf bunder."
De ander vond dit ook en vroeg naar de reden van verkoop, de toestand van huis en land en de vermoedelijke opbrengst die verwacht werd. Dit zou zo ongeveer vijfduizend zijn ... en het werd publiek verkocht.
Toen het gesprek uit was en de beide mannen elk huns weegs waren gegaan, bleef Klaas nog geruime tijd stil achter de schans zitten, ondanks het vele werk dat hij die dag nog had willen verrichten. Alle werkdrift had hem verlaten. Hij moest het gehoorde eerst goed doordenken.
Dus Dirk Water had zin an dat bedrijf ... Hij wist er nòg een die het wel paste, en die zat hier.
As 'ie dat 'rs kope kon, dan was 'ie voor zijn hele leven klaar en onder dak. Dat was nou krek wat 'ie nodig had. Drie zeuns had 'ie al en over een paar maande zou de vierde kome en de oudste konne al gauw wat meewerke. Zukke joôns kwame alle dage meer naar je toe. Naderhand was er altijd wel wat bij te huren of te kopen ...

97

Klaas droomde door tot hij zag hoe de zon stond en daarom haastig zijn afgebroken werk afmaakte. Drie dagen gingen voorbij zonder dat het gehoorde hem ook maar één moment losliet. Zelfs 's nachts spookte het in zijn gedachten rond. Marie vond hem stiller dan gewoonlijk, maar haar eigen leven was zó druk geworden dat ze er weinig acht op sloeg. Wat haar wel bevreemdde, was dat hij zomaar op een zondagmiddag uit fietsen ging zonder een bepaald doel, enkel omdat het zulk mooi stil weer was . . . Dat deed Klaas anders nooit. Wel ging hij dan soms naar zijn kennissen toe om een praatje, maar zomaar in het wildeweg uit fietsen . . .

Over enkele weke, als alle drukte aan kant was, dan kwam er weer een tijd van rustig geluk voor hen beiden, bedacht ze met verlangen. Dan konden ze volop genieten van de grappen en de leuke uitvallen van de jongens, en dan was het ook al spoedig haar tijd. Als het dit keer nu eens een dochtertje was . . . Wat zou dat een vervulling zijn voor haar. Hun liefde was al zo rijk gezegend door het bezit van hun drie zonen en daarmee was een stoute wens van Klaas vervuld; maar nu was het toch háár beurt.

Toen Klaas op zijn fiets zat ging hij een andere richting uit dan gewoonlijk. Hij reed langs een kleine omweg naar Opkarspel, waar het land van zijn laatste verlangen lag. Kalm ging hij dit dorp door tot aan de oude doorrijstal tegenover de herberg en zette daar zijn fiets achter. Met één gebaar schoof hij die uit het gezicht in de struiken. Te voet ging hij nu verder langs een pad tussen de velden en sprong dan over een smalle sloot. Zo kwam hij op een plek die hem een goed uitzicht bood op het te koop aangeboden bedrijf. Niets ontsnapte aan zijn blikken. Hij zag het mooie vlakke land in drie akkers verdeeld voor zich liggen en een grote houten schuur zo ongeveer in het midden. Hij benaderde het huis zover hij dit ongezien kon doen en bekeek vandaar de hoge, bultige boomgaard achter een flinke hoeve. Het hoge puntdak stak tussen veel geboomte uit. Zover hij kon zien was het grotendeels van hout.

,,Hout en riet? Ik mag het wel dadelijk in de brandverzekering doen," prevelde hij voorbarig. ,,Nou moet ik de voorkant eigenlijk ok nog effies zien. Hier ziet alles er goed uit. Hoe is het mogelijk dat de kerel die er nou weunt het niet houwe ken. Zeker wel geen anpakker."

Hij ging dezelfde weg weer terug, trok zijn fiets te voorschijn en reed heen en terug het dorp door of hij iemand zocht. Zo kon hij ongemerkt het huis goed opnemen. Het was warempel een hele plaats en het stond koel en voornaam tussen al die bomen en een heel stuk van de weg. Er was vroeger, toen het nog boerderij was, beslist veel en veel meer land bij geweest, dat nu verhuurd of verkocht was. Maar zoals het nu was paste het hem voorlopig precies. De eerste jaren moest hij toch bouwer blijven ... Wat zou Marie ervan ophore as 'ie vertelde waar 'ie weest was en wat 'ie voor planne had. Dat deed ze. Ze luisterde vol aandacht en ze leefde volkomen mee in de beelden die hij voor haar opriep. Maar ze gaven haar een lichte angst. Het was te mooi, veel te mooi.

„En heb geen mens je zien?" vroeg ze ongerust.

„Vast niet. Ik ben voorzichtig weest 'oor. Want as ze d'r lucht van krijge dat ik er ok zin an hew, dan krijg ik geen kans om het of te mijnen."

„Maar hoe wil je dan an geld kome?"

„Ik had docht dat ik vrouw Metselaar d'rs vrage most. Die leeft altijd zo met ons mee. As die het zelf niet geven ken, weet ze misschien wel een aâr adres."

„Maar moet je nog geen borge hewwe ok? Zuk hoorde ik wel d'rs."

„Dat zal misschien wel moete, ja."

„Wie wou je daarvoor vrage?"

„Daar had ik Jan de Vries en Arie voor in 't hoofd."

„Maar joôn, dat benne houten borge ..."

„Wat zou dat? Het is toch ok maar voor de vorm? Het moet al heel raar gaan as ik niet op tijd over de brug kome ken."

In de halve schemering leek zijn gezicht haar hard en streng als van een vreemde. Klaas zag er trots en zelfverzekerd uit en zijn woorden klonken beslist.

„Het is wel een heel begin," zei ze zacht.

„Voor mijn niet meer as voor een aâr. En ik hew zelf al een hele duit ... Ik most er morgen maar dadelijk op uitgaan om geld en meteen effies bij de ouwelui langs gaan."

Terwijl Klaas het vee voederde, molk en verder het werk daar afdeed en de drie jongens bij hem in de schuur speelden, zat Marie lange tijd voor zich uit te staren in de krans van licht rond het theeblad.

De opgeroepen beelden waren heel mooi geweest. Waarom was ze dan nu niet blij? Moest zij dan altijd zorgen zien die er niet waren? Met hoeveel zware gedachten was ze niet hierheen gekomen, en hoe goed hadden ze het niet getroffen. Geen schaduw van leed noch zorg was over hun leven gevallen. Waar zou ze dan nu over piekeren? Twee gezonde jonge mensen met een aankomend gezin en flink wat geld ...

En dit dorp en dit huis zou ze immers altijd met vreugde verlaten? Hier was niets en ook niets haar eigen geworden ...

Nee, ze moest flink zijn en geen kuren tonen. Een mens moest vooruitzien en vooruitkómen in het leven. Zo was het immers?

Al kon vrouw Metselaar Klaas zelf niet aan het benodigde geld helpen, op haar aanbeveling was een bank in de stad genegen het hem te verschaffen en zijn borgen waren dadelijk bereid hun naam te zetten. Zo was ook dit naar wens geslaagd.

De ouwelui hadden natuurlijk bezwaren. Daar benne ze oud voor, dacht Klaas geprikkeld toen moeder Kee vond dat 'ie zijn stok veel te ver zette en vader vond dat 'ie van weelde uit het spek sprong... En bij zijn eigen ouders was het al niet anders. Zijn vader oordeelde het beter dat hij nog een paar jaar zo doorgaan zou en eerst wat meer bedrijfskapitaal bij mekaar spaarde. Of 'ie al geen geld genog had... Moeder Ant wist nog weer wat aârs. Die beweerde dat het zo voor Marie veuls te drok werd met zoveul kinders strakkies in een groot huis, en dan hem of en toe ok nog helpe... en dat de joôns dan ok te vroeg anpakke moste, want zo ging het in de regel, zei ze. Zuk as jij anhale wille gaat ten koste van je huishouwen, had ze ok nog beweerd. Nee, an de ouwelui had 'ie niet veul steun had.

Hij ging echter evengoed met volle moed naar de verkoping en koos zich in de herbergzaal een plekje achteraan, waar hij niet in het oog viel en zelf alles goed kon overzien. Niemand lette op hem. Er waren altijd heel wat belangstellenden bij een verkoping; waarom zou Klaas Spijker ok niet 'rs kijke?

Na de lezing der voorwaarden zette de afslager het eerste perceel in. Klaas luisterde scherp toe en prentte alle eindbedragen vast in zijn gedachten. Enkele mensen schreven die op, hij niet, hij was immers maar gewoon toeschouwer. En hij wist zó ook wel dat de som der combinatie ongeveer negenenveertighonderd gulden geworden was. Toen daar een paar duizend gulden boven gevraagd werd leunde hij iets achterover. Zijn hart bonsde wild en hij voelde zijn lichaam strak van spanning. Terwijl de getallen langzaam en met nadruk in zijn oren drongen, bleef zijn blik strak op Dirk Water gericht. Die zat recht tegenover de afslager en beet zenuwachtig op de sigaar die hij heette te roken.

„Zeshonderd... vijfhonderd..."

De hand van Dirk ging omhoog.

„Vierhonderd..."

Diens vingers openden zich bij de sigaar.

„Mijn!" riep Klaas luid en schor.

En nog eer de tijd een dagje ouder was wist heel de omtrek dat Klaas Spijker... je weet wel, die Klaas Mooi... een bedrijf in Opkarspel gekocht had. En elk zei er het zijne van, maar de meesten niet veel goeds. En vooral zijn aanstaande buren niet, want die hadden het iemand anders toegedacht voor minder geld. Want Klaas was stijf an de prijs.

Marie zat heel die avond als een razende te breien, zoals ze in zichzelve dacht. Het was ook zo'n spannende tijd nou. Zou het Klaas wel lukke om het of te mijnen? Ze wist niet eens hoe dat toeging. Och, waar had zij ook verstand van. Dat een dubbeltje maar tien centen had, ja. En verder kon ze heel gewoon naaie, breie en stoppe en zuinig huishouwe en Klaas wat helpe. En dan de kindere opvoede zo goed ze kon. Maar verder? Nee, verder had ze nergens veul verstand van. Voor krante leze had ze geen tijd en wat er buiten het dorp in de grote wereld gebeurde, och, wat raakte je dat eigenlijk? Daar kon je toch niks teugen doen en het maakte je maar overstuur as je dat alles wiste . . . Je hoorde er af en toe wel d'rs wat van, maar om d'r nou in de krante naar te zoeken? Niks 'oor, dat hoefde niet.

Naarmate de avond verstreek werden haar gedachten al vager, tot slechts die ene allesoverheersende vraag overbleef . . . Hoe zou Klaas het maken? Ten slotte rustte het breiwerk in haar schoot en zat ze stil voor zich uit te staren en droomde al over wat mogelijk komen zou, tot ze Klaas van zijn fiets hoorde springen. Trillend van spanning draaide ze de pit van de lamp iets hoger en wachtte tot de kamerdeur openging.

Zodra ze zijn gezicht zag wist ze het al; hij had zijn doel bereikt. Zijn mond, zijn ogen, zijn hele houding waren die van een overwinnaar.

„Ik heb het kocht, Rie."

O, die heerlijke klank in zijn stem, diep en zwaar van emotie.

„En?"

„Voor tweeënvijftighonderd gulden."

„Das is meer as je docht hadde, éé?"

„Effies wel, ja. Maar het is toch niet te duur 'oor. En wat het Dirk Water waard is ken ik er ok voor geve."

Ze stond op en kuste hem.

„Gefeliciteerd, Klaas. Zegen met je koop. Ik hoop dat het ons daar òk meelope mag met alles."

„Dat hoop ik ok, liefie," zei hij schor.

„Nou lust je wel graag een koppie zeker?" praatte ze bedrijvig haar ontroering weg.

„Verlegen graag."

Klaas ontdeed zich van jas en hoed en ging gezellig in zijn hoekje zitten om precies te vertellen hoe hij zijn nieuwe bedrijf had gekocht. Plannen werden nu meteen al ontworpen en weer verworpen. Dìt moest er zijn en dàt was beslist nodig . . . Hij nam papier en potlood en cijferde lange tijd en de kleine wijzer van de klok klom al hoger.

„Wat wordt het toch donker," merkte hij ineens op.

„Dat wordt het net." Marie keek eens naar de lamp. „Wil je wel gelove dat de peer leeg is? Alle olie is opbrand; we magge wel gauw te bed gaan."

„Nou, vooruit dan maar." Onwillig schoof Klaas zijn papier weg. „Daar hewwe we strakkies ok geen last meer van, want in dat huis is nog brongas ok."

„O wat enig," juichte Marie. „Om te koken ok?"

„Dat verwacht ik wel."

In het donker maakten ze nòg plannen.

Klaas had veel nodig voor zijn nieuwe spul. Hij ging weer op alle boelhuizen in de omtrek kijken of er iets van zijn gading was en meestal bracht hij dat mee naar huis. Zelfs gelukte het hem op deze wijze een paard en een driewielde kar te bemachtigen voor een schappelijke prijs.

Hij doorleefde zijn dagen als in een roes van trots geluk en zat als het ware met zijn hoofd in de wolken. En er was ook nog zoveel te regelen en te doen in die tijd, zo machtig veel, dat hem volkomen in beslag nam.

Daar tussendoor werd hem ook nog een dochtertje geboren. Toen hij zijn vrouws vreugde hierover zag en hoorde, keek hij haar enkele ogenblikken peinzend aan. Het kwam hem voor dat ze met dit kind veel en veel blijder was dan met al wat ze in de laatste jaren hadden verkregen. Hij was er zelf ook geweldig mee in 't zin, maar zoas Marie . . . vrouwe ware toch puur aârs as manne . . .

Het mooie tere kindje werd Anna genoemd naar zijn moeder en heette in hun gezin dadelijk al Ankie.

Nauwelijks was ze op de been of Klaas drong er bij haar op aan dat ze hun nieuwe tehuis, dat intussen ontruimd was, eens zou gaan zien. Als ze de kinderen een paar uurtjes bij Jan de Vries onderbrachten kon dat best. Hij spande dan het paard voor de kar en ze waren er zó. Weifelend gaf Marie toe. Ze wilde er wel dolgraag heen, doch zag er ook weer tegenop, uit angst dat het haar zou tegenvallen. Het was wel goed onderhouden, maar nogal oud, had Klaas gezegd en die had het enkel van buiten gezien. Wie weet hoe het er van binnen uitzag . . .

Op een rustige middag reden ze er samen naar toe.

Ze zag al spoedig, dit was een welvarend dorp; nòg rijker dan Noordwoud. Nergens was ook maar een spoor van armoede of verval te bekennen. Grote mooie boerenplaatsen stonden fier en statig tussen hoog en zwaar geboomte. En deftige renteniershuizen met keurig onderhouden tuinen er rond omheen, pronkten er hier en daar tussen. En hier zouden zij nu ook wonen? Geen wonder dat Klaas gevoeld had er niet welkom te zijn . . .

„Daar is het." Klaas wees haar hun huis; en haar hart ging open toen ze het zag. Een hoog ijzeren hek met dicht erachter vier kastanjebomen. Jonge bomen nog, maar nu reeds statig en schoon. Daarachter de hoeve. Niet te groot en toch ruim genoeg voor de plannen van Klaas. Snel nam ze alles op. Er was veel hout en weinig steen, maar alles zat goed in de verf. De diepgroene kleur die bij zo'n hoeve past. Twee kamers voor aan de weg met een deur ertussen en één opzij van het huis. Die had warempel tuindeuren, daar had Klaas niks van zeid ... Och ja, wat gaf een man om kamers. Wel wist 'ie dat de koegang aan de achterkant was en de dorsdeuren voor. Aan de ene zijde van het ruime erf beschermden hoge essen het rieten puntdak en aan de andere kant werd het door een rij iepen beschut. Erachter strekte zich de boomgaard uit. Het hele aanzicht was veel mooier en beter dan ze had durven hopen. Als het van binnen nou maar niet tegenviel ...

Aarzelend en verlegen betrad ze, na Klaas, door de achterdeur haar toekomstige woning. Kaal en verlaten lag de koegang met zijn lege stallen voor hen. Maar het donkerblauw geverfde hooischot glansde nog en op de tegelvloer en aan de houten pomp waren nog duidelijk de sporen te zien van de zwarte lak waarmee ze vroeger ieder jaar na de schoonmaak waren opgeknapt.

Klaas telde ... zeven stallen op de lange en twee op de korte regel ...

„Dat is mooi," prevelde hij. „Ik ken hier dus op den duur achttien beesten stalle." En zijn ogen flikkerden fel toen hij de gang geheel uitliep.

Marie toefde nog even en ging dan voorbij de korte regel langs de laatste stal naar de dors. Wat leek nu alles toch groot in zo'n leeg huis, dacht ze. De berg, de zolders, ze waren zo ruim en zo kaal. Maar ook daar zag alles er nog behoorlijk uit. De wanden waren er hardblauw en de vloer was van dezelfde heldergele steentjes als de straatjes om het huis. Buiten was het kil en triest en hierbinnen kil en verlaten, maar toch voelde ze zich prettig en veilig onder dit ruige dak, waarin de schoorsteen kloek omhoog rees. Klaas had intussen de berg bekeken en kwam nu bij haar staan.

„Het ziet er niet kwaad uit, éé?" vroeg hij.

„Dut valt mijn erg mee," zei ze blij. „Maar nou wou ik de kamers ok nog wel zien."

„Dat ken."

Weer ging hij haar voor, eerst naar de achterkamer met de tuindeuren, een echt zomerverblijf, dat ook als woonkeuken kon worden gebruikt, en dan naar de beide voorkamers. Bedeesd volgde ze hem en keek naar het mooie donkergebloemde behang en de lichtgeverfde zolders en deuren en naar de grote diepe ramen. En ze schudde haar hoofd over zoveel deftigheid, waarin zij zou moeten wonen. Zoveel kasten voor haar weinigje serviesgoed en drie grote kamers

voor haar schamel beetje huisraad ... En dan waren er wel vijf bedsteden en ook nog een opkamertje ... Hoe kreeg je alles een beetje
behoorlijk gemeubeld? En wat eisten die hoge ramen niet een ellen
vitrage ... Was Klaas niet te groôsk geweest ...?

Langzaam, steeds maar rondkijkend, drentelde ze terug tot ze weer
in de koegang was.

„Nou? Staat het je wat an?" vroeg Klaas nu.

Ze dacht na. Anstaan deed het 'r wel. Maar zou ze het 'm zeggen
van die kaste en bedde en kamers en rame?

„Wil je hier wel weune?" voegde hij er licht plagend aan toe.

Of ze hier weune wou? Dolgraag! Ze hield nou al van dut huis.

„Ik ben er best mee in 't zin," zei ze spontaan en sloeg haar armen
om zijn hals voor een zoen.

„Liefie." Hij kuste haar. „Wij zulle het hier wel rooie, éé?"

„Altijd," beloofde ze ontroerd.

Hij liet haar los en samen gingen ze naar buiten, dwaalden nog een
poos door de boomgaard en over het erf en bekeken de oude schuur.
Dan liepen ze terug naar het geduldig wachtende paard. Even daarna
reden ze samen terug in de vallende schemering. Twee gelukkige
mensen, die vol hoop en moed de toekomst in durfden gaan.

10

Ze waren op de dag af zes jaar getrouwd toen ze verhuisden. Zonder weemoed trok Marie weg uit de nette woning, waarin ze niets dan voorspoed had gekend. Klaas bracht alles met zijn eigen gerij over en moest dus vele malen heen en weer met paard en kar, doch niets was hem teveel nu het zijn eigen huis en belangen gold, en Marie werkte voor twee. Toen de verhuisdag ten einde was zaten ze samen in de zijkamer, die geheel gereed was op de gordijnen na. De kinderen sliepen in de bedsteden en het kleintje in de wieg.

„Het ziet er hier al echt gezellig uit," prees Klaas haar smaak, want met weinig middelen had ze veel bereikt in dit grote vertrek.

Vermoeid maar tevreden zaten ze bijeen. De koffie pruttelde op het theelichtje, de wekker tikte op de schoorsteenmantel en verder was er de heel zachte suizing van de wind om het hoge huis.

Er werd weinig gezegd deze avond. Ze waren moe en elk dacht aan de eigen plannen en wensen. Tot Klaas daar iets van onder woorden bracht.

„Ja ja. Wat ik in Noordwoud in het klein presteerde, dat zal ik hier d'rs in het groot zien late."

Zijn vrouw keek hem aan. Hij geleek een vorst zoals hij daar zat, zo fier, zo moedig, zo zeker van eigen kunnen.

„Ik help het je wensen," zei ze stil.

Toen ze de volgende morgen buiten kwam om water te putten was het eerste levende wezen dat ze zag een prachtige ekster. Ze rilde en verjoeg het dier van het erf.

„Zo'n lelijke ongeluksveugel," mopperde ze voor zich heen. „Wat moet dat brutale heerschap hier? Goed dat ik niet bijgelovig ben, aârs zou ik er een slecht voorteken in zien."

Doch even later brak de zon door en verdreef alle donkere gedachten. Zacht neuriënd ging ze aan de slag in de kamers en luisterde ondertussen naar Klaas, die op de dors en later in de koegang aan de schoonmaak was. Zijn stem en die van de jongens galmden door de ruimten.

Na een week waren ze gereed. De ene voorkamer was leeg gebleven, alleen hingen er gordijnen voor de drie hoge ramen en stonden er bloeiende planten op de vensterbanken. Ook de gang was nog kaal en leeg. Maar de andere voorkamer was een echte woonkamer geworden met een stel mooie vazen op de schoorsteen, de glimmend gepoetste kachel ervoor en de ronde spiegel erboven; en dan stonden er de linnenkast en hun zes mooiste stoelen met de twee grote leuningstoelen. En boven de tafel hing een nieuwe gaslamp en erop stond het theeblad met nikkelen rand, en alles glom en zag er keurig uit. Ja, het was een deftig geheel geworden. Hun meubelen pasten goed bij het donkere behang, en het zeil en karpet eveneens. Fier schreed Marie door haar vertrekken en men kon het haar aanzien dat ze gelukkig was. En met Klaas was het evenzo als hij over zijn akkers ging of door de boomgaard liep.

Ja, die boomgaard. Daar hadden ze bijna woorden over gehad. Omdat Klaas vooreerst zijn land zwart wilde, of liever zwart moest houden, vond hij die boomgaard erg lastig. Je nam het zaad van gras en onkruid aan je klompen mee naar de bouw en anders bracht de wind het er wel op. En wat had je eraan? Als hij in de komende winter de bomen eruit rooide en verkocht en de grond van wortels zuiverde en omspitte, dan had hij er een mooi akkertje bij. Toen hij dit aan Marie vertelde had ze eerst niets gezegd, maar was gewoon naar buiten gegaan. Daar zag hij haar tussen de bomen lopen en ze bekeek ze allemaal, tot de lelijke, knoestige knotwilgen in de walkanten toe. Toen ze daarna weer in huis terugkwam vroeg ze strak en ernstig:

„Moete die bome er beslist uit?"

„Nou, moete . . . moete . . . het is lastig, zo'n bogerd, éé."

„Opheden is het lastig bedoel je zeker. Niet as je boer ware."

„Nee, dan niet vanzelf. Dan hoort 'ie er eigenlijk bij."

„Dat docht ik ok. Waarom zou je 'm dan opruime?"

Weer legde hij haar zijn bezwaren voor en somde de voordelen op. Vooral de verkoop van het hout trok hem aan, dat bracht immers schoon geld op. Zo gaf het niks dan last, an zwarte grond had je veel en veel meer. Ja, de hele boel moest eruit.

„Maar ik ben erteugen," zei Marie.

„Jij? Waarom?" Klaas was verbaasd. Zo was ze nooit.

„Ik wil 'm niet misse."

„Wat heb jij met die bogerd nodig? Zuk gaat toch mijn an en niet jou?"

Ze schudde het hoofd. De krulletjes dansten wild.

„Dut gaat mijn ok an. Ik hew ok mijn planne, weet je."

Hij lachte spottend. Marie . . . en plannen . . . Het zou wat weze. Hij had er niet veel geloof in.

„Zo. En mag ik die niet wete?"

„O ja. Ik loop er al drok over te prakkezeren, maar ik weet nog niet precies hoe en wat. Daarom hew ik 'r nog niet over praat, zie je."

„Wat wou je dan?"

„Ik wil kippe houwe en die kenne mooi op de bogerd lope, en een paar varkens voor het gras, dan ken jij je wegberme helegaar hooie,

want voor het peerd is er hier dan ok genog. En dan de vruchte natuurlijk, éé. De beste kenne we verkope en de rest houwe we zelf. Ik vind het eigenlijk verkeerd om alles zo maar weg te doen." Klaas dacht na. Dit kippen houwen was vanzelf niks gedaan en over varkens had 'ie zelf ok al docht, maar deurdat 'ie de weg anhield had 'ie evengoed gras genog. Vruchte verkope? Och, wat zou dat oplevere? En zelf een zood houwe . . . wat had je d'r an? As het nou erte of bone ware, of kool en piepers, daar zat wat in, maar appels en pere . . .
Hij zei haar dit en spotte een beetje met haar plan. En wat zelden gebeurde, Marie werd boos. Toen hij zo echt kleinerend sprak en deed alsof het daarmee was afgedaan, scheen ze wel te groeien, zó recht werd haar gestalte en haar gezicht kreeg oudere trekken. Zelfs haar stem had een andere klank toen ze hem tegensprak in langzaam en duidelijk uitgesproken woorden, die hij zich later nog wel eens herinnerde.
„Waarom is wat jij wille altijd best en goed, en deugt er niks van wat ik uitdocht heb? Jij wille ok varkens, zeg je nou. Waarom praatte je d'r niet eerder van? Omdat je net as ik wete dat we geen kwartje te missen hewwe om een kip te kopen, laat staan van een big. Maar daarom heb je me niet uit te lachen. We zulle het nou maar zo late, maar dut zeg ik je, je doen wat je doene, maar de bogerd gaat niet weg."
Ze draaide zich om en liep naar de kamer. Klaas keek haar beduusd na. Dit was hem nog nooit overkomen. Hoe haalde ze het in d'r hoofd om zo teugen 'm in te gaan.
„De bogerd gaat niet weg."
Ja zeker . . . die ging wél weg. Hij was er baas over en niet Marie. Of ze kwaad was of niet, die bometroep ging eruit.
Het onderwerp werd niet meer aangeroerd. De lente was in aantocht en Klaas kreeg de handen zó vol dat hij een knechtje huurde, en, over zijn boomgaardplan werd niet meer gedacht. De zaadfirma bracht bakken vol plantgoed, er moesten duizend roeden met aardappels bepoot en ook moest er veld gereedgemaakt voor het zaaien van erwten en bonen. Daardoor wist hij niet hoe Marie hun kleine Jan af en toe de boeren langs stuurde om een potbiggetje te vragen, en hoe ze aan Jan de Vries bericht had gezonden over het huren van een paar broedse kippen als die er te missen had. Groot was haar vreugde toen Jan op een keer twee biggetjes mee naar huis bracht die door hun moeder niet konden worden gevoed. Het waren magere kleine diertjes, die jammerend knorden van honger. Ze stopte ze samen in een kist en maakte vlug twee flesjes warme melk met water en suiker voor hen gereed. Met veel geduld leerde ze hen zo voedsel te nemen. Toen ze het eenmaal geproefd hadden zogen ze

gretig elk hun flesje leeg, tot grote pret van de jongens, die daarna graag dit werkje van haar overnamen. De diertjes groeiden goed en al spoedig begon de kist te klein te worden. Toen kocht Marie een baal stro, spreidde een deel ervan in het hok in de schuur en bracht ze daarheen. Toen Klaas er 's avonds kwam om een paar manden te halen, zag hij twee gezonde biggen in het stro woelen. Ontstemd bekeek hij ze. Had Marie nou toch...? Of wacht... zouwe dut die dinge weze waar de joôns het toe 'rs over had hadde? Die Jan kregen had van een boer? Daar had 'ie toe 'rs wat over hoord... Ze ware in de binnenkamer en Jan voerde ze met een fles... Dus Marie had nou toch d'r zin; er waren varkens in het hok. Hij bekeek ze nog eens, met meer aandacht nu, en geleidelijk verdween zijn ergernis. Hij had aanstonds gras en kriel zat om ze te voeren en later nog piksel ok. Ze hoefden er zowat niks voor te kopen en dat ze er goed àn wouë, daar zage ze wel naar uit. Dut werd een zoet winsie... Die avond prees hij zijn zoons om hun handigheid. Ze glunderden van trots.

„Keek u niet erg op, pa?" vroeg Jan.

„Vanzelf. Waarom had je er nooit 'rs wat over zeid?"

„We wouë u blijd make. Ok moe?"

Hij keek naar Marie, die instemmend knikte en meteen Klaas vorsend in de ogen zag. Hij keek terug en de glimlach die om zijn lippen lag verstarde.

Daar had je weer dat vreemde in Marie, waar je nooit vat op had. Ze was altijd gewillig voor 'm, ze vond haast alles goed wat hij deed of wilde, dat docht 'ie tenminste; ze was zacht en lief en hield groot van 'm, zo dééd ze, ja; maar ze ging evengoed 'r eigen gang. En dat wou 'ie niet hewwe. Die bigge ware zo an het zien al wel een week of zeuven, acht; en ze had er hem niet dàt van verteld. Zou ze soms al kippe hewwe ok?

Hij beefde van stille woede en voelde zijn bloed ineens sneller stromen.

„As je maar niet denke dat ik die dinge houwe wil," beet hij haar toe.

„Waarom niet, pa?" vroeg Jan ontdaan.

„Omdat ik geen varkens hewwe wil."

Dit antwoord gold het kind, doch hij keek naar zijn vrouw.

„En we hewwe er net zo'n werk an had," zei Dirk half huilend.

„We dochte dat u wel erg blijd weze zou," voegde Jan er verslagen aan toe.

Marie zei niets. Die keek alleen.

„Wil jullie ze erg graag houwe?" vroeg hij na een korte drukkende stilte.

„Vanzelf pa."

„En we doen er alles zelf an."

„Nou, vooruit dan maar."

„Kom joôns, je hande wasse en an tafel," drong Marie nu. Ze zette de bordjes met brood klaar en hun kroezen melk en schonk de kopjes van Klaas en haarzelf vol koffie. Alles was weer gewoon tot de kinderen in bed lagen.

Toen vroeg Klaas, zodra ze tegenover hem zat:

„Heb je soms al kippe ok?"

De woorden klonken nors en ze hoorde wrok in zijn stem.

„Nóg niet," gaf ze rustig toe.

„Zo... nog niet. En wanneer dan wel?"

„As de eiere uit benne."

„Eiere?"

„Ja, ik hew van Jan de Vries drie broedse kippen huurd en die zitte elk op veertien eiere."

„Ben je nou helemaal... Wat moete wij met zoveul kippe doen?"

„Ik zal erg blijd weze als ik er al met al een stuk of zestien van overhou..."

„En dan heb jij je zin?"

„Ja."

Ze nam een kousje van Jan op en begon dit te stoppen. Klaas keek naar het soepel bewegen van haar vingers, die het gat in de hiel omtoverden tot een keurig vlechtwerk van draden.

Wat heb ze toch een kleine hande, dacht hij vertederd. Ze ware niet veul groter as die van een kind. En toch hield ze er hier de hele huishouding mee recht. Zoas ze zelf zei kon ze niet zo erg best werke as de meeste aâre vrouwe, die van vroeg tot laat altijd in de weer ware, maar op zo een was je as man niet zo erg steld. Deuze kleine vingers hadde met 'm meewerkt en daar had je meer an.

Hij dacht aan het vele waarin ze hem terzijde had gestaan in de verlope jaren, en dat terwijl ze aan vier kinderen het leven gaf. Maar dut... nee, dut had ze toch niet doen mogen. Wat zou 'ie er nou mee an? Hij stopte zijn pijp, stak die aan en rookte een poosje, terwijl hij schijnbaar de krant las.

Ja, wat zou 'ie nou? Het beste was misschien om maar net te doen of je dut gaan liete omdat je het de joôns niet meer ofneme wou... er 'r dat nou meteen maar vertelde ok.

Zo deed hij. Marie hoorde hem rustig aan. Die malle Klaas... hoe had 'ie dut bedocht. Ze glimlachte voor zich heen.

„Je hoeve er zo goed as niks an te doen 'oor," zei ze dan gedwee. „As je alle avonde maar een mandje gras maaie wille."

„Maar wat hewwe we an die drokte," ging hij nog door. „Zulk hoeft nou immers toch niet meer. Zoas we het hier hewwe..."

„Ik wil het nou eenmaal graag," viel ze hem ongeduldig in de rede. „En jij krijge er ok spek en eiere van, en misschien nog geld toe as mijn veestapel het leven houdt."

„Het zou wat..."

Klaas verdiepte zich nu echt in zijn krant en Marie ging nog een poosje naaien, tot de klok negen sloeg en ze naar bed gingen. Toen, in de zoete duisternis die de blik der ogen verbergt, de mond zacht maakt en tot kussen bereid, en de stem zijn klank ontneemt en laat dalen tot een zachte fluistering, toen vroeg Marie:

„Zulle we het maar ofzoene?"

„As jij je voortaan maar beter gedrage..."

Het klonk plagend, al hoorde ze een lichte drang in zijn stem.

„Ja baas."

„Duveltje."

„Brombeer."

Hij knelde haar in zijn armen en zijn mond zocht de hare in een wilde drang naar algeheel bezit. Ook dat in haar wat hij niet vatten kon. En wat ze hem ook nu onthield.

Een heerlijke lente voorspelde een rijke zomer. Het huis ging schuil achter het beschermende lover der bomen en gaf een indruk van beheerste rust. De varkens groeiden goed, meer dan twintig jonge kippen stoffeerden de boomgaard die een goede opbrengst beloofde en de akkers waren een weelde om aan te zien. De aardappels bloeiden en iets later de erwten en bonen. De bonte pracht van het bloemenveld was reeds van verre zichbaar en soms voerde de zomerwind de geuren ervan mee tot in het dorp. Nergens stond kwaad of onkruid. Klaas bleef, geholpen door zijn knechtje, het werk op voor. En hij rekende en hij telde... als de aardappelen zoveel per roede opbrachten en de bonen zoveel...

Er kwam een natte periode en daarna werd het broeiend warm. „Best boneweer," vond Klaas. Dat was het ook, de planten stonden gezond en welig.

Een paar dagen later vertelde het knechtje, toen ze 's morgens achter elkaar over het pad tussen de akkers liepen: „Vader vertelde guster dan onz' buurman ziekte in zijn aardappellof heb."

Zijn jonge stem klonk hoog en helder over het veld.

„Zo," zei Klaas enkel, en hij tuurde recht vooruit naar het stuk waarover het loof van zijn aardappelplanten een dicht groen dek vormde. Ziekte in het loof... Stel je voor dat ook bij hem...

Toch nee, dat niet. Zijn gewas was zo rijk en zo krachtig.

Maar zodra hij het aardappelveld betrad zochten en speurden zijn ogen toch over, langs en zelfs tussen het dichte blad. Alles nog goed. Goddank. Een diepe zucht welde uit zijn borst omhoog.

As nou vandaag het weer maar omsloeg. Zo'n frisse schrale wind, die alles droog en koel maakte, die had 'ie ophed en nodig.

's Middags benam de vochtige warmte hun alle werklust. Traag zuiverden ze de wallen van onkruid en zochten tweemaal de rijpe zaadknoppen uit het bed violen. Dit moest op zonnige dagen driemaal gebeuren, wilde men zo goed als geen zaad verloren doen gaan. In de namiddag steeg uit de vochtige aarde een lichte damp op die als een nevel over het veld lag.

„Morgen nog warmer," wist Klaas.

„Ik vrees het ok," gaf de knecht toe.

's Avonds dwaalde hij onrustig rond; telkens begon hij iets anders te doen en liet het dan halverwege in de steek. Aan tafel, onder het eten, maakte hij werktuiglijk zijn bord leeg en lette nauwelijks op de kinderen. Marie keek hem af en toe onderzoekend aan, terwijl ze de jongens voorthielp en het was of er een deel van zijn onrust op haar overging toen ze de spanning in zijn trekken zag. Die ogen zo diep en zo afwezig, en dan dat trage eten . . . Klaas had wat.

„Scheelt er wat an?" vroeg ze na een poos.

„Jan Willems buurman heb ziekte in 't lof."

„O ja? Zouwe er meer kome?"

„Met dut weer wèl, is te vrezen."

Meer werd er niet over gezegd. Toen de kinderen sliepen gingen ze samen naar het veld en bukten zich dicht over de vochtige planten. Nòg niets.

Samen stonden ze daarna nog even in het lage licht van de ondergaande zon en keken naar het bedreigde gewas.

„Is er nog wat teugen te doen?" vroeg Marie ten slotte.

„Niks," zei hij bitter.

Een dag verliep en nòg een, zonder dat het weer veranderde. Toen, onder het naar huis gaan, toen Klaas naar een dreigende onweerslucht keek die langzaam naderde, bleef zijn knecht staan en wees . . .

„Kijk baas."

Het was begonnen. Zo maar, midden in de baan, naast het pad en een paar stoelen verder ook.

„En daar. En daar ok!"

„Misschien loopt het nog met een sisser of," trachtte Marie later te troosten.

Dat deed het niet. Het hele veld werd aangetast. Rooien had geen zin, hij liet alles blijven zoals het was tot de ziekte was uitgewoed. Daarna dolf hij een rijke oogst, waarvan bijna zeventig procent verziekt was.

„Waar moet het heen met ons," zuchtte hij dikwijls in die dagen en later nog meer toen de peulvruchten aan de schans, in steê van in zon en wind te drogen, verschimmelden in een dagelijks vallende regen. Slechts het bloemzaad was droog geoogst en de boomgaard gaf een overvloed van fruit; de kippen waren tegen de leg en voor de varkens behoefde zo goed als geen meel te worden gekocht, want ze kregen zelf aangestoken erwten en bonen genoeg om ze ermee te mesten.

Tegen nieuwjaar ontving het knechtje zijn laatste loon en die vertrok voorgoed. Klaas durfde hem niet meer in te huren.

Er was meer dat hij niet meer kon.

Geen aflossing betalen, geen lasten, zelfs geen rente.

Het was een zware gang voor hem toen hij zijn borgen hiervan in kennis stelde. Maar die hadden dit voorzien en Jan de Vries zou de rente van dit verlopen jaar voldoen.

De sigarendoos stond leeg in de lade en Marie had haar kralen beurs weer opgezocht.

Doch toen het weer voorjaar werd kreeg Klaas weer moed. Hij besloot dit jaar, behalve bloemen en wat vroege aardappelen, enkel koolraapzaad te verbouwen, dan kon hij alles alleen bewerken als Marie met enkele kleinigheden en met het zoeken van het bloemzaad hielp. Ze leefden net als in hun eerste huwelijksjaar uiterst zuinig van het weinigje geld dat de oogst nog had opgebracht en later van de verkoopsom der varkens, terwijl er wekelijks nog een klein bedrag van de geraapte eieren bijkwam.

Maar melk voor een paar nieuwe potbiggen kon er dit jaar niet af. Klaas kreeg het overdruk.

,,Eén man gaat toch ok maar één mansgang,'' mopperde hij eens, toen hij het onkruid nauwelijks de baas kon blijven.

,,Neem Jan d'rs mee,'' stelde Marie voor.

,,Jan . . .'' Het klonk als had ze iets onmogelijks gezegd.

Hij keek eens naar de jongen die met een oud mes de straat wiedde. Het onderhoud van straatjes en paden was hem opgedragen, met nog enige andere karweitjes die hij zeer plichtsgetrouw vervulde. Acht jaar was Jan nu al. Een bedaard, vriendelijk ventje met weinig praats en veel vrienden. Dirk was heel anders, die was verlegen en daardoor leek 'ie soms stug. Jan meeneme? Hij was wel handig, wat nam 'ie Marie al niet uit de hand. Zukke sjouwtjes hier, die kon Dirk wel van 'm overneme, as Jan . . . zo na schooltijd en dan op de vrije middag . . . al zat 'ie enkel maar wat achter de kwaadjes an . . .

,,Het is te proberen,'' gaf hij toe. ,,Maar hij moet zelf ok wille 'oor. Aârs is het niks gedaan.''

Jan wilde graag. Met zijn vader samen op de bouw aan het werk, net als de groten . . . het leek hem een nieuw, heerlijk spel. En Klaas en Marie die speelden het mee, heel die stralende zomer. Ze rooiden de aardappels zo vroeg het maar kon. Samen deden ze dit werk en hun handen dolven gretig naar de gave knollen. Het waren er zoveel en de marktprijs was hoog. Toen ze het eerste geld ontvingen zag Marie haar man opleven, en eer het veld ruim was scheen hij een ander mens. Fier liep hij dagelijks naast de kar en de roep van zijn juichende stem maakte zelfs de oude Bles dartel en kwiek.

Heel de junimaand voerde de lichte wind de lieflijke geuren van het uitbundig bloeiende koolzaad tot in hun woning. Als een koning schreed Klaas dagelijks door die goudgele pracht. En hij rekende weer . . . Nooit in zijn leven had hij harder gewerkt dan in de zonnedagen toen hij op zijn eigen land deze weelde kon oogsten. Zijn handen toverden, terwijl zijn ogen vooruitzagen en zijn denken vervuld was met cijfers en getallen. Wat er verder in de wereld gebeurde raakte hem niet in deze nazomer van het jaar 1914. Slechts één ding was van belang. Geld voor hem. Genoeg geld om alles te betalen wat betaald moest worden en om te leven tot de oogsttijd van het volgend jaar. Tientallen zaadhokken rezen uit het stoppelveld omhoog toen Klaas de laatste gereed had en de stullenstokken in de schuur terugbracht. Iedere dag opnieuw zochten Marie en de drie jongens de zaadbedden door, terwijl kleine Ankie zoet op een stuk dekzeil bij de schuur speelde. Hun sterke jonge stemmen klonken scherp en ijl over de velden als ze elkaar iets toeriepen of samen zongen. Soms, als hij niet vlot meer voort kon, richtte Klaas zich op en strekte zijn lichaam, zodat zijn vermoeide spieren even tot rust kwamen. Dan beluisterde hij die stemmen en zag uit over zijn land, over heel die vlakte en dan boven het dichte groen der boomgaard naar zijn huis. En hij was gelukkig. Dan bukte hij zich weer naar de aarde om zijn werk te hervatten tot de torenklok zes sloeg. Zodra de laatste galm daarvan verklonken was rezen de jongens omhoog, klopten de droge stof van hun knieën en renden naar de kar.

„Het is zes uur, 'oor pa," klaterden hun stemmen.

„Heb jullie dat wel goed hoord?" vroeg hij zichtbaar geschrokken. „Ware het er geen vijf?"

„Nee pa. Echt niet."

„Nou, dan moete we vort, éé. Help me maar effies gauw."

Vlug werd dan al het gebruikte gereedschap netjes in de schuur geborgen en Bles ingespannen. De jongens klauterden achter in de kar, Marie ging met Ankie op haar schoot naast Klaas op het kret zitten en zo reden ze rustig naar huis, eerst over het zonnige land en dan door de rustige schemer van de boomgaard. Thuis had elk eerst ook weer een taak te verrichten, tot om zeven uur het avondbrood gegeten werd. Later, als de kinderen sliepen, scharrelde Klaas nog wat rond; er was voor hem altijd wel iets te herstellen of gereed te maken en met Marie was het evenzo. Klokslag negen gingen ook zij naar bed tot de andere morgen kwart over vijf de wekker afliep en een nieuwe dagtaak wachtte.

Snel, razend snel gingen de dagen. Al hun denken en hun kracht werden aan het werk gegeven.

Tot die dag, die zwoelwarme dag, toen het 's morgens geregend had en er dus voor Marie en de jongens geen zaad te plukken viel. Hoewel laag in het zuidwesten het dreigende gerommel van een onweersbui duidelijk hoorbaar was, liep Klaas die middag toch even de boomgaard uit en het veld op. Langzaam wandelde hij verder, terwijl hij genoot van de rijke aanblik over zijn akkers. Daardoor had hij er niet op gelet dat die verre donkere zoomlucht eensklaps snel omhoog trok, terwijl er dikke, donkere wolken kolkend ronddwarrelden. Eerst toen het vreemd donker werd keek hij omhoog en zag de naderende bui.

Hier stond 'ie nou, ver van huis, an 't eind van zijn land en hij kon die bui niet meer ontlope.

Zou 'ie de boet nog hale kenne?

Een fel weerlicht en het snel volgend gedreun van de donder toonden hem aan dat ook dit niet meer mogelijk was. Hij overzag de toestand even. Hier, tussen de bloembedden, was totaal niets om in weg te schuilen. Of wacht, daar lag warempel in de greppel het oude stuk zeil, waar Ankie gister op speelde en dat vergeten was. Juist voor de eerste zware regendruppels vielen had hij het opengevouwen en over zich uitgespreid, terwijl hij tussen de campanula's in de greppel neerhurkte met het gezicht naar het dorp gekeerd. De bui was hevig; het werd noodweer. De stromende regen en het flikkeren van de telkens neerslaande bliksem verblindden hem en maakten elk uitzicht onmogelijk. Onwillekeurig dook hij al dichter naar de aarde. Daardoor zag hij niets van de donkere zuil die als een slurf uit de lage lucht hing en in snelle rondwenteling over het veld schoof, alles vernielend en meevoerend wat in zijn baan stond. De windhoos, die over zijn middelakker joeg. Hij voelde het water in de greppel tot over zijn klompen stromen; doch even snel als ze kwamen verdwenen regen en onweer en het werd àl lichter. Hij schoof het zeil van zich af en rees op in de hem nu vreemd schijnende stilte. En hij keek ... Eerst naar het dorp, naar het hoge dak van zijn hoeve en toen ... toen kwam er een schorre kreet uit zijn keel, die als een klacht over het veld verstierf.

Waar eens zijn schuur stond lag nu een verwarde ruïne en van zijn hokken stonden en lagen er nog slechts enkele over de middenakker verspreid, terwijl een ruige baan over de aangrenzende weiden hem de weg aanwees waarlangs de windhoos de rest had meegevoerd. Enkele seconden stond hij star en verbijsterd eer hij ten volle begreep welk een ramp hem had getroffen, doch toen snelde hij erheen. Zijn voeten gleden weg op het doorweekte pad, maar hij merkte het niet, slijk en water besmeurden en bespatten hem, hij voelde het niet; hij moest vooruit naar dat wat niet mocht, wat niet mogelijk kon zijn ...

Heel in de verte was de bui verdwenen en de zon kwam juist weer te voorschijn toen Klaas de resten van zijn schuur bereikte en een schraper opnam, die met al het andere gereedschap van een kapot geslagen wand was afgerukt. Vluchtig overzag hij alles en richtte dan zijn blik verder. En telde ... Bijna zeventig zaadhokken waren totaal verdwenen. Slechts een klein aantal was, hoewel zwaar gehavend, blijven staan.

Guster en eerguster en de dag ervoor had hij hier staan te rekenen. Nou, in de komende dage zou 'ie nog 'rs overrekene moete ...

Voorzichtig zette hij de schraper tegen een omgevallen schot en raapte een telmandje op. Daar lag een zak en daar een aardappelschopje en overal stullenstokken en rietmatten en raffia en touw ... er was gewoon geen beginnen aan om alles op te ruimen. En waar moest hij er hier mee heen nu de schuur weg was ...?

Hij zou naar huis gaan, naar Marie.

Hij ging. Een eenzame, zielige figuur in het verlaten veld. Langzaam, met nietsziende ogen, liep hij voort tot in de boomgaard. En Marie, die, dodelijk ongerust geworden door zijn uitblijven na dit noodweer, op weg was om hem te zoeken, leunde ademloos tegen de stam van een jonge boom toen ze hem zag. Alle kracht, alle fierheid scheen uit hem weggeslagen; het was een slappe, geestloze gedaante, die daar nat en vuil op haar toe kwam. Zou het onweer 'm raakt hewwe? ging het door haar gedachten.

„Klaas, wat is er? Wat heb je?" vroeg ze gejaagd en haar handen strekten zich naar hem uit. Hij keek op, en toen ze de leegte in zijn gezicht en ogen zag vroeg ze opnieuw:

„Wat is er met je beurd?"

„Met mijn niks," zei hij dof.

„O, gelukkig," zei ze opgelucht en kwam dicht bij hem. „Ik werd zo ongerust," vertelde ze rad. „Het was ineens zuk zwaar weer en jij was daar alleen op de bouw, je wete soms niet wat er beure ken. Hè, wat ben ik blijd dat ik je hier weer goed en wel heb. Je benne helegaar nat zeg, je magge dadelijk wel aàr goed andoen. Waar was je toe die bui kwam? Kon je de boet niet meer bekome?"

„Die is weg!" stiet hij uit.

„Wat zeg je?" Marie keek hem verwezen aan. „Is de boet weg?"

„Ja."

Hij vertelde. Naast elkaar liepen ze onder de druipende bomen naar de achterdeur, waar op de hoge drempel Ankie met haar popje zat te spelen. Klaas ging naast haar zitten en Marie zette zich aan de andere kant van het kind.

„Is er niks meer te redden?"

115

Hij schudde ontkennend het hoofd.

„„Niks."

En toen liet hij zijn ellebogen op de knieën steunen en verborg zijn gezicht in de geheven handen.

En hij schreide.

En Marie?

Zij dacht aan alle arbeid die hij in de verlopen maanden verricht had. Van zonsopgang tot zonsondergang hadden zijn handen op alle werkdagen nimmer gerust. Ze dacht aan zijn fierheid en zijn overmoed van nog deze zelfde morgen, toen hij als zo dikwijls over de toekomst sprak en zij de vreugdevolle voldoening in zijn stem beluisterde en van de schittering in zijn ogen genoot. En nu was dit alles uit hem weg. Hier zat hij nu, totaal verslagen, en ze wist . . . hij zag geen uitweg meer. Verleden jaar de aardappelziekte en nu een windhoos. Het waren maar twee gewone woorden, doch ze betekenden voor hen . . . weer geen aflossing, geen rente en nog zwarte armoede bovendien.

Hieraan dacht Marie toen ze naar haar schreiende man keek, en al haar liefde en mededogen gingen naar hem uit tot ook zij schreide. Haar tranen vloeiden niet om wat verloren was. Nu ze hem, na haar angst over wat had kunnen gebeuren, weer levend en gezond naast zich had, was haar hart zo vervuld van dankbaarheid dat al het andere voor haar niet zwaar meer kon wegen. Zij schreide enkel om wat hij leed.

Opeens werd Ankie's popje tussen haar armen geschoven en een zacht stemmetje suste:

„Stil maar moessie. Je magge mijn poppie hewwe."

„O, mijn lieve kindje . . ."

Haar tranen vloeiden nog rijkelijk, maar toch glimlachte ze ontroerd tegen haar kind, dat haar heur liefste speelgoed schonk als troost.

Dàt hadden ze immers nog, en hun drie jongens en hun huis en . . . elkaar.

Maar hoe kon ze dit Klaas voorhouden? Voor hem was dit vanzelfsprekend. Die dacht meer aan geld en bezit.

Toch moest ze hem weer moed geven, want zo mocht hij niet doorgaan, anders zou ze ook weer beginnen. Het deed haar pijn in haar borst als ze naar hem keek, vooral toen Ankie hem haar zakdoekje opdrong om zijn tranen weg te vegen.

Ze begon te vragen, zacht en rustig, en bracht hem zo tot spreken.

Kon de boet weer opbouwd worre of was 'ie helegaar weg? En de boel, die er in weest was, hoe was het daarmee? Hoeveel zaadhokke stonden er nog zowat? Zou de rest weg weze? En hoe hadde de bloeme het er ofbracht en de slabone? Kon de boel vannacht zo leggen blijve?

Klaas kwam langzaam bij; het was of haar vragen hem wekten. Toen noodde ze hem in de keuken en schonk thee voor hem in.

„As je het toch 's zagge, Marie . . . ," vertelde hij opnieuw. „Overal leit wat en alles zit vol modder en prut . . ."

„Zouwe we er niet effies heen kenne?" stelde ze voor.

„Ja, dat moet wel. Ik most de boel maar hier hale, want het gereedschap wordt nat en roestig en ik wil toch wel goed wete wat er over is."

Haastig dronk hij zijn thee uit. De gedachte aan het dringende werk schoof het andere een weinig naar de achtergrond.

„Maar eerst droge klere an 'oor," zei Marie beslist.

„Nou, goed dan," gaf hij onwillig toe. Voor hem was dit van geen belang.

Voor haar wel. Als hij eens kou vatte . . . ?

Terwijl ze Jan aanwijzingen gaf om goed op Ankie en zijn broertjes te letten, spande ze Bles al voor de kar. Vooruit moesten ze weer. Ook nu. Nu vooral!

11

Er kwamen moeilijke dagen, want de schade bleek nog groter te zijn dan Klaas had voorzien. Met veel moeite gelukte het hem om van de restanten der schuur een kleine veldhut te bouwen, doch van het koolzaad was vrijwel alles verloren.

„Maar het bloemzaad valt mee," zei Marie. „En de slabone staan erg best en we hewwe een boel vruchte..."

Dan knikte Klaas zwijgend en hij dacht aan straks, als Kerstmis voorbij was, hoe hij dan weer met lege handen zou staan. En hoe hij dan, in plaats van met een los gebaar zijn geld neer te tellen, nogmaals zijn borgen moest verzoeken dit voor hem te doen. Dan zou deze rente bij die van het vorige jaar worden opgeteld en de jaarlijkse last werd weer iets hoger.

Vader Jan had gelijk; ik ben te haastig weest, bedacht hij met zelfverwijt. As ik het nog een jaar of wat ofwacht had en eerst nog wat meer geld opspaard had en ik had dan wat kocht, dan kon ik wat bedrijfskapitaal omhande houwe en een paar slechte jare verdouwe. Nou stroffelde je al over de eerste steen en je viele over de tweede ... Marie praatte wel nooit over ankomde jaar en dat we er wel deurheen kome, en dat er erger slage valle en zo meer; en je moete d'r wel gelijk geve; maar het was toch om er moedeloos van te worren as je met zuk hard werken as hij deed niks aârs bereikte as armoede en groeiende schulde ...

Het waren bittere dagen toen hij wist hoeveel geld er voor stullen en ander zaad werd uitbetaald en hij het kleine bedrag voor zijn overschot in ontvangst nam. Gelukkig viel het overige nogal mee en leverde de boomgaard ook nog een aardig bedrag op.

Het was in de dagen tussen Kerstmis en Nieuwjaar, dat ze zich samen over een stuk papier bogen en uitrekenden hoeveel geld er beslist nodig was om er tot juli van te leven. Toen haalde Marie de kralen beurs voor de dag en legde die voor hem neer.

„Dut is het geld," zei ze stil.

Klaas stortte de inhoud op de tafel, schoof alles zorgvuldig uiteen en telde.

„Dut is voor jou," begon hij te delen. „En dat voor de laste en de assurantie, die moete ok betaald worre... en dat voor de kunstmest..."

Zijn vingers schoven langs het overige geld.

„Maar hier leit de halve rente nog. Hoe ken dat nou?"

„Ik heb eerguster alle jonge kippen verkocht, die benne opheden nogal duur, en dan heb ik het eieregeld van de leste maande erbij daan," antwoordde ze met trillende lippen.

Maar hij zag dit niet in zijn vreugde over het feit dat hij althans iets betalen kon. En zij sprak niet over de kinderkleertjes die zo bitter nodig waren en haar vaal geworden kleedje, en ze noemde niet de kleine rekeningen van smid, timmerman en schilder, die ze nu niet betalen kon. Ook zei ze niet dat ze met het door haar genoemde bedrag onmogelijk kon rondkomen.

Wie dan leeft, wie dan zorgt. Als Klaas maar een beetje uit de put kwam . . .

„We moete zuinig doen 'oor," waarschuwde ze die winter telkens als de kinderen om meer brood vroegen, en schoof hun dan een schijf koolraap of een paar appels toe. Voor de warme maaltijden had ze voldoende voorraad opgeslagen en het vet was gelukkig niet zo heel duur. En vlees? Als je honger had smaakte het zonder vlees ook lekker. Bijna dagelijks telde ze het snel slinkende bedrag en zocht ze naar een middel om straks, als het voorjaar werd, aan broedeieren te komen. Want betalen kon ze die niet meer. Na mei zou ze evengoed op schuld moeten leven.

Wat was het een geluk dat juist in die tijd de meid van Krelis Hauwert, hun naaste buurman, ziek werd. En dat, terwijl diens knecht juist in dienst moest en de nieuwe werkman niet voor mei kon komen. Ze hadden daar nu ineens twee melkers nodig. En dat zat hem niet glad.

„Ik zit doodverlegen," vertelde hij aan Klaas, die hij nu noodgedwongen wel moest opzoeken. „Zou je m'n tot mei niet uit de brand helpe wille?"

Klaas weifelde. Te melken gaan bij een aâr? Het stond hem wel een beetje hoog. Maar hij deed het dan as hulp in nood, dat scheelde natuurlijk.

„Dat ken wel," gaf hij ten slotte toe.

Maar één melker was soms niet genoeg, en toen Krelis op een morgen even aanliep en dat vertelde, wist Marie raad.

„As het helemaal nood is, wil ik ok wel 'rs invalle," beloofde ze. „Maar ik melk niet voor geld; ik wil er wat aârs voor terug."

De twee mannen keken elkaar verbaasd aan.

„Wat dan?" vroeg Krelis.

„Ik wil eiere voor àl mijn broedse kippe."

„Hoeveul krijg je er?"

„Ja, dat weet ik nog niet vanzelf. Het kenne er wel zes weze, maar ok tien."

Krelis krabde achter zijn oor. Hij had een mooi koppel kippen met een pracht van een haan lopen. Beste leggers waren erbij, al was het een bonte groep. Maar om nou in het voorjaar zoveul eieren af te staan, daar kon zijn vrouw wel niet voor voelen.

„Je vrage nogal wat," protesteerde hij. „Ken het niet aârs?"

„Niks 'oor. Dan blijf ik thuis. Ik heb werk genog."

„Nou, vooruit dan maar. As al je kippe nou maar niet gelijk broeds worre . . ."

Zo bracht Klaas zes weken lang telkens een klein bedrag aan geld binnen en had Marie jonge kuikens voor niets, terwijl Krelis Hauwert geholpen was. Dit geval van hulp in nood bracht hun deze buurman iets nader, hoewel zijn zure vrouw zich steeds achteraf hield. Ook de andere buren meden iedere omgang met hen. Maar, dacht Marie, as je as arme drommel tussen zoveel lui met geld zit, dan ben je in de regel niet de gewenste buur. Gelukkig wisten ze niet hóé arm ze wel waren.

De nu komende drie jaren, toen het bijna iedere tuinder goed ging, leefden zij in rustig geluk, al weken bij hen de zorgen ook nimmer. Wel waren er dikwijls kleine meevallers in het bedrijf, doch de tegenslagen waren talloos en Marie scharrelde van de ene bezuinigingsperiode in de andere, zodat de linnenkasten en de hangkasten leeg werden, omdat al wat versleten was niet meer kon worden vervangen. Maar nooit kwam er een klacht over haar lippen. Want doordat zij zo zuinig huishield kon Klaas vrijwel aan al zijn verplichtingen voldoen, al was er van aflossen dan nog geen sprake en al drukte daardoor de schuldenlast even zwaar. Toch kon hij nu steeds fier en trots over zijn land gaan en werkte hij nog steeds voor twee, want met een knecht durfde hij het niet meer aan. Zo met Marie's hulp en die der opgroeiende jongens redde hij het ook. Nog een paar jaar, dan kwam Jan al van school en kreeg hij een knecht die hem geen loon kostte, en een paar jaar later kwam Dirk en weer twee jaar later Joop. Zo moest het voor hem àl beter worden; en dan kreeg Marie naderhand hulp van Ankie en had die het ook gemakkelijk. Was het eenmaal zover, dan zou hij probere er wat land bij te huren, maar dan moest 't 'm eerst een paar jaar wat meelope, zodat er wat geld in het trommeltje kwam.

Zo dacht Klaas als hij op zijn kar naar het land reed en hij vertelde die gedachten soms aan Bles, die trouw en vlijtig voortsjokte.

Marie zag hun kinderen anders. Nauwlettend sloeg ze hen gade, hun magere, altijd hongerige lichamen en ook hun geest. Ze bleven zo verschillend, haar jongens. De trouwe Jan, de stuurse Dirk en dan Joop, haar zonnige luchthart met zijn dolle streken. Die had iets stralends over zich, dat iedereen aantrok en waardoor hij meer toekreeg dan goed voor hem was. Ankie leek op hem, maar haar doen en laten waren meer gelijk aan die van Jan. Marie kende slechts één benaming voor het karakter van haar dochtertje.

Ankie was lief.

Het was in die tijd dat Klaas op een avond met een nieuwtje thuiskwam.

„Wat ik nou hoord heb . . . ," begon hij.

„Vertel op," beval Marie.

„Ja zeker . . . eerst een lekker koppie."

Ze schonk vlug in en hij zette zich gezellig in zijn stoel en vertelde: „Die ouwe luitjes van hiernaast hewwe de hele plaats verkocht en gaan renteniere."

„Wie heb 'm kocht?"

„Ja, dat is het nou. Dat moet je d'rs rade. Het is nog een stuk familie van me."

„Familie van jou? Maar die ken ik toch niet?"

„Deuz' wel."

„Ik ken geen aâr as je ouwelui en Sijtje de Jong."

„Daar heb je het. Sijtje wordt onz' buurvrouw. Ze is een paar jaar leden an een zekere Gerrit Bruin trouwd en toe boerde ze eerst op heur vaders spul, maar het stond 'm daar niet an; hoe is het mogelijk op zo'n mooie plaats; en nou is 'ie puur an 't erf weest en kon 'ie dut kope."

Marie zat heel stil. Die Sijtje hun buurvrouw . . . Waarom wist ze niet, doch het stond haar niet erg aan. Misschien kwam het wel door het gezanik van de ouwelui van Klaas over die Spijkers.

Ze vergeleek zichzelf met de Sijtje die ze de laatste maal zag in al haar glorie.

„Heb ze al kindere?" vroeg ze toen.

„Een dochtertje."

Dus dan was ze nog wel even knap en slank als toen, terwijl zijzelf in een kleine dikke moeke was veranderd, met geen knap ding meer om aan te trekken. In 't gezicht zag ze er gelukkig nog vrij goed uit, maar wat was dat in vergelijking met het uiterlijk van Sijtje, van wie gezegd werd dat ze zulk lang haar had dat ze er op kon zitten, en die tijd genoeg had om dat netjes op te maken en het niet, zoals zij, een paar maal op een dag snel in elkaar moest vlechten en vaststeken, zodat de losse krullen dadelijk weer lossprongen. Dit zou Klaas vanzelf ook zien. En hij zou gaan vergelijken. Hij zou meer gaan vergelijken. Hun klein bezwaard bezit tegenover de kapitale plaats die zij in volledig eigendom had en anders door erving op den duur zou krijgen.

Misschien zou het hem dan wel rouwe dat 'ie Sijtje toe nog maar niet nomen had.

Klaas dacht daar voorlopig echter nog niet aan. Hij zag het heel anders. Familie naast je deur . . . dat kon wel d'rs gemak geve. Je ging met mekaar om, je hielp mekaar over en weer d'rs met dut en

121

dat . . . Ja, deuze verandering kon voor hem wel best een verbetering weze.

Toen Gerrit Bruin en Sijtje enkele maanden later op de plaats arriveerden ging hij hun dan ook dadelijk begroeten en bood meteen zijn hulp aan, indien die nodig mocht zijn.

Hij was voor zijn nicht weer op en top de knappe Klaas Spijker van vroeger. Een heel andere Klaas dan die Marie dagelijks zag. Sijtje was weinig veranderd, zag hij, de tijd had haar vrijwel onberoerd gelaten. Het was nou wel een beetje gek dat ze vroeger zo stevig verkeerd hadde, maar daar most je nou maar niet meer om denke. Dat was gaan en weest. Maar hoe zo'n knappe meid die hark van een vent trouwe kon . . . Zoas die 'm te woord stond toe 'ie 'm zijn hulp anbood . . . niet te geloven . . .

,,Het is mooi anboden 'oor buurman, maar we hope het zelf te redden," zei die vent. En hóe zei 'ie het. Het was gewoon of 'ie je een klap in je gezicht gaf. Wat was Sijtje dan een boel aârs.

,,Dat hoop jij tenminste," snauwde ze. ,,Maar ik zie er geen kans toe. Ik had stilweg al een beetje op je rekend, Klaas. Zou je vanmiddag een paar uurtjes kome wille? Dan ben ik je méér as dankbaar. Gert heb zelf de hande meer as vol en het volk ok, dus op hulle hulp hew ik niet te rekenen."

Klaas glunderde. Dat was op en top Sijtje nog. Wel puur bazig, maar flink. Ze durfde van zich af te bijten. Nou, hij zou kome 'oor; al stond het die Gerrit Bruin dan ok heel niet an.

Later op de dag ontdekte hij dat het Marie ook niet zinde. Nou ja . . . dut was nog maar een begin, ze moste allegaar nog een beetje an mekaar wenne en dan makkerde het wel op den duur. Met Sijtje en hem was het tenminste al koek en ei.

Doch het ,,makkeren" lukte niet zoals Klaas dit wenste. Alles werd goed en best, maar Gerrit en Sijtje zetten bij hem geen voet over de de drempel en Marie kwam daar evenmin.

,,We benne hulle immers veuls te arm," zei ze schamper, toen hij haar verweet dat het háár schuld was. ,,Jou haalt ze in omdat zij familieziek is, maar verder . . . En ik hèw ze ok liever niet in ons armoedige boeltje."

Hij keek eens rond in de gezellige zijkamer, waar ze in de zomer altijd huisden en waarvan de openstaande tuindeuren de kinderen vrije uitgang verleenden .

Ze had gelijk. Wat waren hun spulletjes, waartussen vier kinderen opgroeiden, vergeleken met het prachtige meubilair van Sijtje. Van buiten zag zijn huis er niet minder uit dan het hunne, maar het inwendige, dat léék er niet op. As 'ie 'rs een goed jaar had, most dat maar gauw aârs worre.

Het beloofde een goed jaar te worden, al trof hem in het begin al een zware slag toen hij op een morgen zijn paard dood vond. Zomaar ineens dood. De tranen die hij toen stortte golden niet alleen het geldelijk verlies, maar ook dat van de trouwe makker bij zijn noeste arbeid. Hoe had dit goedige dier hem niet geholpen bij alles. Met ploegen, eggen, bemesten, halen en brengen, altijd was Bles nodig geweest, en gewillig had hij al de kracht van zijn groot schonkig lijf gegeven. En als hij tegen hem sprak dan was het of het paard hem begreep en zijn zorgen deelde. Met een liefkozend gebaar legde hij zijn hand nog eenmaal op de donkere manen eer hij naar binnen ging om dit aan Marie te zeggen. Die werd bleek van schrik. Bles dood; dat betekende vooreerst geen paard meer. En Klaas kon feitelijk geen week zonder, vooral nu niet meer, nu er in plaats van de grote schuur zo'n kleine hut op de bouw stond en het meeste gereedschap telkens mee naar huis moest en weer terug. Ze zei dit meteen en Klaas knikte zwijgend, terwijl hij zijn jas aantrok om de slager te halen.

Het dode paard bracht nog vijfenzestig gulden op. Marie deed dit geld niet in de kralen beurs, doch in het trommeltje. Er moest immers weer zo spoedig dit enigszins kon een ander paard komen, al zei Klaas ook dat die wel tienmaal meer zou kosten. Gelukkig bouwde hij dit jaar stullen en mosterd voor de firma en dat scheen een soort goudmijn te zullen worden, als alles waar was wat er werd verteld.

Het zat hem wel hoog toen hij aan Gerrit Bruin ging vragen of hij eens een enkele keer diens paard kon lenen.

,,Hij zal je zien ankome," zei Marie bitter.

,,Maar Sijtje is er ok nog," bedacht hij hoopvol en stapte er op aan.

,,Tja . . ." De hardblauwe ogen van Gerrit zagen hem koel aan toen hij losweg zijn vraag deed. ,,Daar vraag je wat, Klaas. Ik ken mijn bruin aârs slecht missen, zien. Bij ons komt er ok een drokke tijd an."

,,Het is maar voor een keer of wat wat 'oor," stelde Klaas hem gerust. ,,Tot ik een aâr heb."

,,Maar kenne julle het niet aârs beplooie?" stelde Sijtje voor.

,,Hoe aârs?" vroeg Gerrit korzelig.

,,Nou . . . wij zitte om een hooier verlegen en kenne niet op slag kome. As Klaas nou bij ons hooie wil, dan ken hij in ruil daarvoor ons peerd gebruike. Dan benne we met mekaar red, zou ik zegge."

,,Dat zou kenne, ja," moest Gerrit wel toegeven. ,,Maar jij hewwe het in de hooitijd zelf wel drok zeker?" vroeg hij Klaas.

,,Wat dat angaat ken het wel 'oor," zei die. ,,Ik heb van 't jaar het meeste werk in de herfst, dus ken ik er wel uit te hooien."

,,Zo. Nou, dan houwe we het daar maar op an," besliste Gerrit.

,,Hoe is het met je vader?" leidde Sijtje het gesprek snel in een andere richting. Ze zag heel goed dat haar man toegaf omdat hij nu moeilijk anders meer kon en dat Klaas dit heel goed dóór had. Ze spraken nu nog even door over familie en kennissen, tot Gerrit er ook aan deelnam, waardoor de stemming weer in gemoedelijke banen kwam.

Klaas zat graag in Sijtjes kamers, waar aan elk meubelstuk duidelijk was te zien dat het duur was geweest. Alles was zwaar en degelijk, het beste van het beste. En dan was het er heerlijk rustig, want Riek, het enige kind, speelde meestal bij Ankie en was zelden thuis. Ook was er goede tabak in overvloed en Sijtje was gul en drong aan om te nemen van wat ze bood. En ze bood veel. En ze kon meepraten over alles wat hem interesseerde en vertelde soms veel meer dan hij zelf wist. Onder die gesprekken bezag hij haar met welgevallen; ze was toch maar een knap en verstandig wijf, die nicht van hem. Ze boeide hem warempel helemaal nog, al was het dan op een andere wijze dan vroeger.

Thuis was hij dan later nors en stil en van de kinderen kon hij niets verdragen. Marie kende dit al spoedig als een gevolg van een bezoek aan de buren en stopte dan hun kroost maar vlug onder de wol. Later ging ze zwijgend tegenover hem zitten naaien en voelde zich echt verdrietig. Als Klaas zo deed, gaf hij haar het gevoel alsof zij het helpen kon dat ze zoveel tegenslag ondervonden. En toch deed ze wat ze maar kon om zijn zorgen te verlichten.

Zou Klaas spijt hewwe dat 'ie haar trouwd had? Vast wel, aârs zou 'ie juist dan zo bokkig niet weze.

Maar as zijzelf indertijd Jaap Best nomen had ... stel je voor ... Jaap Best ... dan had ze nou ok puur mooier leven had, al was die dan daghuursman. Dan kreeg ze alle weke zijn volle loon en je wist waar je an toe was. Ze zuchtte eens diep bij die gedachte.

Maar een mens ken toch niet alles hewwe. Zij had Klaas en alle zorg en armoed toch maar heel wat liever as een aâr met vast geld.

Ze liet haar naaiwerk rusten en keek over de tafel heen naar haar man, tot die haar blik aanvoelde en zijn ogen opsloeg. Toen glimlachte ze.

En Klaas vergat ook direct al zijn zwarigheid toen hij haar aanzag, zo, met al die dwaze krulletjes rond haar zachte gezicht, en hij lachte terug.

,,Kon je Gerrit zijn peerd krijge?" vroeg ze nu.

,,Het ging erom. As ik ervoor hooie wil. Aârs niet."

,,En doen je dat?"

,,Het moet wel, éé."

Dus dat is het, dacht ze opgelucht. Niet Sijtje.

Ze ging naar hem toe en streelde zijn haar tot hij haar hand vastgreep.

„Het wordt wel weer beter voor je," troostte ze en boog haar hoofd naar het zijne.

„Ik hoop het, Rie."

Het is weer goed met hem, wist ze nu. En ze troonde hem mee naar de bedden van de kinderen, toen zij die nog even instopte voor de nacht, en genoot van zijn trots over hen.

De vroege aardappelen deden dit jaar hun naam eer aan bij Klaas, en gift en prijs waren ongewoon hoog.

Nu wordt het toch vast goed, dacht hij, toen Marie hem het ontvangen geld overhandigde.

Hij hooide bij Gerrit of hij het voor zichzelf deed en verdiende diens paard dubbel en dwars. Maar zelf had hij ook een soort hooitijd, want nu hij geen varkens had en Bles dood was, had hij het gras van de boomgaard en de wegbermen niet nodig en liet hij dit, nadat het gemaaid was, drogen tot hooi en bracht het in de berg. Of hij het deze winter nodig zou hebben of niet, het was er goed geborgen. Zijn stullen stonden best en mosterd en bieten niet minder. Alleen de bloemen stelden hem teleur, doch dat deerde hem niet na de onvergetelijke dag dat hem voor zijn stullen in voorkoop tien gulden per pond werd geboden; en dat, terwijl hij wel bijna honderdvijftig pond kon telen . . . Maar hij gaf de bieder nog geen geluk, nee, de zaadprijzen stegen nog steeds met de dag, hij zou wel wijzer weze, ze werden nog wel hoger. Maar nou 'ie zoveul geld te wachten was most 'ie dadelijk zelf een peerd hewwe, want het gebedel bij Gerrit hing 'm al meters de keel uit. As 'ie erom kwam had die zijn bruin ok net altijd nodig. Dat was geen harden zo.

Dus vroeg hij bij de zaadfirma een voorschot aan en ging om een paard uit. Maar dat zat niet glad. Alles was schaars en de paarden ook. En als je maar zo'n zes- à zevenhonderd gulden kon besteden dan kon je krijgen wat een ander liet staan. Eindelijk slaagde hij toch. Hij bracht een mooie jonge vos met twee witte voeten mee naar huis.

„Weet je wel dat vosse streke hewwe?" plaagde Marie hem, toen hij het dier haar vol trots toonde.

„Maar deuz' vast niet. Hij is hènmak."

Liefkozend streelde hij over het fier geheven paardehoofd eer hij het naar stal bracht.

Helaas bleek het mooie beest met zijn mooie houding en zijn lichte, soepele gang toch een miskoop te zijn, want de helft van de tijd was hij zwaar kreupel en dit euvel was niet te verhelpen. Ten slotte berustte hij er maar in. Hij zou wel voorzichtig met zijn vos omgaan en dan scharrelde hij wel wat. Alles was beter dan een paard lenen van een ander.

Nog eer de herfst er was broedde hij op nieuwe plannen. Telkens als hij naar zijn bietenveld keek ontwaakte zijn diepste wens. Zelf weer een paar koeien op stal. Zelf die bieten opvoeren en niet aan een ander verkopen. Die wens vervulde ten slotte zijn ganse wezen. Maar het geld om die koeien te kopen ontbrak. Toch ... als je zoveel was te wachten als hij, dan was dat niet zo'n groot bezwaar. Dit vond Krelis Hauwert ook toen Klaas hem zijn geval eens voorlegde en die bood zelf aan hem het benodigde bedrag te lenen. Zo stonden er dan tegen de winter drie koeien op stal. Klaas kocht nog wat hooi en erwten- en bonenstro bij hetgeen hij zelf had geteeld, en de grote bieten lagen netjes naast de koemuur opgestapeld. De kippen waren aan de leg en er was eten genoeg in huis. Vol vertrouwen gingen ze de winter in, al was het erg jammer dat de jongste drie kinderen hevige kinkoest hadden, zodat Marie soms dag en nacht in onrust leefde eer het ergste geweken was. Het was in die tijd dat ze wist opnieuw in blijde verwachting te zijn. En dat de zaadfirma berichtte dat de uitbetalingen werden uitgesteld tot mei.

Toen Klaas met deze tijding bij Krelis Hauwert kwam, zei die:
„Dat komt wel omdat de oorlog over is. Nou kenne de prijze voor zuk wel puur keldere. Enfin, dan zulle we de terugbetaling ok maar op mei anhouwe."
„Maar wat heb mijn stullezaad en mijn mosterd nou met die oorlog te maken?" vroeg Klaas.
„Ik hew hoord dat ze er gas van make of zuk ...," zei Krelis vaag.
„In elk geval hewwe ze het nou vast niet meer nodig."
Prijze keldere, dacht Klaas later. Stel je voor dat de helft er d'rs ofging? Dat zou een teugenvaller weze. Maar och, zo'n vaart zou het wel niet lope. Hier sprong 'ie gerust nog wel goed uit ...
Een paar dagen later voelde hij zich niet prettig.
„Moet je geen brood?" vroeg Marie verbaasd toen hij met een gebaar van walging zijn bord terugschoof.
„Nee, ik hew zomaar geen trek. Ik denk dat ik de koud te pakken hew; ik bubber gewoon van de koorts."
„Gaan dan gauw te bed, joôn," drong ze aan, ofschoon ze een scherp protest verwachtte. Tot haar verbazing zei hij echter gedwee:
„Dat most ik maar doen."
En meteen begon hij zich te ontkleden. Met een gezicht strak van onrust opende hij schijnbaar kalm de beddedeuren en sloeg de dekens terug. Ze zag zijn gezicht grauwbleek worden en vroeg bezorgd:
„Wil je een kruik om gauw warm te worren?"
„Best," zei hij enkel.
Maar eer ze de kruik bracht soesde hij al huiverend weg en dacht aan niets meer.

Hij is puur ziek, dacht Marie, toen ze tegen vijf uur naar de koegang ging om zelf het vee te bestellen voor de nacht. Aârs had 'ie daar nog wel wat over zeid. Ze zou 'm morgenochtend maar legge late en zelf in de vroegte maar effies melke. Het aâre werk kon Jan wel wat redde.

As Klaas dat tenminste toeliet . . .

Klaas liet alles toe. Die wist van niets meer.

„Oók griep," zei de dokter, en dat ene woord vertelde Marie genoeg. Hoeveel weerstand zou dit dierbare, door het zware werk van de laatste maanden uitgeputte lichaam nog kunnen bieden aan deze wrede ziekte? Had ze toch maar niet bijna alle eieren verkocht om aan geld te komen; had ze er hem maar drie daags van gegeven; had ze hem maar meer vlees en spek toegestopt. Wat had je aan geld nu het om zijn leven ging?

Twee dagen gingen martelend langzaam voorbij. Behalve om de koeien te melken had Marie slechts zelden de kamer te verlaten. Ze had geen rust als ze Klaas alleen wist. Wel letten de oudste jongens dan op hem, maar wat weten die van ziekte . . .

Waar bleef Sijtje nou, die altijd deed of ze zo erg op Klaas steld was? En Gerrit, voor wie 'ie een hooier uitspaard had om een enkele keer zijn paard te gebruiken, dat aârs toch in het land liep? Ze ware zeker bang dat ze de griep van 'm over krijge zoue as ze hier kwame. Nou, ze zou probere d'r eigen wel te redden met Jan. As Klaas er maar deur kwam . . . As dat 'r geven werd, dan wou ze d'r hande wel kapot werke, nacht en dag as het most. As Klaas er maar deur kwam . . .

Tegen de avond van de tweede dag begon hij onrustig te woelen en wild te roepen en te praten.

„Blijf op hem letten," zei de dokter. „Hij is heel ziek en mag niet opstaan in zo'n aanval."

„Is er gevaar, dokter?" bracht ze uit.

„Direct niet, en ik zal een kalmerende drank sturen."

Wat nu? dacht ze. Zo durf ik niet weggaan. En het is al vijf uur; ik moet nodig melke . . .

„Gaan maar gauw, moe," zei Jan die haar aarzeling zag, „wij passe gerust wel goed op 'oor, en as er wat is roep ik wel."

Het moest. Klaas begon altijd om halfvijf al te voeren . . . Zou hij ooit weer . . .? Stil, dàt niet denke . . . Gaan! Doen!

In de koegang brandde het licht en al wat ze nodig had vond ze gereed staan. Jan was geschikt voor het werk in zoverre hij dit aankon. Haastig molk ze de koeien, stortte de melk in de bus en bracht die in de kruiwagen naar de poort. Dragen durfde ze deze vracht niet meer om het jonge leven dat komen ging.

Bij de poort bleef ze staan om een idee te verwerken dat plotseling

in haar opkwam. Toen Krelis Hauwert verlegen zat om hulp hadden zij voor hem klaargestaan. Zou hij nu niet voor hen ...
Ze ging erheen. Met snelle passen liep ze de weg langs naar de poort van het buurhuis en zocht daar de weg naar de achterdeur.
Krelis was laat, hij zat warempel nog te melken en de wagen was zó op komst.
„Goeienavond, buurman," groette ze verlegen.
Hij keek op en zijn gezicht zag nors en donker.
„Goeienavond," groette hij kort terug. „Heb je een boodschap an me?"
„Ja. Mijn man is puur ziek en nou kom ik vrage of een van julle morgenochtend bij ons melke wil, want ik durf 'm niet alleen late, zien."
Het gezicht van Krelis betrok nog meer.
„Dat òk nog," viel hij ruw uit. „Nou, dat weet ik nog niet 'oor."
Het was Krelis zijn dag niet geweest. Eerst had 'ie een kalf verspeeld, en vlak voor het melken kreeg zijn bovenste koe een stuk biet in haar keel, en het was een hele consternatie weest om dat er weer uit te krijgen. Daardoor ware ze al zo laat worren en nou dut ok nog. Hij kon toch zomaar niet zegge of 'ie morgenochtend een melker misse kon ...
Maar hier wist Marie niet van. Die hoorde in zijn stem al een weigering en zei gejaagd:
„Het hoeft al niet meer 'oor. Ik zal mezelf wel redde."
En ze liep de koegang weer uit eer Krelis recht begreep hoe het zat. Nou, dat most ze dan zelf maar wete ... Zo èrg nodig was die hulp dan bepaald wel niet.
Zodra ze in de kamer terug was maakte Jan de rest van het werk in de koegang aan kant. De andere kinderen speelden stil in een hoek van de kamer, terwijl ze af en toe schuw naar de bedstee keken als hun vader iets prevelde.
Ze ging op een stoel bij hem zitten, waakte luisterend en keek in het schemerige bed naar zijn gezicht. Tot Jan terugkwam en ze voor het avondbrood moest zorgen.
„Moet ik nog wat doen, moe? Brandstof hale of zo?" vroeg hij nog eer ze gingen slapen.
Ze dacht na. Had ze al wat nodig kon zijn?
„Nee 'oor mijn joôn. En às ik je nodig heb zal ik je wel roepe."
As ... ik ... je ... nodig ... heb. Strak vlocht ze haar vingers ineen. Mocht dit niet nodig zijn.
Ze hielp de kinderen naar bed, verzorgde de kachel, deed de lamp uit en stak een kaars aan, die ze op de schoorsteenmantel zó neerzette dat het licht Klaas niet hinderen kon, terwijl ze hem toch kon zien.

Zo begon haar eenzame nachtwake. Weer beluisterde ze zijn half uitgesproken woorden en bevochtigde herhaaldelijk zijn droge lippen. Soms streelde ze hem kalmerend over zijn rusteloos zoekende handen of dwong zijn opstandig lichaam tot rust.

In deze lange vreselijke nacht begreep Marie eerst goed uit het ijlen van haar man hoe sterk hij met zijn land en werk verbonden was. Elk gestameld woord ging over zijn arbeid of zijn zorgen. Ook was het soms of hij Bles iets toeriep.

Dikwijls lag hij een poosje roerloos en dan klonk de lichte tik der klok haar als een hamerslag in de oren als ze zich dicht over hem heen boog en luisterde of niet . . . Doch dan wierp hij zich weer wild om en begon opnieuw te ijlen.

Eenmaal vulde ze de kachel bij; tweemaal verving ze de opgebrande kaars door een nieuwe. Ze werd koud, stijf en moe, maar ze achtte dit niet. Ze zat daar maar stil, terwijl martelende gedachten haar benauwden.

As het wezen mocht dat Klaas hier deurheen kwam, dan zou ze er nooit meer in d'r eigen over denke dat 'ie de boel maar beter verkope kon en om een daghuur gaan. As 'ie hier maar deur kwam . . . En ze zou helegaar nooit meer klage of moppere, maar altijd best in 't zin doen teugen 'm as 'ie bij Gerrit en Sijtje vandaan kwam. Hoe arm en beroerd je ok deur het leven most, het bleef evengoed mooi as je maar samen bleef. Zònder Klaas . . . Dikke stille tranen vielen zo maar op haar kleedje en handen, want in haar herinnering waren opeens de vele gouden uren gekomen die ze, ondanks de vele zorgen van iedere dag, had beleefd. Dagen waarin ze het hoogste geluk haar deel wist.

Soms was er een zomermorgen vol zonneschijn, die alles rond het huis zo'n wondermooi aanzien gaf. Als de jongens half spelend, voor schooltijd, elk de hun opgedragen taak verrichtten en Ankie op de hoge drempel zat, terwijl zijzelf de was ophing. De kippen scharrelden al druk rond en Klaas was met paard en kar naar het veld. Dan liet ze haar handen soms even op de heupen rusten en genoot van alles om haar heen, tot het in de dartele morgenwind wild buitelende wasgoed toe, en was dankbaar dat dit het hare was.

In de grote zomervakanties hadden hun jongens altijd één week lang de dolste dingen mogen beleven, hoe druk Klaas het dan ook had. Midden in de boomgaard stond een oude jut, wiens wijde, machtige kruin een heel veld overkoepelde, en op die plek bouwden ze zich onder vaders leiding een echte tent met behulp van kloeten, latten en een klein dorszeil. Zij maakten dan van geribd karton en kleurige veren een sierlijke hoofdtooi voor ieder en zo leefden ze, bij gunstig weer, een week op de boomgaard. Driemaal daags zette ze hun eten ergens in de koegang neer en even zovele malen werd het listig door hen weggeroofd. Ook werd Ankie dikwijls ontvoerd en kon dan voor een grote hand vol pinda's of een extra boterham weer worden losgekocht. 's Avonds werd Klaas, hoewel hij uiterst voorzichtig van boom tot boom sloop, steêvast overvallen en ondanks zijn smeekbeden om erbarmen onder afgrijselijke kreten gescalpeerd. Kwam hij met paard en kar, dan werd Bles hem ontstolen en naar de dors gebracht en Klaas moest zelf de kar naar huis trekken. Weigerde hij, dan moest hij aan de martelpaal. Want de Indianen kenden geen genade. Nee, geen jongen in het hele dorp beleefde zo een heerlijke vakantie als hun drietal.

Ze moesten hard meewerken in het bedrijf, elk naar kracht en leeftijd, maar elke dag of avond bood hun een kleine verrassing, wat aan hun leven een feestelijk tintje gaf. Soms een kleine traktatie, die weinig of niets kostte en toch iets aparts had door de wijze waarop ze het hun gaf, en anders een gezellig huiselijk spelletje voor het naar bed gaan. Want het „iets" waarop de burgemeester op hun trouwdag doelde, dat hadden ze gevonden en behouden, want steeds werd iets nieuws verzonnen om het de kinderen prettig te maken.

Kwam er in de zomer een zondagmorgen die een prachtige dag beloofde, dan moesten de jongens, als zij en Klaas naar de kerk waren, de keukentafel en de stoelen onder de jut brengen en ook het daagse servies. Dan brachten ze daar verder de dag door, zelfs werden de maaltijden er gebruikt. Op zulke dagen scheen Klaas zijn zorgen te vergeten en werd dan kind met zijn jongens.

Tegen Sint Maarten herleefde zijn eigen jeugd, als in de grote uitgeholde voerbieten fantastische figuren moesten worden gesneden om de bieten dan, van binnen door een kaars verlicht, onder het zingen van oude liedjes van huis tot huis rond te dragen. Met eindeloos geduld hielp hij dan, terwijl zij Ankie aanwijzingen gaf hoe zij, door knippen en plakken van karton en gekleurd papier, een prachtig lantaarntje kon maken. Sinterklaas werd met veel onzin en weinig kosten volop gevierd en Kerstmis in rustige feeststemming. Nooit lieten ze de kinderen de druk der zorgen gevoelen, hoewel allen wisten dat uiterste zuinigheid moest worden betracht om hun tehuis te behouden.

Ja, als ze dan terugzag op hun huwelijksjaren, dan kon ze niets anders zeggen dan dat het rijke gelukkige jaren waren geweest. Tot nu toe . . .

De kachel knetterde en Joop fluisterde iets in zijn droom. Buiten stak de nachtwind op en speelde suizend door de boomtakken. Ankie ontwaakte en vroeg iets. Ze hielp haar.

Vier uur.

Nou liep het teugen de ochtend en dan stierve de meese mense, zei moeder altijd.

130

Haar ogen lieten het dierbare gezicht niet meer los. Weer maakte ze de dorstige lippen nat en streelde ze het klamvochtige haar. „Klaas," fluisterde ze dringend, „zal je niet van me weggaan? Zal je me niet alleen late? Klaas... Klaas...!"
Hij stamelde iets en worstelde zich omhoog. Met al haar kracht drukte ze zijn weerstrevend lichaam in de kussens terug en stopte de dekens vast om hem heen.
„Klaas toch..."
Stil snikkend legde ze toen haar hoofd naast hem op het kussen en sloeg haar arm licht om hem heen, steeds maar wakend bij de nu eindelijk kalm wordende zieke, tot haar lichaam zich ontspande en ze insliep.
Wat was het geweest dat haar deed ontwaken? Sloeg de klok of riep een van de kinderen? Of Klaas... Wat lag 'ie stil. Wat...
In één enkele beweging richtte ze zich op, greep de weer bijna opgebrande kaars van de schoorsteen en hield die bij het stille lichaam. De dansende vlam bescheen het gezicht, deed de lippen donker schijnen, de neus scherp en de gesloten ogen diep. Haar hand greep met een wild, onbeheerst gebaar naar zijn borst en zijn mond.
Niet dàt, God, niet dàt!
Klaas uitte een licht klagend geluid en fluisterde iets waaruit ze begreep dat hij een hevige dorst had. Kalmer nu beurde ze in haar arm zijn hoofdkussen op en bracht het glas water naar zijn mond. Gretig dronk hij een paar teugen, dan zakte zijn hoofd opzij en lag hij weer stil. Voorovergebogen bleef ze staan. Het leek wel of hij nu sliep. Echt, gewoon sliep. Zijn ademhaling was nog wel ongeregeld en wat moeilijk, maar toch veel normaler dan het korte hijgen van de laatste dagen en nachten.
Hoe laat was het nu? Zes uur al. Melkerstijd.
Zou ze Jan effies roepe, dat die oppaste? Klaas lag zo kalm, ze kon het wel wage om weg te gaan.
Toen de koeien gemolken waren en ze terugkwam blies ze de kaars uit en ontstak de gaslamp weer. In het sterkere licht leek het haar toe alsof de zieke zijn ogen opende en haar aankeek.
„Mag ik water?" hoorde ze hem duidelijk vragen.
Haastig hielp ze hem.
„Hoe laat is het?" zei hij toen.
Maar haar antwoord drong niet tot hem door. Zijn oogleden vielen weer toe en hij sliep verder. De kleine hoop, die in het laatste uur in haar gewekt was, werd nu verwachting. Zou Klaas deur het ergste heen weze? Oh, als dat waar weze mocht. Ze voelde slaap noch vermoeidheid toen ze de kinderen wekte en voorthielp. Haar hart was vol dankbare vreugde.

131

12

Toch duurde het nog bijna een week eer de dokter alle gevaar voor Klaas geweken achtte. Die verbaasde zich erover dat deze uitgeputte, vermagerde man zo'n hevige griepaanval had kunnen doorstaan. „Nou moet je eerst rust houden en groeien," beval hij. Klaas wilde graag rusten. Nooit in zijn leven had hij zich zo moe gevoeld als nu. Hij was nauwelijks in staat zich een weinig op te heffen. Denken kon hij ook al niet; zodra hij zich inspande om een overzicht van de huidige situatie te krijgen werd hij suf en sliep zomaar in. „Maak je maar niet ongerust, alles gaat best 'oor," suste Marie, als hij ergens naar vroeg.
Alles gaat best!
En dat terwijl de vorst inviel, een strenge vorst nog wel, en alle voerbieten onbeschermd buiten lagen. Samen met Jan wentelde ze de laatste balen turfstrooisel aan de windzijde tegen de stapel en bedekte de rest met wat stro en een oud dekzeil. Meer konden ze niet doen dan alleen hopen dat deze strenge heer slechts kort regeren zou.
Dat deed hij niet.
Iedere namiddag, als Jan manden vol berijpte bieten op de koegang bracht om ze te snijden, nam ze er enkele in haar handen. Totaal bevroren.
Met angst dacht ze dan aan de steeds dichter naderende dooi, die al dat kostelijke wintervoer voor hun koeien in een hoop rottend afval zou veranderen. Wat kon ze de beesten dan nog anders geven dan wat hooi en erwten- en bonenstro? Hun buik zou gevuld worden, maar verder ... Voer kopen kon ze niet, gesteld dat het te krijgen was. Er was immers geen geld voor. Ze leefden zo'n beetje van de opbrengst van de melk en als dat uitgegeven was maakte ze schuld. Schuld? Het leek haar een wand, die rond haar heen omhoog groeide. Eerst de grote schuld van de hypotheek en rente met de uitgestelde betaling aan Krelis Hauwert en dan het geleende geld van de firma voor het paard en verder de geleidelijk klimmende bedragen bij bakker, slager, kruidenier, ja, bij wie al niet. Ze kon het nauwelijks meer overzien. Zij, de eerlijke Marie Veld, ze zat onder de schuld.
Toch was dit niet de grootste zorg die haar drukte. Erger was de

knagende onrust om Klaas en Ankie. Terwijl de kinkhoest bij Dirk en Joop geen spoor van zwakheid had nagelaten en die met een onverzadigbare honger buiten rondzwierven, hing Ankie nog steeds lusteloos in de kamer in een der leunstoelen en klaagde tegen Klaas, die wrevelig in de bedsteê lag. De lekkerste hapjes smaakten hun niet en alles scheen hun wel te veel en te druk te zijn. Wat waren geldzorgen, vergeleken bij de angst die dit soms in haar opriep? Hoe vaak hoorde je niet dat jonge mensen na een zware ziekte sukkelend bleven?

Maar ze zou haar uiterste best doen om ze op te wekken en tot eten te dwingen, zodat ze spoedig iets aansterkten.

Het was in het begin van maart dat de vorst verdween en de bieten ontdooiden. Toen Jan en Dirk uit de weke massa de gave gingen zoeken bleken dit er slechts weinige te zijn. Marie schatte dit restje. Hiermee, en met het weinigje hooi en stro dat er nog in de berg was, moesten de koeien tot het eind van april toekomen. En het paard moest er ook nog van meeëten. Het was onmogelijk. En toch, het kon niet anders.

Kon ze dut nou maar d'rs met Klaas overlegge. Of met een aâr. Je stond hier maar stomp alleen met geen mens aârs as je twee kleine joôns om je te helpen. Maar Klaas most buiten alle zorg houwen worre, aârs was die in staat om zo uit bed te komen en mee an het werk te gaan. En dat kon hem zijn leven koste. Je zei dus maar dat alles best liep en je schepte maar wat op over al het geld dat je van de melk en de eiere vinge . . . en over de bure die je wel d'rs hielpe. De bure . . .

Begin april had ze ongewild gehoord hoe die over hen dachten. Het was nog vroeg in de morgen. Ze had juist de snel vermagerende koeien gemolken en de even snel minderende melkgift bij de poort gebracht. Jan had in die tijd de dieren gedrenkt, de mest weggehaald en ieder de beschikbare portie hooi en stro gegeven. Dit, met wat aardappelschillen en groenteafval, was hun enig voedsel. De vos kreeg daarbij nog een klein napje haver. De koeien niets, al dreef het haar soms de tranen in de ogen als ze zag hoe gretig ze hun koppen omwendden als ze haar op de koegang hoorden naderen. Dan nam ze maar een paar aardappelen mee en wierp die voor hen op de stallen. Mondtergen, noemde Jan dit, maar ze kòn er niet zomaar langs gaan. Nu stond ze in de schuur en overzag van uit de deuropening de boomgaard, waar het gras al iets begon op te leven. De donkere, dorre winterkleur werd elke dag iets lichter van tint door de prille sprietjes die ertussen omhoog kwamen. Als het zo doorging konden ze over een paar weken misschien de vos er overdag wel injagen; als die zijn buik vol gras at behoefde die geen hooi meer. Elke vork vol was er éen meer voor de koeien.

„Mooi weertje," schalde opeens de stem van Krelis Hauwert haar tegen. Verbaasd keek ze rond. Had 'ie het tegen haar? Nee toch? Maar toen zag ze dat Gerrit Bruin diens erf op kwam. „Zeg dat," zei die. „As het nou zo maar blijft ok . . ." Ze spraken nog even door over het weer en over het gras en toen kwam het hooi ter sprake. Ze lette niet op hun woorden tot ze de naam van haar man hoorde noemen. „Zo'n luie bliksem zie je nergens," schimpte Krelis. „Die lait nou dag en nacht uit op zijn nest en hij laat zijn vrouw en zijn joôns maar een beetje met het werk prutse. Hij most zijn oge uit zijn kop schame, zo'n jonge kerel." Gerrit zei niets en Krelis ging door: „Ja goed, hij was puur ziek, dat hew ik ok wel hoord, maar dat blijft 'ie toch niet? As de ziekte uit de leden is gaan je toch weer an 't werk, vooral as je d'r zo voor stane as hij." „Misschien is dat de reden wel dat 'ie zijn eigen achterbaks houdt," hoorde ze Gerrit Bruin nu zeggen. „Hij ziet er geen gat meer in, vrees ik. Hij heb nou immers drie koeie op stal? Nou man, ik hoorde verleden week van Jaap Ettes, die had er een boodschap en zodoende zag 'ie ze, dat het gewoon kapstokke benne. Ze hewwe geen lood vel meer an d'r lijf. Dat zal ook een spaarpot met een gat voor 'm worre." „Voor hem zeg je? Voor mijn! Ik hew 'm er de cente voor leend. Ik was wel bang dat het mislope zou toe ik zag hoe ze al hulle voerbiete zomaar bevrieze liete." „Echte verwaarlozers, éé. Hij is vanzelf nog een stuk neef van mijn vrouw en die wou eerst almaar dat ik erheen ging te help, toe er geen kans meer was dat ik de griep van 'm overkrijge zou, maar ik was wel wijzer. Je wete met zuk wel waar je beginne maar niet waar het ophoudt." „Zeg dàt. Ik was er op een avond temet invlogen. Maar gelukkig hield ik wat of en toen, heb ze me nooit meer vraagd. Het is krek zoas je zegge, je kenne met zukke lui niet in zee gaan." „Ja, as een schrobber een bezem wordt is het zelden veul bijzonders. Maar hij zal de langste tijd wel op dut spul zeten hewwe, verwacht ik." „Je begrijpe niet dàt 'ie er nog zit." Marie stond doodstil. Haar hart bonsde wild en ze trilde van drift. Het liefst was ze zo naar buiten gestormd om de beide mannen eens goed de waarheid te zeggen. Haar Klaas . . . Hij deed op één dag meer dan zij in een hele week. Verwaarloze? Bij geen mens was alles steeds zo netjes en ordelijk als bij hem. Al wat gebruikt was werd dadelijk schoongemaakt en opgeborgen of op zijn plaats gezet; en wat kapot was, weer gemaakt.

Alle zakken en manden en kisten en bakken werden geregeld nagezien en op de bouw mocht alles bekeken worden. Het land lag geploegd gereed. Het langst op dut spul weund? Goed, het was hun niet meegelopen en ze had wel eens gedacht dat ze hier nooit hadden moeten zijn, maar nu ze dit gehoord had moesten ze hier blijven, het ging zo het ging . . . Als Klaas weer beter was zou ze hem inlichten over die buren waar hij zoveel van verwacht had.

Snel vulde ze het telmandje met turven en verliet de schuur. Tussen de nog kale populieren door kon ze de twee mannen zien staan. Kloek stapte ze op het straatje en trok met een ruk de schuurdeur achter zich toe.

Het geraas deed hen opzien.

Marie wist niet hoe aardig ze er uitzag in het gulle licht van de opkomende zon, die de rond haar hoofd uitspringende krulletjes deed glanzen, terwijl haar ogen fonkelden van de woede die haar beheerste. Ze dwong echter haar lippen tot een uitdagende lach die al haar gave tanden liet zien en riep helder en duidelijk:

„Goeiemorgen!"

Meteen liep ze verder. Hard en beslist tikten haar klompen over het straatje. Eenmaal op de koegang was alle bravour echter geweken. Daar hurkte ze als een verslagene naast de houten pomp tot de ijle klank van de torenklok haar weer opjoeg.

Juist die dag ontwaakte in het doodzwakke lichaam van Klaas Spijker iets dat hem opwekte. Hij had honger. Zonder tegenzin at en dronk hij al wat ze hem bracht.

„Nu mag je een poosje opstaan," beloofde de dokter.

„Hoe lang?" vroeg hij blij.

De dokter lachte.

„Stel je er niet teveel van voor. Je mag zolang je kunt."

Nou moet 'ie eerdaags toch maar alles wete, peinsde Marie zorgvol. Ik zal zoetjesan maar d'rs wat vertellen, dan is 'ie een beetje inlicht as 'ie de boel ziet.

Zo deed ze. En het was gemakkelijker dan ze dacht, want nu Klaas zijn kracht dagelijks voelde toenemen werd ook zijn geest weer strijdvaardig. En àls hij al schrok toen hij zijn broodmagere koeien zag, hij liet dit niet blijken aan de bezorgde ogen van zijn vrouw en zijn twee oudsten. Voetje voor voetje ging hij het huis door, blij dat hij dit weer kon doen. De rest kwam wel. Maar wat was die rest?

Zodra ze in de kamer terug waren vroeg hij ernaar en nu vertelde ze hem open en eerlijk alles. Zelfs hoe de buren over hen dachten. Ze zag zijn lippen zich sluiten tot een grimmige lijn.

„Daar zou je razend van worre," gromde hij. „Heb je nog wat voor me te eten?" voegde hij er aan toe. „Ik ben zo kwaad dat ik wel een heel Zwitserbrood lust."

Toch zat hij enkele dagen later weer bij Sijtje in de kamer, beant-woorde haar bezorgde vragen, geloofde haar verontschuldigingen en liet zich gezellig door haar verwennen. Thuisgekomen was hij prikkelbaar en nors tegen Marie, die hem daardoor meer dan ooit naar de ogen zag en vreesde dat de wandeling teveel van zijn krach-ten had gevergd. Want toen ze hem in het klare licht van de lentezon zag was ze van zijn uiterlijk geschrokken. Zo vaal van kleur en dan die doffe ogen . . . zou Klaas wel ooit weer de oude worden?

Maar als een troost kwam de gedachte in haar op dat hij soms hunkerde om weer aan het werk te gaan en toch dagelijks zijn kracht voelde vermeerderen.

„Mijn vingers beginne te jeuken," zei hij dan en spande zijn spieren om die te beproeven.

Enkele weken later pootte hij zijn vroege aardappelen. Een maand over tijd.

„Beter laat as nooit," zei hij in wrange zelfspot. „Nou kenne ze tenminste niet ofvrieze."

Maar hij was weer zelf naar zijn land gereden en genoot opnieuw van de aanblik van zijn akkers; hij genoot van zon en licht en werkte zover zijn kracht dit toeliet.

„Nog een paar weke, misschien een maand, en ik ben de ouwe weer," troostte hij zichzelf als hij even moest gaan zitten rusten.

Eind april, toen het uitbottende groen een wandeling door de boom-gaard tot een feest maakte moesten de koeien naar de markt. Zelf zou hij ermee heen, hoe zwaar de tocht met deze dieren hem ook zou vallen.

„Kenne ze de reis wel doen?" vroeg Marie de avond tevoren.

„Ik hoop het," zei hij. „We zulle ze strakkies en morgenochtend maar alles geve wat we nog hebbe. En ik zal probere of ik hier en daar op de bogerd nog een beetje gras ofmaaie ken . . ."

Heel vroeg werden de beesten voorzichtig van stal gehaald en lang-zaam leidde Klaas ze naar de stad. Daar stond hij uur na uur en hoorde zwijgend de spot en schimp der voorbijgangers aan over zijn drie uitgemergelde dieren. Eindelijk gelukte het hem er twee aan een weider uit de naaste omtrek te verkopen. De andere, een klein zielig koetje, was bijna onverkoopbaar en hij was blij toen hij dat op het scheiden van de markt nog voor een krats van de hand kon doen.

„As de betaling van de firma er nou toch maar effies op rooit," zuchtte hij die avond toen hij het luttele bedragje naar Marie toe-schoof.

Dat deed het helaas niet. Hij moest zelfs van zijn ontvangen voor-schot nog geld teruggeven. Dit trok hij zich zó aan dat Marie hem slechts met voorgewende opgewektheid en een paar dwaze opmerkingen een weinig kon opbeuren.

„As we nou maar volhouwe komt het gerust wel," hield ze hem voor, indachtig haar vaders raad: „God helpt wie zichzelve helpt."

„Maar het duurt zo lang," klaagde hij. „De ene duvel is niet dood of een aâr staat weer op . . ."

„En jij zegge altijd dat je voor de duvel niet bang benne?"

„Dat ben ik ok niet en ik gaan er vanmiddag maar weer op an. De piepers kome tenminste de grond alweer uit."

Maar 's middags onder de afwas vloeiden Marie's tranen rijkelijk, al verweet ze zichzelf dat die tranen tegenwoordig veel te los zaten. Zóveel reden tot schreien had ze toch niet . . .?

Tot haar schrik kwam juist de schoenmaker vragen of ze nog werk voor hem had.

Reparatie genog, dacht ze triest. Maar geen geld om het te betalen. Toen ze ontkennend het half afgewende hoofd schudde zag de man een glimp van haar tranen en werd opmerkzaam. Hij, Leendert, de zwakke gebrekkige man, nietig van gestalte en slecht van gehoor en spraak, hij wist meer van zijn klanten dan zij van hem. Hij had bij zijn bezoeken in dit huis veel gezien en ontdekt en had daardoor een warm plekje in zijn hart gekregen voor de dochter van Dirk Veld, die eens zijn vriend was in de jaren dat die als knecht bij Leenderts werkzaam was. Hij wist dit jonge vrouwtje zwak en uitgeput door haar toestand en het zware leven der laatste maanden. Hij wist dat bij deze zuinige, ijverige mensen doorlopend geldgebrek was en niet door eigen schuld. Ze waren het waard om te worden geholpen, had hij dikwijls gedacht. Maar nooit had hij dit onder woorden durven brengen.

Hij kwam nu iets dichter naar haar toe.

„Is er wat?" vroeg hij.

Ze schudde het hoofd.

„Zegge," drong hij aan. „Eerlijk zegge."

Ze wendde hem haar betraand gezicht toe en haalde de schouders op.

„Geld?" vroeg hij nu.

„Ja."

„Hoeveul?"

Een trilling gleed langs haar mond. Hoeveul? Dat kon ze zo niet zegge.

„Een heleboel," beduidde ze hem.

„Hoe een boel?"

„Duizend wel."

Leendert staarde een poos langs haar heen naar buiten en zij ging door met haar werk.

„Hew ik wel voor jou," zei hij ineens.

Met een ruk wendde ze zich om.

„Jij!" riep ze verbaasd.

„Ja. Ik wil jou lene. Vier percent. Geld in huis, moet toch uitzet."
Dit aanbod overweldigde haar en ze ging op de eerste stoel die ze
bereiken kon even zitten, want haar benen deden zo gek en ze wist
niet tot wat de emotie haar zou drijven, lachen of huilen.

„Wil jij?" vroeg hij.

Of ze wilde ... Maar of ze mòcht ...

Ze hield hem haar open handen voor en zei langzaam:

„Ik wil wel. Maar ik ken niet gauw teruggeve."

„Hoeft niet. Julle goed genog. Dirk Veld ok eerlijk. Jouw man maar
heel gauw kome. Vandaag."

Een lachje en een knikje en de kleine man vertrok. Zonder de kop
thee die hij hier altijd dronk.

Toen Klaas 's avonds doodmoe thuiskwam liep ze hem opgetogen
tegemoet en vertelde hem Leenderts aanbod.

„Duizend?" riep hij ongelovig.

„Duizend," bevestigde ze. „Ik hoop dat je het doene, dan ken Krelis
tenminste zijn geld krijge, ik ken mijn schulde ofdoen en we houwe
nog wat geld in huis ok. Voel je er wat voor?"

„Het is een wonder," zei hij dankbaar. „Ik gaan aanstonds dadelijk
heen. En ik zal Leendert voortaan op me hande dragen. Wat een
kerel is dat. Duizend gulden op ons eerlijke gezicht ..."

„Op dat van mijn vader 'oor," wees ze hem terecht. „Wat zal het
een opluchting voor me weze as Krelis betaald is. Ik durfde guster
en vandaag haast niet buiten te komen."

„Hij krijgt het zo gauw ik het heb," beloofde Klaas opgewekt.

De toegezegde hulp had in één moment van hem een ander mens gemaakt. Niet enkel door het geld, meer nog door het sterke vertrouwen dat deze misdeelde man in hem stelde. Als die zó over hem
dacht kon hij zichzelf ook weer vertrouwen en dat had hij zo nodig.

„En nou ken het gaan zoas het gaat," zei hij, „maar die veertig
gulden rente zàl Leendert jaarlijks vange, al zal ik ze van een aâr
lene moete."

Daarna pakte hij weer dapper aan en de jongens hielpen flink mee.
Thuis wachtte Marie op de zoon, die in juli geboren werd. Cornelis,
naar moeder Kee.

„Stel je voor dat 'ie net zo'n haneveer wordt as ik," zei die toen ze
de tijding kreeg.

„Het is niet te hopen," vond Dirk Flik.

Het was een flink, levendig kind en toonde nu al enige gelijkenis
met zijn vader.

„Hij is onze enige overwinst," stelde Klaas vast toen het jaar verstreken was. „Ik zal weer an Jan de Vries vrage moete of die mijn

rente voldoen wil, want we benne nou al zowat rut. Gelukkig vang ik strakkies nog wat violegeld, aârs zag ik er helegaar geen gat meer in."

Meer zei hij niet, maar 's avonds eer hij de slaap kon vatten stelde hij hij zich zijn toestand zuiver voor ogen.

Een groot huis, dat àl meer aan onderhoud toekwam; er moest nodig nieuw riet op het dak en het schot van de dars werd bar; een ouwe bogerd waar nodig wat an beure most; er ware een stuk of wat bome rooid voor brandstof en daar moste aâre voor kome; zo'n goeie drie bunder land, dat veul te kort bemesting kreeg en dat van de winter niks aârs zag as het stuitje koe- en paardemest dat 'ie zelf had, en dan wat bagger dat 'ie er opbrenge zou; vijf kindere, al met al zo'n zesduizend gulden schuld en geen geld genog om de nuwe oogst te halen . . .

Maar het opgeve . . .? Hij kòn het niet.

„Het is maar gelukkig dat de ene dag an de aâr vastzit," zuchtte Marie dikwijls in het eindeloos schijnende voorjaar. „Zo weet je tenminste dat de tijd deurgaat."

Weer groeide de schuld bij de bakker en kruidenier, ja, bij wie niet . . . en bleven de uitkomsten ver beneden verwachting; zelfs de lasten konden niet worden betaald. Alles begon er vervallen uit te zien; huis en erf en bewoners. Als ze op zondag naar de kerk gingen wisten ze zichzelf en de kinderen sjofel en armelijk, en er was geen uitzicht op nieuw. Telkens, in de kerk en onderweg, ontmoetten ze mensen aan wie ze geld schuldig waren, zodat die wekelijkse gang voor hen terecht een tocht door spitsroeden was. Toch bleef degene wiens beurt het was nimmer thuis; hun leven was te zwaar om ook deze steun prijs te geven. Té dikwijls vouwde elk voor zich in een donker uur de handen in een woordeloze smeking om uitkomst.

Maar naarmate het voorjaar vorderde verviel Klaas weer meer en meer. Al het flinke dat hij herwonnen had verdween. Hij werd een stille, vroegoude man, die twijfelde aan eigen kunnen.

„Ik ben vast geen goeie bouwer. As ik naar een aâr kijk ben ik maar een prutser," hield hij zichzelf dagelijks voor, niet wetend dat Marie soms dacht geen degelijk huishoudster te zijn, omdat nergens de boel zo aftakelde als bij haar en ze nooit een cent in huis kon houden.

Bij het lezen der geoogste peulvruchten bleek er meer slecht dan goed te zijn.

„Was die rommel nou ok maar geld waard," mopperde Marie.

Dit bracht Klaas op een idee.

„Dat ken wel," zei hij. „Maar dan moet ik er een hele partij van hewwe. Dan ken ik ze voor veevoer verkope. Zou ik zo'n handeltje niet 'rs probere?"

„Waarvan?" zuchtte Marie. „We kenne geen daalder misse."

„As ik 'rs met je vader praatte?" stelde hij voor. „Misschien wil die me wel an wat handelsgeld helpe."

„Dat doet 'ie vast," zei Marie.

Nog diezelfde avond trok Klaas er op zijn fiets heen en Dirk en Kee waren dadelijk tot hulp bereid.

Zo werd hij handelaar. Bij de bouwers kocht hij al het piksel uit de peulvruchten op en verkocht dit met een kleine winst weer aan de boeren voor veevoeder. Dag in, dag uit, was hij op pad en slaagde er zo in hun armoedige bestaan weer een winter te rekken tot een nieuwe oogst van zijn uitgemergelde land kon worden gehaald.

Maar toen die met ongeduld verwachte oogst op het veld groeiende was kwam er een warme, droge zomer met schrale oostenwinden, die de hoogliggende akkers van Klaas Spijker's land zo hard als beton maakten en alles verdroogden en verschrompelden. Toen eindelijk in september de eerste milde regen kwam was het voor hem te laat.

Op een zachte, stille namiddag, in het eind van oktober, had hij op het voorstuk een hoop onkruid en ruigte verbrand. De scherpe rookgeur hing nog over het veld en zweefde mee waar hij liep. Eer hij naar huis ging bleef hij met zijn rug tegen het schuurtje geleund even staan en zijn diepliggende ogen tuurden weemoedig in de verte naar de koeien van zijn buurman, die al grazend het melkbon hadden verlaten en nu de wei overgingen. Heel langzaam, stap voor stap, liepen ze naar achter.

Eens had hij gehoopt dat hier ook zijn vee . . .

Een triest lachje maakte zijn mager gezicht bitter en hard. Wat had hij niet allemaal gehoopt . . . eens . . .

Ja, hij had gehoopt wat misschien geen ander had durven hopen en hij had gewerkt als misschien geen ander werkte. En het resultaat? Dat hij armer was dan de armste.

Hij kon nu gerust wel toegeven wat alle mensen hier in het dorp dachten . . . hij was verslagen.

Klaas stond doodstil en liet zijn ogen nog eenmaal over alles heen gaan. Nòg het zijne . . . in náám.

Hij gaf het op. Hij had te hoog gegrepen; hij moest zijn tijd beter hebben afgewacht.

Morgen zou hij er werk van maken dat de boel verkocht werd. Misschien kon de opbrengst de schulden dekken en bleef er voor hemzelf ok nog wat over. En hij . . . een snikkende zucht ontsnapte zijn keel, hij zou weer arbeider worden.

De schemer viel, hij zag het niet. Het werd donker en hij merkte het niet. Eindelijk zette hij zijn vermoeide lichaam in beweging en liep talmend naar huis, door de boomgaard waar de afgevallen bladeren ritselden onder zijn klompen. Zo naderde hij de hoeve, tot hij door het open venster in de verlichte zijkamer kon zien. Hij hoorde daar iemand zingen en bleef staan. Daar was zijn hele gezin bijeen. Marie stond voor de tafel; ze maakte het avondbrood gereed en ze zong. Naast haar stond Ankie; de kleine Cor zat in zijn kinderstoel. De jongens zaten aan een kleine tafel onder de lamp bonen te lezen, hun vingers bewogen vlug over het lichte kleed. Hij zag hoe de vaardige handen van zijn vrouw de boterhammen met een weinig margarine besmeerden, ze dan met schijfjes appel bedekten of er een lepel blauwmaanzaad over strooiden en daarna op de bordjes schikten. Nu kwam het roggebrood aan de beurt, dikke plakken, en op elk daarvan deed ze een dikke laag koude, gekookte aardappelen.

En ze zong, zuiver en helder, het eindeloze lied van de jonge speelman. Haar stem klonk jong en blij in zijn oren. Hij bleef toezien en luisteren. Toen het lied uit was vroeg Ankie om een ander en ze zong weer en nog eens . . .

Marie . . . hoe leeg zou het zijn als haar altijd zingende stem eens zweeg. Onverschillig of het vroeg was of laat en wat ze ook deed, zij zong of neuriede zomaar voor zich heen als ze niet tegen de kinderen sprak. Doch zoals nu zong ze slechts zelden. En dat terwijl ook zij toch onder de zorgen zat, net als hij.

Of zouden die haar er niet onder kunnen krijgen?

Daar had je weer dat vreemde in haar, dat hij niet begreep. Zij beweerde immers nog altijd als hij klaagde over hun armoe, dat geldpijn geen pijn was. ,,Er is erger, veul erger," zei ze telkens. ,,We benne allebei gezond en de kindere ok, al hew ik wel d'rs zorg over Ankie. We benne rijk, we hewwe enkel maar geldgebrek en dat blijft niet zo. Vast en vàst niet. Met april komt Jan van school, dan heb je al een knecht, en de aâre twee kome er kort achteran. Nog effies volhouwe en we benne er."

Nog effies . . .

Ze most 'rs wete wat hij van plan was te doen . . . Maar zou 'ie dat wel doen? Stel je voor dat het ankomde jaar d'rs meeliep. Dat kon toch? Marie verwachtte dat beslist, aârs zou ze zo niet zinge . . .

,,Als g'in nood gezeten, geen uitkomst ziet . . ."

Klaas schaamde zich toen nimmer voor de tranen die later onder het luisteren langs zijn wangen gleden.

Hij mocht dit haar en de jongens niet andoen, dat zou niet eerlijk weze.

As zij nog zo'n sterk vertrouwen had . . .

Het was vol nieuwe moed dat hij even daarna de kamer inkwam, waar een gezellige sfeer hem dadelijk omving.

Maar de kralen beurs was leeg en bleef leeg en ook deze winter moest weer worden doorleefd. Dus zag hij uit naar weer nieuwe handelsmogelijkheid en hij vond die ditmaal in de in- en verkoop van pastinaken en wortelen. Weer ging hij eerst de bouwers langs om hun voorraad op te kopen en bezocht dan de boeren voor de verkoop. Gelukkig kon hij ditmaal als handelsgeld het kleine bedrag gebruiken dat naoogst en fruit hadden opgebracht. Behalve zijn winst verdiende hij ook nog iets aan het vervoer, omdat hij dit met eigen gerei kon doen. Zo hoopte hij weer tot de volgende oogst te komen zonder zijn eigen schuldenlast te verzwaren. Maar reeds de eerste week ontdekte hij dat nòch zijn paard nòch zijn wagen voor dit vervoer geschikt was. De vos werd telkens opnieuw kreupel en de kar viel haast uit elkaar en was niet meer te repareren.

Het gelukte hem echter op een boelhuis voor slechts vijftien gulden een boerenwagen te kopen, en toen de vos weer „rond" was ruilde hij die in voor een ander paard en betaalde er tweehonderd gulden op toe. Het was een groot, ruig, lelijk beest, dat met de kop omlaag geduldig voortsjokte.

„Een fidele knol," prees hij hem echter na de eerste tocht. Dit was voor de jongens een reden om dit paard altijd Fideel te noemen.

Zo scharrelden ze met zuinigheid en moeite het voorjaar tegemoet en ze werden nòg armer, nòg sjofeler en kregen nòg meer schuld. Want weer konden rente noch lasten worden betaald.

13

„Het bestuur van de kaasfabriek vraagt een aâre melkrijder," vertelde Klaas op een zaterdagavond toen hij uit het dorp terugkwam. „Ik docht zo, dat is wel wat voor mijn."
„Voor jou? Melkrije? Maar dan moet je alle ochtende en avonde uit je werk vandaan. En het is 's zondags en in de week; je hewwe dan nooit geen daan meer . . . ," protesteerde Marie.
„Daar heb je gelijk in en om dat werk ben ik ok niet zo verlegen. Wel om een vast weekgeldje en dat krijg ik dan. En ik heb aanstonds twee joôns die me hier helpe kenne en later drie. Die moete deurgaan as ik weg ben."
„Zou je wel kans make, denk je?"
„Niet minder as een aâr. Je hoeve alleen maar een peerd te hewwen; de fabriek het zelf een wagen."
„Je moete het zelf wete 'oor, ik leg er niks tussen," zei Marie, doch ze hoopte dat hem dit werk niet zou worden gegund. Hij nam nou te veel hooi op zijn vork, vond ze. Geest en lichaam zouden dan nooit rust krijgen in een aanhoudende jacht met de tijd en een voortdurende krachtsinspanning. Dat kon geen sterfelijk mens volhouden.
Klaas diende echter vol moed zijn sollicitatie in en maakte alvast een werkschema op voor „als hij het kreeg".
Gelukkig voor hem was dat niet het geval.
Gans verslagen kwam hij met dit bericht de kamer in.
„Mijn mislukt toch ok alles," klaagde hij. „Dut had ik er nou zo best bij hewwe kennen, maar zo ik hoorde was er geen mens van het bestuur op mijn hand. Ze vonde allegaar dat Dorus Blok het hewwe most, omdat die vrachtrijder is en ik bouwerman. Daar zit ik nou met mijn joôns en zonder cente."
„Of een dood peerd nou een steek meer of minder krijgt," merkte Marie luchtig op. „En je kenne de joôns evengoed wel gebruike, docht ik."
„Dat wel. Werk genog. Maar zoas het opheden is kenne ze geen cent bij mijn verdiene en dat is voor hulle ver van mooi."
„Kenne ze niet naar een aâr te werk?"
„Mijn joôns naar een aâr?" Klaas wierp het ver van zich. Zo'n bedrijf en dan zijn zoons er niet bij . . . wat zou daar niet van worden gedacht en gezegd?
„Late we het hulle zelf vrage wat ze het liefste wille," stelde Marie voor. „Dan valt er later niks te zeuren."

„Vooruit dan maar. Jij je zin," gaf hij tegen zijn wil toe.

's Avonds sprak hij met Jan en Dirk en het deed hem pijn toen hij zag hoe de ogen van Jan oplichtten zodra die zijn bedoeling begreep.

„Dan weet ik al een baas!" riep hij, nog eer Klaas geheel was uitgepraat. „Piet Buisman vraagt een knecht."

„Wil jij bij een kruidenier as boodschappejoôn?"

„Nou graag. Ik hou helegaar niet van de bouw. De dage dure daar zo akelig lang."

„Daar heb je nooit wat van zeid," verweet Marie hem zacht dit gebrek aan vertrouwen.

Jan keek haar open aan.

„Jullie vonde het zo gewoon dat ik bij pa bleef, dat ik er geeneens over prate durfde. Maar nou 'ie dut zelf zeit is het wat aârs."

Marie's blik dwaalde van hem weg naar Klaas en ze glimlachte om diens verbouwereerd gezicht. Zou Klaas wel aanvoelen welk een zegen het was om zo'n kind te bezitten?

„Maar bij een winkelier moet je rekene," zei die. „En jij benne op school al d'rs zitten bleven . . ."

„Oh pa, dat geeft niks. Ik ken nou best meekome 'oor."

„En wat ken je daar zowat verdiene?" Er klonk een lichte minachting in zijn stem.

„Niet minder as bij een aâr, verwacht ik," antwoordde Jan kalm. „Zal ik morgen d'rs hore of het wat wordt?"

„Goed 'oor, ga je gang maar. En wat wil jij?" Dit tot Dirk. „Bij een lappiespoep of zo?"

„Nee pa. As ik mag wou ik graag bij Wullem Vlaar werke."

Klaas dacht aan de fruittuinen en druivenkassen van Vlaar.

„Dat staat m'n beter an," zei hij. „Moet die een knechie hewwe?"

„Ja. Het staat op 't bord."

„Dan moete we daar maar op an gaan, éé. Strakkies maar?"

„Best, pa," zei de jongen blij.

Marie keek verdrietig naar haar oudste. Dus Jan moest alleen om een baas uit en met Dirk ging Klaas zelf mee. Had Jan, haar dappere jongen, dàt verdiend? Maar die lachte haar begrijpend toe en knipoogde olijk. Dit stelde haar gerust. Eer hij echter om zijn betrekking uitging riep ze hem bij zich.

„Buisman krijgt nog geld van ons, mijn knecht," begon ze wat zenuwachtig.

„Ja, dat weet ik wel. Wie krijgt dat niet?" spotte Jan gemoedelijk. Ze zuchtte.

„Zeg dàt," gaf ze toe. „Maar as 'ie je neemt, zeg 'm dan dat dat meteen mooi regeld worre ken. Dat 'ie elke week wat van je loon inhoudt. Begrijp je?"

144

„Best 'oor moe."

Het kwam in orde. Beide jongens werden geplaatst en al was hun loon niet hoog, er kwam iedere week een vast bedrag binnen en één schuld kromp geleidelijk in.

Klaas wierp zich weer op het werk in een nieuwe poging om aan zijn schaars bemeste grond ditmaal een betere oogst te ontworstelen. En weer mislukte hem dit. Zelfs zijn trouwe viooltjes lieten hem in de steek. Wel hieven ze weer dapper hun fluwelen gezichtjes naar de zeldzaam schijnende zon, maar hun zaad was zonder waarde.

„Wat ben ik toch een mislukkeling," prevelde hij dikwijls mistroostig als hij de blijde stemmen van zijn jongens over hun werk hoorde spreken.

„Och kom," bemoedigde Marie hem dan. „Het wordt gerust wel beter voor ons. Ik ben juist blijd dat ze zo goed in 't zin benne bij hulle baas."

„Maar ik ben ze voorgoed kwijt," mopperde hij. „Hew ik daar voor ploeterd en werkt dat ze van school of naar een aâr toe gaan? Ik hoop toch dat Joop het aârs doet . . ."

Toevallig zag hij die herfst, toen hij om tabak uitging en even bij het aanplakbord bleef staan om te zien wat daar te lezen viel, een pas aangeslagen biljet van de spoorwegen, waarop vermeld werd dat er bielzen te koop werden aangeboden met een belangrijke korting bij de aankoop van duizend stuks. Hij dacht hierover na en het was of hij een weinig opveerde.

Hier zat winst in.

Een dikke winst zelfs, als hij geluk had dat niemand hem voor was. Snel griste hij het biljet van het bord en stak het bij zich.

Nog diezelfde dag ging hij alle bedrijven langs om biels te verkopen en hij verkocht die bij tientallen en meer. Dit handeltje leverde hem in enkele weken het geld op voor lasten en rente en nog een klein bedrag om van te leven.

Eer het winter werd kwam Jan de Vries hen opzoeken en Marie verschoot van kleur toen hij de kamer binnenkwam. Hij zag dit en lachte luidop.

„Verschiet maar niet, Marietje, ik ben het maar," riep hij gemoedelijk.

„Het is juist omdat jij het benne," bekende ze bedrukt.

„Kom kom. Ik mag toch zeker nog wel bij je ankome?"

Volkomen opgelucht heette ze hem welkom voor nu en altijd en drong hem tot zitten. Jan, een levendige kleine man met een vrolijke luide stem, zette zich naast Klaas, die hem dadelijk zijn tabakspot toeschoof. Jan stopte zijn pijp en stak er de brand in. Na een paar trekjes zei hij:

„Het zit er op heden zeker weer niet erg an bij jullie?"

„Net als altijd," zei Klaas bitter.

„Dat docht ik al, want je tabak is gemeen slecht. Je neme zeker de allergoedkoopste. Ik hew vroeger wel d'rs puur beter soort van je rookt."

„Ja, toe zat het er beter an."

Ze spraken er nog wat over door en Jan vroeg of het nog druk was op de bouw.

„Opheden niet. Weet je een sjouwtje voor mijn?"

„Ja. Dat is te zeggen . . ."

Jan vertelde dat hij het rooien en vervoeren van afgekeurde wegbomen had aangenomen. Dit was werk voor deze en de volgende winter.

„Maar nou moet ik er nog een man en een peerd en wagen bij hewwe. Toe docht ik zo: misschien voelt Klaas er wat voor. Je kenne er geld voor vange, je kenne je schuld er mee ofdooie; en je kenne ok half om half doen. As je er zin an hewwe tenminste 'oor."

Klaas stak zijn hand uit.

„Er zin an hewwe, Jan? Graag kerel. En voor de ouwe schuld 'oor. Wanneer beginne we?"

Marie zuchtte eens heel diep maar zweeg. Zou Klaas er helemaal niet an denke dat 'ie nou alle dage een trommel brood mee hewwe most; goed besmeerd brood, met spek en kaas en d'rs een ei? En dat Fideel extra haver toekwam as 'ie hard werke most? En dat dat betaald worre most? Waarom nam 'ie Jans aanbod van half om half niet an? Enfin, ze zou 'r eigen wel weer redde. Maandag beginne, zei Jan.

En ze lachte alweer dapper tegen de beide mannen, tegen haar kinderen, tegen deze onverwachte nieuwe zorg . . . zoals ze dagelijks het hele leven tegenlachte.

Moedig gingen ze het nieuwe jaar weer in.

„Het wordt nou misschien een heel klein beetje dag voor ons," fluisterden ze elkaar hoopvol toe.

Het weekloon der jongens werd hoger, en al bleven de bedrijfsinkomsten ook nu weer beneden de verwachting, Klaas had nog iets op het oog dat geld inbrengen zou. Zijn beide borgen hadden samen enig slootwerk aangenomen en vroegen zijn hulp als derde man, ditmaal tegen betaling.

Het werk was zwaar, moordend zwaar voor zijn uitgesloofd lichaam, maar de wetenschap dat hij ook hierdoor dit jaar aan zijn verplichtingen zou kunnen voldoen gaf hem kracht en lust. Hij ging niet meer achteruit, al was er van enige aflossing nog geen sprake.

Zo ging hun leven door, maand na maand, de seizoenen wisselden, vader Jan stierf onverwacht na een korte ziekte, het huis verviel, maar de bomen bloeiden en pronkten er weer rondom en verdoezelden dit, terwijl Marie het erf, de heggen en de tuin weer pijnlijk netjes hield. De akkers bleven schraal, de boomgaard oud, de schuur bouwvallig. Maar ze lééfden. Joop kwam nu ook van school; hij verkoos tot vreugde van Klaas het boerenwerk en kwam als knechtje bij Krelis Hauwert in dienst.

Zodra het herfst werd trok Klaas er met Fideel weer dagelijks op uit om bomen te rooien en te vervoeren, en toen het voorjaar werd had hij al werkende zijn schuld met rente aan zijn trouwe borgen terugbetaald.

Blij drukte hij Jan de hand en dankte hem.

„Geen dank; ben je mal, we hewwe mekaar mooi holpen, man. En as het weer d'rs zo komt," zei die, vlot als steeds.

Maar Klaas schudde het hoofd.

„Dat niet meer," vond hij. „Jouw wil ik graag weer helpe, maar mijn rente hoop ik voortaan toch zelf te betalen."

Nadien heerste er een vrolijker stemming in de oude hoeve, want nu Klaas van deze druk bevrijd was durfde hij op meer geluk te hopen. De jongens groeiden in hun werk, ze telden elke zaterdagavond hun loon voor moeder op tafel neer en waren tevreden met wat zij als zakgeld gaf boven kost en kleding. Jan en Dirk gingen wekelijks enkele avonden naar de stad, waar ze elk een cursus volgden om straks met een diploma op zak het leven in te gaan en Joop prutste bij een kameraad aan een oude dorsmachine of een motorfiets, terwijl Ankie al een handig huishoudstertje werd, al bleef ze teer en min. Marie deed wel haar uiterste best om van het kind geen huissloofje te maken, maar het was zo gemakkelijk voor iedereen om „Ankie, doen dat 'rs effies" of „Zus, haal dat gauw voor m'n" te zeggen en zelf aan de eigen bezigheden te blijven. En Ankie ging. Voor iedereen. Voor Klaas, voor Marie, voor de jongens en zelfs al voor Cor, die een parmantig kereltje werd en altijd om zijn vader rondhing.

„As Ankie maar wat gruiziger was," klaagde Marie soms. „Ze eet mijn te kort."

Dan lachte Klaas haar uit.

„Jij kijke te veul naar de joôns. Die ete as dijkers en daar ken zij lang niet teugenop. Mager is ze, dat is waar, maar in d'r snuitje ziet ze er gezond uit. As we een paar jaar verder benne krijgt ze de haal gerust wel beet."

Het zou wel zo weze, dacht Marie dan. Ze was veuls te bezorgd. Maar as je één dochtertje hadde, dan was je er dubbel gek op. Graag had ze nog zo'n klein lieverdje gehad, maar tot haar spijt werd haar dat niet gegeven.

Klaas had er vrede mee, die vond dat er al monden genoeg om tafel zaten; bij haar kwam het er echter op dat ene niet aan. Zo'n kindje ging er wel mee onderdoor. Daarom hoopte ze nog steeds. Maar ze vond haar leven zó ook mooi en goed. O ja, ze had nog heel veel wensen ... dìt nieuw en dàt nieuw en dìt wat anders en dàt weer wat beter, maar dan moest eerst het blikken trommeltje weer in gebruik zijn, en zolang dat niet het geval was zou ze zich wat het meubilair betrof maar aan de boelhuizen houden; daar kocht ze voor weinig geld soms mooie stukken, die juist in haar kamers pasten. En daar ging het dan toch om. En of je er zelf mee tevreden was.

Het werd een druk vrolijk gezin met drie grote zoons. Als de schaterlach van die jonge sterke stemmen erin opklonk, dacht ze soms met een pijnlijk gevoel in haar borst aan later, als die stemmen en die lach eens anders, dof en bitter zouden worden door het leed dat anderen haar kinderen zouden doen lijden. Maar nu waren zij nog zó en zij kon, Gode zij dank, nog met hen meedoen, want ook zij had immers nog nooit leed gekend? Toen ze hier eens met Klaas over sprak, zei die schamper:

„Dat moet jij nodig zegge. We benne al meer as tien jaar zwart van armoede en we zitte onder de schulde. O, wat benne wij toch bar gelukkig."

„Ja, dat benne we tòch," hield ze vol.

„Jij misschien. Ik hoop het nog 'rs te worren, as ik eerst maar wat beter in de slappe was zit. Zonder een cent in huis vind ik er niet veul an."

Ze keken elkaar een moment recht aan en wendden dan hun blik naar iets anders. Als vreemden. Marie gekrenkt, omdat hij zich zo uitte en hij geprikkeld, om dat wat hij in haar niet begreep.

Er kwam een brief van moeder Ant. Of Klaas eens bij haar kwam, ze voelde zich niet goed en kon zo niet langer voort. Ze wou wel eens praten.

Hij ging erheen en kwam 's avonds opgewonden thuis.

„Moet je hore," zei hij toen ze hem op de dors tegemoet kwam, waar hij zijn fiets wegzette. „Moeder is lang niet goed en moet nou voortaan erg op 'r idee leve van dokter. Nou wil ze d'r eigen overgeve en in zo'n tehuis gaan. Ik vroeg vanzelf waarvan éé? Laat ze nou zegge dat ze nog wat geld heb ..."

„Gelukkig voor d'r," zei Marie blij. „Zou het genog weze?"

„Ik vroeg vanzelf hoeveul het was. Nou, precies heb ze het niet zeid, maar ik hoorde wel dat het nog aardig de moeite is. Nou docht ik zó: wij hewwe een groot huis, moeder ken wel bij ons. As ze het rustig hewwe wil ken ze de lege voorkamer krijge en daar ken ze d'r eigen meubeltjes mooi in zette. As zij mijn dan helpt en ik haar, dan benne we met mekaar red."

Marie zei hier niets op. Wist Klaas wel goed wat zijn voorstel inhield?

Blijkbaar niet.

148

Hij ging door, blij om de nieuwe ongedachte kans zijn zorgen te verlichten. En zij luisterde en dacht aan moeder Ant, die zo uitermate helder en schoon was op haar huis en inboedel en slechts twaalf jaar haar enig kind had geherbergd. Die straks in deze grote behuizing, in dit drukke gezin, in de armoe...? Ze had haar handen nu al meer dan vol om alles knap en heel en schoon te houden en de boel op tijd gereed te hebben... En nu wilde Klaas dit. Een oude sukkelende vrouw in een eigen kamer. Meer werk, meer zorg, meer drukte en misschien minder vrijheid voor hen allen, want moeder zou dit leven hier wel eens slecht kunnen verdragen, ze was haar hele leven immers rust gewend.

„Zou je moeder dat wel wille?" vroeg ze. „Onz' huishouwen is zo drok."

„Vanzelf wil ze dat. Ik hew er al op uitschoten."

„En?"

„Het staat 'r wel an."

Hij sprak verder over wat moeder Ant had gezegd. Ze had hem in weken niet zo uitbundig gezien, in jaren niet misschien. Enkel daarom zou ze het doen.

Dééd ze het. Omdat het hem geluk zou geven. Samen liepen ze naar de kamer, waar een golf van stemmen hen omving en hen dwong dit te laten rusten.

Maar later, in het stille donker van de bedstee, vroeg hij:

„Hoe denk je over mijn plan met moeder?"

„Dat het wel best is," gaf ze toe.

„Ik wist het wel 'oor," fluisterde hij innig. „Ik ken mijn lieve vrouwtje wel zowat. Die laat me niet in de steek."

Zijn arm omklemde haar, zijn mond zocht de hare. Zijn vreugde uitte zich in liefde en die liefde was haar een vreugde.

Een week later nam moeder Ant haar intrek in de voorkamer en weer een week later betaalde Klaas de oude rekening bij zijn kunstmestleverancier en bestelde tevens opnieuw. En nu contant. Hij kon weer vooruit.

Moeder Ant bleek nog geen mens van één dag te zijn, al moest ze heel rustig leven. Ze deed nog al wat haar hand vond om te doen. Al het eenvoudige naai- en stopwerk verrichtte ze graag. Ook bleek ze een opgewekte huisgenote te zijn, die van de kinderen veel kon verdragen. Heel de zomer zat ze in haar stoel voor het voorkamerraam en genoot van het uitzicht op de straat, al viel daar weinig te beleven. Ze vond het prettig zo en nam bedaard alles in zich op wat er in het grote huis voorviel zonder er op- of aanmerkingen op te maken, iets wat Marie hooglijk waardeerde.

Moeder Ant ontdekte veel.

Dat Klaas puur op geld was... maar hoe kon het ok aârs? Hij had het altijd hoog in 't hoofd had, daar was 'ie een Spijker voor.

En dat Marie een best wijfie was; wel niet zo knap in de huishouwen as zij zelf vroeger, en veul te goedig en te gemakkelijk voor Klaas en voor de joôns, maar het had eerder slechter as beter voor d'r treffe kennen en ze was altijd goed in 't zin en dat is ok heel wat waard.

Met Sijtje de Jong zou ze geen kans had hewwe om hier te komen; nou ja, dan had Klaas hier niet weund ok vanzelf . . . en dan had 'ie ok niet zo'n stel gezonde kindere had.

Of gezond . . .? Ankie most wat dikker weze en wat sterker, dat lieve kind wou er zowaar niet an, het leek wel of ze altijd binnen-koorts had met die hete hande . . . De oudste twee joôns ware flink voor d'r leeftijd en ok in d'r doen. Niks geen praatjes en ok geen branie, maar die derde, dat was zomaar zo'n windjewaai en de jongste een parmantje. Maar ze ware jong en konne gelukkig alle kante nog heen . . .

Wat had ze aârs een mooi leven nog zo. Je moste een beetje schikke vanzelf, maar dat most je overal. Ze had 'r ouderdomsrente iedere maand en nog een klein beetje geld achter de hand . . . de rest had Klaas nou, het was immers later toch voor hem, nou hoefde 'ie niet op 'r dood te wachten . . .

Al dromend sukkelde Ant dan zomaar in slaap om kort daarop met een schokje te ontwaken en haar gedachten weer opnieuw te laten gaan.

Zou ze Marie niet 'rs waarschuwe voor de kindere? En voor die Riek Bruin, die hier geregeld over huis kwam? Ze hield zomaar niks van dat meidje, het was zo'n grote baas, ze zat altijd over Ankie heen en het was nog een jongensgek ok. As je zagge hoe ze Joop achterna zat . . . wat most dat worre met dat ding . . . ?

Ze deed het. Maar Marie ging er niet op in. Zou Joop, haar liefste zoon, niet degelijk worre kenne? Och kom . . . hij lag oftig met zijn vader overhoop, dat wel, maar dat beurde met kindere van zijn leeftijd wel meer. Maar aârs . . . nee, moeder begon te zeuren, je konne an zuk toch zien dat ze oud was.

Het ging opheden zo goed met hulle. Alle drie joôns hadde opslag kregen van hulle baas en nou had ze het geld, dat Klaas met Kerst-mis nodig had, al klaar leggen. Niet in de kralen beurs, nee, daar had ze het geld in dat ze van de huishouding overhield; dat was voor nieuwe klere en schoene of 'rs een fiets voor de een of de aâr; ze had het in het oude trommeltje daan. Wat was Klaas daar blijd om weest. Hij werd er helegaar aârs van, meer net as vroeger, toe ze hier kwame.

Het was zo. Klaas werd weer de oude, nu de héél zware zorg, dat ge-voel van steeds dieper weg te zinken en er nooit meer onderuit te kunnen komen, van hem weggenomen was. Hij zag weer mogelijkheden. Zoals met die partij voederbieten, die hij voor een zacht prijsje in handen kon krijgen en dadelijk kocht.

„Maar waar moete ze van betaald?" vroeg Marie bezorgd.

„Ik hew toch geld leggen."

„Dat is toch voor lasten en rente, Klaas . . ."

„Wat zou dat? Ik gebruik het alleen maar effies. Het komt zo weer terug."

Een warreling van woorden zweefde Marie op de lippen. Beleerde Klaas dan nooit? Ze hield ze echter in. Eens keert de kans, had ze hem immers altijd voorgehouden, en dat kon nu toch zijn?

Klaas had goed gezien en toen hij de gehele voorraad had verkocht had hij aan winst en vervoer honderd daalders verdiend.

Honderd daalders schoon geld en het geleende bedrag lag weer in het trommeltje.

Juist toen had Krelis Hauwert twee mooie kalfjes te koop; beestjes die hem een lust voor ogen waren. Hij kocht ze, hij kon het niet laten en zette ze op stal. Eens werd elk kalf een koe. Eens . . .

Toen het weer lente werd graasden er twee pinken in de boomgaard, mooie glanzende dieren, die hem blij maakten en hem met vreugde en werkdrift vervulden, vooral toen hij in het najaar genoeg geld om handen kreeg om er nog twee bij te kopen.

Vier beesten op stal van eigen geld; het hele huis van buiten opnieuw opgeschilderd, het dak aan twee zijden vernieuwd, het was bijna te mooi om zelf te geloven. Hij zat nog wel lang niet schoon, en zo ver zou hij ook wel nimmer komen, maar nu het geld voor zijn vaste lasten geregeld klaar lag, kwam hij aan aflossen ook nog wel eens toe.

Wie weet . . . misschien het volgend jaar wel al, als het eens lukken wou met die tulpen van Joop . . .

Ja, die Joop was een rare dwarskop, bedacht hij. Die had altijd wat aârs. Die kreeg, toe 'ie nog school liep, een zoodje tulpe van een bouwer omdat 'ie een boodschap voor 'm daan had. Die had 'ie in een hoekie van de tuin uitzet en later alle jare zelf rooid en peld en wéér uitzet, tot Marie vond dat ze teveul plaats nodig hadde en vroeg of ze niet op de bouw konne. Eerst had 'ie 'r niks voor voeld, maar Joop hield nogal an en na wat geharrewar had 'ie maar toegeven. En nou was het al een heel veld vol en wou Joop, as het zo 'rs kwam, de leverbare verkope.

„De helft van wat ze opbrenge is voor u, pa," had hij beloofd. „Voor landhuur."

Niet dat 'ie daar nou zo'n hoge verwachting van had, maar het was met die tulpe soms zo wonderlijk.

Ja, Joop was een rare. Maar hij was tenminste altijd nog bij de boerderij en dat was weer een mooi ding. Want die oudste twee was 'ie kwijt. Jan leek wel helemaal verslingerd op winkelen en Dirk op bome, die wouë daar allebei in deurgaan en ze leerde as wilde.

Maar as 'ie Joop nou 'rs hield, en later Cor ...

Want Klaas droomde weer zijn oude droom.

Boer zijn. Eigen vee, grazend in eigen weiland. Zijn pinken werden vaarzen, die deze winter zouden kalven, en stel nu eens voor dat daar twee kuikalfjes bij waren?

In elk geval, hij maakte zijn bouwland groen, behalve dan het voorste akkertje waar de tulpen stonden. Het was een waagstuk, hij wist dit en had het van alle zijden bezien, doch als hij het nu niet deed kon het nooit. Nu brachten de jongens nog te zamen het geld voor de huishouding binnen en als het moest kon hij er de eerste paar jaar zelf ook nog iets bijverdienen. Het was nù of nooit.

In de loop van de winter schakelde Klaas werkelijk zijn bedrijf om en zijn hart was vol juichende vreugde toen hij de laatste oogst van zijn akkers haalde en de grond gereed maakte om er straks het graszaad in te zaaien. Ongeduldig verbeidde hij de datums die hij maanden geleden op de balk boven de twee volle stallen had geschreven; de datum waarop de kalfjes zouden worden geboren. En in angst en zorg bewaakte hij zijn vaarsjes zodra de eerste verschijnselen van de aanstaande geboorte zich vertoonden.

„Over mijn heb je nooit half zoveul armoed had as nou over die veerze," zei Marie.

„Maar dut ken 'm geld koste," kwam moeder Ant scherp uit de hoek.

Zijn zorg werd beloond. Hij kon drie kuitjes in het hok brenge en één stiertje naar de slager. Nu bezat hij zeven stuks vee en hij molk vier koeien.

Terwijl Klaas volkomen opging in de vervulling van zijn diepste wens maakte Marie een zorgvolle winter door. Eerst al met het werk. Moeder begon te sukkelen, ze werd bedlegerig en kon zich daar moeilijk in schikken. Daardoor was ze soms lastig en veeleisend en Ankie scheen ook niet geheel in orde, al was er van ziek zijn geen sprake. Maar het gevolg was toch dat ze van vroeg tot laat in touw was om alles recht te houden. En dan het geld. De jongens droegen wel trouw hun weekloon aan haar af, en daar zou ze behoorlijk mee kunnen rondkomen als Klaas er maar niet telkens iets van nodig had voor zijn boerderij. Het waren wel geen grote bedragen, doch die vele kleintjes liepen toch aardig op.

Zo ook op die zaterdagmorgen in maart, toen hij naar Hoorn was geweest om enkele inkopen te doen en al het geld dat in huis was had meegenomen. Gelukkig brachten de jongens die avond weer nieuw, bedacht ze.

Eerst kwam Dirk en toen Jan en nu wachtte ze op Joop, en berekende onderwijl waarop ze in de komende week bezuinigen kon om zonder schulden te blijven. Joop was laat, veel later dan gewoonlijk. Klaas was al te scheren en het avondbrood stond gereed toen ze hem hoorde aankomen op het straatje. Maar wat deed 'ie toch? Hij leek wel zo zoetjes te lopen . . . Zou 'ie zijn eigen soms bezeerd hewwe? En hij ging helegaar achterom . . .

Ongerust draafde ze naar de koegang en trok de deur open.

,,Ben jij daar, Joop?" vroeg ze.

,,Ja. En kijk 'rs wat ik hier heb?" klaterde zijn stem haar tegen. Ze ging op de drempel staan en tuurde in het donker tot ze een vage gedaante met veel wit achter Joop zag opdoemen. Het kwam langzaam dichterbij en in de lichtschijn, die door de open deur naar buiten viel, zag ze dat het een kalf was.

,,Wel heb ik van mijn leven. Hoe kom je daaraan?" vroeg ze verbaasd.

De jongen stond nu voor de drempel en liet zien hoe hij het kalf op zijn hand liet zuigen en het zo meelokte. Nu tilde hij het op de koegang in het volle licht.

,,Hoe vindt u het, moe?"

Ze bekeek het beest. Het was een foeilelijk dier, grotendeels wit met enkele vaalzwarte vlekken.

,,Het is een vale," zei ze kritisch.

,,Ja éé. Hij is van Mina, een erge beste koe 'oor, maar de baas wou 'm niet houwe, omdat 'ie niet zo mooi is . . ."

,,Zeg maar van erg lelijk," viel ze hem in de rede.

,,Nou en toe ik zei dat het begrotelijk was, want Mina is zo'n best . . . en toe zei de baas uit de gekheid dat ik 'm wel meeneme mocht inplaats van mijn weekloon. En toe zei ik: dat is je gehouwen; en dut is 'm nou."

Marie stond sprakeloos. Zat ze me daar zowat te springe om zijn loon en komt 'ie inplaats daarvan met een akelig lelijk kalf thuis dat zijn baas niet eens houwe wil. Of ze al geen opeters genog hadde! Die vier veerze gave samen wel een aardige plomp melk, maar daar moste eerst die drie kalve van voerd, en met deuz' erbij zouwe het er vier worre. Lieve tijd, wat ging er dan naar de fabriek en wat ving je dan as melkgeld . . . Niks 'oor, dut kalf most terug en hij most zijn geld vange.

Met deze woorden op de lippen keek ze naar Joop. Ze zag zijn ogen in blij verwachten op de hare gericht; zijn mond, die haar tegenlachte en toen ze haar blik neersloeg om de vraag in zijn wezen te ontwijken zag ze zijn hand, die forse jongenshand, het kalfje strelen, steeds maar strelen.

,,Ben je er blijd mee?" vroeg ze.

Hij knikte heftig. ,,U ok?"

153

Ze was er heel niet blijd mee. Ze wou dat ze het lelijke ding nooit zien had; en het geld had ze nodig, bar nodig . . .

Haar gedachten rekenden nu al hoe ze het er zonder redden moest . .

En toch zei ze met iets van vreugde in haar stem:

„Wel 'oor. Ik ok."

„Is pa er niet?" vroeg hij nu opgewonden.

„Nee. Hij is al te scheren."

„Dat spijt m'n. Ik ben zo nieuwsgierig wat die er wel van zeggen zal."

Geduldig leidde hij het dier verder naar het hok waar hun eigen kalveren waren, maar eer hij daar was kwam zijn vader thuis.

„Wat hewwe we nou?" vroeg die en liep snel naar hen toe.

Weer vertelde Joop. Klaas luisterde vol aandacht terwijl hij met duidelijke afkeuring naar het kalf keek. Toen Joop echter de moederkoe aanduidde veranderde zijn gezicht en hij zei:

„Dat heb je dut keer wijs bekeken, zeun."

„Maar hij is van moe 'oor, niet van u," bedong Joop nu. „Aârs had die mijn centen vongen, zien."

„Best, mijn knecht."

Ze knikten elkaar toe en nu ontdekte Marie voor het eerst hoezeer Joop op zijn vader geleek.

Het waren net twee uitgelaten kinderen toen ze hun nieuwe bezit wegvoerden, dat feitelijk het hare was.

Terwijl zij cijferde en rekende onder het eten, bedachten de jongens een naam voor het kalf en Dirk stelde voor om Joop zelf maar te vernoemen.

„Johannes. Dat wordt dan Johanná . . . Nou, dan is het een Hanne," stelde hij vast. En zo bleef de vale koe altijd heten.

Met rekenen en tobben scharrelde Marie ook deze winter weer van de ene week in de andere. De uitgaven klommen, het inkomen niet. Telkens was het opnieuw weer:

„Vrouw, geef mijn effies een tientje. Ik moet . . ."

Soms was het meer, soms minder, maar voor haar was het altijd te veel. Ze borgde nu bij deze en dan bij gene en wist zich evengoed nog amper te redden.

Tegenover Klaas verzweeg ze dit. Ze kòn op zijn trotse vreugde geen domper zetten. Zijn nieuw verworven geluk was haar zo dierbaar. Haar ogen liefkoosden zijn gestalte als hij recht en fier door de boomgaard ging en ze beluisterde de zware gang van Fideel, het gerucht van de kar en het gerammel van emmers en melkbus. omdat ze wist dat die geluiden hem lief waren.

In de lente bloeiden de tulpen achter de boomgaard. Hun uitbundig rood was reeds van verre zichtbaar boven het stemmige weidegroen. Ze bekeek ze slechts vluchtig, ze had er geen tijd voor; moeder Ant

154

lag nog steeds ziek, van Ankie durfde ze nog weinig vergen, de schoonmaak begon en het huis was groot en oud en het dagelijks werk nam al zoveel tijd in beslag . . .

En er was ook nog dat andere.

Nieuwe pakken, nieuwe schoenen, nieuwe overhemden, dassen, sokken . . . De jongens moesten toch behoorlijk gekleed gaan. En de fiets van Dirk was totaal op. En de gordijnen en deurmatten en het karpet . . . En nog wel meer.

En ze was zo moe . . . Zo vreselijk moe dit voorjaar.

Verderweg, aan het einde van het jaar, wachtten weer andere zorgen, maar die waren nog ver. Als ze eerst deze maar onder de knie had.

In deze maanden kreeg haar gezicht scherpe lijnen en werden haar voeten minder vlug. Doch ondanks alles klonk haar lach nog even helder en zong haar stem zachtjes allerlei oude en nieuwe liedjes door de grote behuizing.

Klaas had zijn vee op het achterstuk gejaagd en wilde het voorstuk hooien. Dagelijks keurde hij zijn gras op dichtheid en kwaliteit. Het werd beter dan hij verwacht had, fijn en dicht en goed gemengd. Als de wind erover speelde golfde het zachtjes mee zover hij kon zien en dan hunkerde hij naar de dag waarop het zou vallen voor het mes van de maaimachine. Dat had hij prachtig voor mekaar, dacht hij trots. Krelis Hauwert mocht Fideel gebruike voor zijn maaimachine as hij daarvoor in ruil dan zijn land ok maaie wou. Later zou hij Krelis dan weer helpe om die z'n hooi mee binnen te halen en dan kwam Joop hier weer te hulp. Zo zouwe ze deur mekaar werke die tijd, dan hielde ze allebei de buul dicht. En dat was bij hem erg nodig. Hij zou tenminste, as het hooi thuis was, maar d'rs naar een sjouwtje uitzien, aârs redde ze het niet dut jaar.

Toen overal in huis de zoete zonnige geur van het rijpe hooi doordrong rooide hij Joops tulpen, en zodra de bollen gepeld waren ging hij die sorteren en aftellen.

„Wat hewwe we een leverbare," glunderde hij. „As ze nou maar wat opbrenge ok . . ."

„Zoas ik hoord heb is dut soort van 't jaar nogal gewild," zei Joop. „Arie Boon heb ze ok en die kon ze al voor een dikke prijs uit de hand verkope."

„Dat staat er zoet voor, zeun." Klaas wreef zich de handen. „Maar dut zeg ik je, duur of niet duur, je ruime alles op 'oor. Ik ken ankomde jaar geen grond meer misse."

„Goed . . . Best . . . ," beloofde Joop en hij betastte voorzichtig de zijden huid van enkele der grootste bollen.

Toen de hele bollenkraam verkocht was had die achttienhonderd gulden opgebracht.

155

„Dat is negenhonderd voor mijn portie," zei Klaas en zijn stem was diep van emotie.

„Negenhonderd," echode Marie.

Ze berekenden wat er omstreeks Kerstmis van moest worden betaald en toen hoeveel schuld er hier en daar nog stond. Toen Klaas het eindbedrag noemde, toen wist Marie dat er lang niet genoeg was. Maar ze sprak het niet uit. Waarom die vreugde te smoren? Het bedrag leek zo groot . . . Als Klaas maar betalen kon. Zij zou wel weer zien hoe ze er kwam.

„Ik heb een mooie sjouw opdaan," vertelde Klaas haar kort daarna. Ze liet haar werk rusten en keek hem hoopvol aan.

„Ik heb annomen om twee bunder land te braken. Dat ken ik er best bij hewwe en het geld komt er ankomde jaar weer mooi in."

Ankomde jaar . . . dacht ze. Had ik er nou maar wat van. Gelukkig dat Jan nog een jaar thuis blijft, want ik ken zijn geld nog niet misse. As Klaas dut heb zal dat het volgend jaar beter gaan en dan vange we weer meer melkgeld ok.

Had moeder Ant iets van haar zorgvuldig verzwegen zorg ontdekt? Vast wel, want toen ze die op een morgen weer verzorgd had vroeg ze:

„Wil je effies mijn kissie geve, Marie?"

Ze greep het ijzeren kistje van het bedbordje en gaf het de oude vrouw in handen, die het opensloot en er een grijs linnen zakje uitnam.

„Hier," zei ze. „Dat is voor jou. Maar je magge er niks van teugen Klaas zegge 'oor, aârs heb die wel weer dut en dat nodig voor zijn eigen. Dut moet jij zelf gebruike."

Marie betastte het zakje dat Ant haar in de hand stopte en voelde dat er zilvergeld in zat.

„Maar moeder, dan heb je niks meer," protesteerde ze.

„Ik vange elke maand nog wat en meer heb ik niet nodig. Ik ben nog niet doof en blind 'oor," voegde ze eraan toe.

Dat eenvoudige pakje sloot Marie zorgvuldig weg. Al zag ze er dan ook geen kans toe om de oude schulden te betalen, nieuwe kwamen er dit jaar gelukkig nu niet meer bij.

Het was in het kortst van de dagen en bar koud, toen Joop haar op een middag twee jankende biggetjes bracht.

„Wat moet je daarmee?" vroeg ze afwerend.

„Oppotte," zei hij heel gewoon. „Dat heb u toch vroeger ok al d'rs daan?"

„Ja vroeger . . . ," zei ze.

„Waarom dan nou niet?" vroeg hij.

„Och joôn, dat wordt mijn veul te drok. Ik ben geen twintig meer . . . ," wees ze hem af. Doch toen ze zijn gezicht zag betrekken en hem daar zo zielig met de twee klagende knorrige diertjes zag weggaan, drong iets haar tegen eigen willen in om te zeggen: „Breng ze maar op de achterste koestal. Ik zal gauw een paar flesse zoeke, haal jij dan effies spene uit de winkel."

„U is toch maar een lieverd," prees hij haar, eer de deur zich achter hem sloot.

„Een lieverd ja," schold ze zichzelf, „dut hew ik er ok maar weer mooi bij . . ."

Nou most ze eerst naar die flesse zoeke en melk warme, het was toch weer een hele drokte erbij. An moeder kwam al meer werk, Ankie had de koud te pakken, er was een brief komen dat 'r eigen moeder ok niet goed was en of ze 'drs kwam . . .

Er was echter geen tijd om te denken; de klok sloeg twaalf, de aardappels waren gaar en moesten worden afgegoten, de tafel moest gedekt, Klaas riep haar naar de koegang en moeder tikte tegen de beddeplank.

Ze moest dóen.

14

Eer de lente kwam was moeder Ant dood en begraven. Haar leven was zachtjes uitgeblust. Al was door dit sterven Marie veel dagelijks werk uit handen genomen, toch miste ze de oude vrouw. Veel van wat die tijdens haar leven gezegd had was toen langs haar heengegaan. Nu kwamen veel van die woorden in haar herinnering terug. Ook die over Ankie.

„Je moste d'rs met 'r naar dokter gaan, Marie, Ze staat mijn heel niet an. Er zat altijd puur tering onder de Spijkers, weet je; longtering en suikertering en de meeste ginge jong dood. Zij ken òk wel in geen goeie huid steke."

„Och," weerde ze dan af. Moeder ok altijd met dat gezeur over die ouwe familie. Wat had Ankie daar mee uit te staan. „Wij ziene er niks geen kwaad in. Ze is nog in de groei."

Maar nou lag Ankie al verscheidene weke en ze werd minder inplaats van beter. Het was vanzelf niks aârs as dat ze koud te pakken had, want ziek as ziek was ze niet, maar er most toch een end an kome.

Vermoeid zeeg ze in haar stoel. Welfoei, wat kon een mens toch soms loof weze. Het kwam wel door het voorjaar, maar ze had het ok bar drok opheden. As Jan over twee maande naar Rotterdam ging werd het effies makkelijker met het werk. Die Jan toch; kreeg 'ie me daar een beste betrekking in een grote zaak met een loon waar 'ie wel op trouwe kon as 'ie dat wou. Maar hij had nog geen kijk op de meisjes, hij wou eerst sparen, gaf hij voor.

Die vrolijke joôn, wat zouwe ze 'm misse. Maar je konne ze niet altijd onder je wieke houwe, dat was ok niet goed. Dirk wou het volgende jaar verandere en raakte dàn de deur wel uit. En Joop? Ja, wat zou Joop naderhand wille? Eerst most 'ie nog in dienst vanzelf, maar dan?

Wat was het stil in huis, Ankie sliep, Cor was naar school, en Klaas? Die zou wel weer bij Sijtje zitten.

Marie's mond stond strak en haar ogen werden donker.

Klaas en Sijtje . . . Wat trok hem er toch altijd heen? Misschien het vee, of de mooie kamers, of wat ze hem maar bood, koffie, koek, sigaren . . .

Om Gerrit was het in ieder geval niet.

Klaas had warm bloed, ze wist dit beter dan ieder ander en Sijtje zag daar ook naar uit. Zou dat . . . ?

De Spijkers zoeke mekaar altijd, had moeder gezegd.

Ze stond op en ging voor de damspiegel staan. Ze keek naar wat die haar toonde en vergeleek dat met het beeld van Sijtje dat haar dagelijks voor ogen zweefde: slank, lenig en goed gekleed. Terwijl zijzelf ... Een te zwaar geworden figuur, slecht zittende, vermaakte kleren en een vroegoud gezicht. Toch was ze nog geen tweeënveertig jaar. Misschien zag Klaas wel liever wat aardigers dan haar, dacht ze bitter. En ze vergat de zachte krulletjes die nog steeds zo echt ondeugend uit haar kapsel sprongen en rond haar hoofd dansten, al liepen er enkele grijze haren door; en de gave tanden die lokkend tussen haar lippen blonken. En ook de stralende ogen, omkranst door lange donkere wimpers. Maar ze vergat niet hoe de àndere Klaas kon lokken met wat ze had en wat ze was, hoe die hem kon verwennen met woorden en daden en hem bovenal boeide door de wijze waarop ze hem aanspraak; niet zoals de rijke boerin een arme prutser, nee; zoals de ene rijke Spijker tegen de andere sprak. En dat had Klaas nodig. Nu, vroeger, altijd.

Zij kon hem dit niet geven. Sijtje wel.

Toch was het niet zoals Marie vreesde. Al had Sijtje dit misschien wel gehoopt en al trachtte die soms nog haar verloren droom te doen herleven. Doch Klaas merkte dit ternauwernood. Hij had immers Marie. Bij hem was er soms enkel een vluchtige herinnering die hem nu onaangenaam was en die hij daarom uit zijn gedachten bande. Dit was al zo lang geleden ... Maar Sijtje zag naar hèm op, terwijl ze Gerrit kleineerde; en dat gaf hem een gevoel van trots.

Dat hij dan later zelf Marie soms grievend krenkte als een echo en op de manier waarop Sijtje over haar sprak, dat wist hijzelf niet eens. Ook niet hoe weinig aandacht hij aan haar onrust over Ankie besteedde. Zijn gedachten bleven meer beperkt tot het eigen terrein. Toen haar moeder aan Ankie zei dat nu de dokter toch komen moest, protesteerde die heftig. Haar scheelde heus niks, ze was alleen wat loof, maar dat was moe toch zelf ok? En die haalde er toch ok geen dokter bij? Morgen zou het gerust wel weer gaan. De diepblauwe ogen schitterden Marie tegen uit het smalle gezichtje, waaraan de zachte blos een tere schoonheid gaf.

„Zelf wete 'oor. Je voele zelf wel of je ziek benne of niet," zei ze in lichte wrevel.

Want de onrust week niet door wat Ankie zo stellig beweerde.

Geen dokter, dacht het meisje beslist. Die zeit natuurlijk van ruste en niet uitgaan en vooral niet danse. En dat nou de zomer ankomt ... Ik wor zo ok wel beter.

Met heel de gretigheid van haar bijna achttien jaren hunkerde ze naar de genoegens, waarvan ze al zo lang gedroomd had en waaraan ze nu zou mogen deelnemen.

„As je achttien benne . . . . ," hadden pa en moe altijd gezegd.
Ze wilde gezond zijn. Ze móest het zijn. En haar geest dwong de
volgende morgen het onmachtige lichaam tot opstaan in onbewuste
vrees voor de vijand, die geniepig langzaam haar krachten sloopte.
„Gaan jij nou maar zitte te naaien, ik ken het werk makkelijk of,"
bedisselde Marie bijna elke dag opnieuw; en gedurende de schoonmaak en op de wasdagen liet ze Ankie slechts het allerlichtste werk
doen. Met een zwaar hart zag ze haar zondags en op een enkele
door de weekse avond met haar vriendinnen wegfietsen. Haar meiske
was zo rank en zo teer tussen die anderen. Toen ze haar laatst weer
eens woog was ze maar achtentachtig pond meer.
Klaas had erom gelachen.
„Jij benne te kwaad om te groeien, An," zei hij vrolijk. Maar zij had
wel kunnen huilen.
Melk, biefstuk, eieren, al wat maar goed en lekker was stopte ze
het kind toe, ze voerde haar soms als een baby en toch ging ze
achteruit. Wat most dut worre? As moeder Ant toch 'rs gelijk
had . . . ?
Maar Ankie was zo vol leven en vrolijkheid, ze was echt een brokje
zonneschijn, en dat kon een ziek mens toch niet zijn . . .
„Eer het staltijd wordt moet ik een nuuwe achtermuur hewwe," zei
Klaas in die dagen. „Aârs ben ik bang dat de koeie d'r koppe er
nog 'rs deursteke. En dan moete er meteen maar drinkbakke op de
stalle kome en de goot weg. Van de stene van de ouwe muur wil ik
dan een varkensboet zette late. Ik krijg lenigan zoveul varkens dat ik
ze niet meer stalle ken en ons ouwe boetje ken dan ok sloopt."
„Dat zal wel puur koste zeker?" vroeg Marie.
Ze dacht aan de stofzuiger die zo graag wilde hebben in haar grote
huis, waar het altijd ruig en stoffig was omdat de zolders zoveul
doorlieten.
„Meer as ik betale ken. Maar het moet en daar is de kous mee of,"
stelde Klaas vast.
As ik weten kennen had dat die bigge van Joop fokzeuge worre
zouwe, had ik die dinge nooit oppot, dacht Marie. Nou heb Klaas
strakkies een boet vol met varkens en ik sjouw nog met stoffer en
blik. Jan naar Rotterdam, Joop in dienst . . . het wordt evengoed al
een schrale herfst met enkel het loon van Dirk . . .
Want het melkgeld en dat wat de vruchten opbrachten ging apart
in 't trommeltje, dat was voor Kerstmis. Daar kon niets af.
De nieuwe achtermuur met de grotere koeraampjes gaf de koegang
een heel ander aanzien, maar de hoge hardstenen drempel, waarbij
alle kinderen zo graag speelden en waarop ze eens samen hadden
zitten schreien, was verdwenen; en een strakke nieuwe deur had de
gezellige onder- en bovendeur vervangen. Dan was er ook nog een

stuk van de zolder vernieuwd en het houten schot van de dors flink opgeknapt.

„Mijn bedrijf is nou veul meer waard," stelde Klaas vast en dan knikte ze. Het zou wel zo wezen. As het je maar niet zo arm hield.

Kort na Joops terugkeer uit de militaire dienst gaf Ankie het op. Ze kòn niet langer en bleef op een morgen uitgeput in haar smalle bedje in de opkamer liggen. Zelfs Klaas schrok toen Marie hem daarheen riep. Zó, met dat losse haar, dof en klam van zweet en dat koortsige gezichtje, zo had hij haar nog nooit gezien.

„Nou ben ik echt ziek 'oor," zei ze, „ik voel het."

„Laat Cor gauw om dokter gaan," beval hij met een stem zonder klank. Zou Marie toch gelijk hewwe?

Het gezicht, en even daarna de zorgvuldig gekozen woorden van de dokter bewezen hem dit.

Het waren haar longen.

„Moet ze weg, dokter?" vroeg Marie kalm, doch met strak gehouden lippen.

„Het koste wat kost 'oor . . . ," voegde Klaas eraan toe.

„We zullen nog wel eens zien," zei de dokter. „U moet haar beslist apart houden."

En hij gaf Marie instructies hoe ze dit moest doen met het oog op de anderen.

„Ken ze weer helegaar beter worre, dokter?" vroeg Klaas toen die hem uitgeleide deed.

„Ik kan u weinig hoop geven, Spijker. Het is, vrees ik, een kwestie van maanden, misschien van weken."

„En as we het nou eerder ontdekt hadde . . . ?"

„Dan was het toch wel te laat geweest."

De dokter ging. Hij kende de toestand hier in huis, hij had Ankie al eerder behandeld, hij wist veel . . . En hij zuchtte om eigen onmacht. Waarom zou hij het leed van deze ouders verzwaren door hoop te geven voor iets wat toch onherstelbaar was?

Daar lag Ankie dan stil en moe en ze keek door het hoge venster van haar kamertje naar het winterlandschap zolang de korte dagen duurden, en verder naar het licht van haar mooie lampje dat ze eens voor haar verjaardag kreeg, en ze luisterde naar de geluiden die slechts zwak tot haar doordrongen. Elk geluid vertelde haar iets, al was ze meestal te moe om daar op door te denken. Het was maar goed dat moe de joôns bij 'r vandaan hield, vond ze.

„Ze zouwe je nog lover make," zei ze en dat was ook zo. Nou kwame ze oftig bij 'r voor het raam en zwaaiden en knikten naar haar. Pa kwam alle dage effies een paar keer en moe liep geregeld of en an met een groot schort voor, dat 'r hele gestalte volkomen insloot.

„Dut hew ik kocht om de schande een beetje te bedekken," had ze haar verteld toen ze het de eerste dag droeg. „Nou jij te bed legge ben ik een naaister kwijt en mijn werkgoed wordt zo bar. Zo ziet geen mens er wat van."

„Ik mag wel gauw beter worre!" vond ze en moe had dit beaamd. Telkens als ze aan moe dacht was er iets dat haar onrustig maakte. Die had het veuls te drok en most nodig een stofzuiger hewwe. Maar ze zei altijd dat er geen geld voor was. Voor pa en de joôns en ok voor haarzelf was er toch op zijn tijd wèl wat nodig was. Voor moe nooit. Zou ze pa 'rs andoen? Nee, die niet, die docht enkel om zijn bedrijf. Nee, die zat al genoeg in de zorg. Maar Joop ... Joop had geld op de spaarbank van toe, van die tulpe ...

Ze most 'rs effies met 'm prate kenne.

Nog dezelfde dag vroeg ze het Marie.

„Ik wou graag dat Joop 'rs bij me kwam."

„Och lieverd, dat is te drok voor je. Je ziene 'm toch alle dage?"

„Maar ik spreek 'm nooit."

„Wou je wat wete? Zal ik het vrage voor je?"

Ankie schudde het hoofd.

„Nee, ik moet 'm zelf spreke. Vijf minuutjes maar. Ik zal erg kalm weze."

„Nou, voor één keertje dan."

Marie zuchtte verdrietig. Wat wist dit lieve kind ervan waarom de broers niet bij haar kwamen en waarom zij dat grote schort droeg als ze in het opkamertje kwam?

Diezelfde avond zat Joop daar aan de kleine tafel met gebogen hoofd en hij luisterde vol aandacht naar Ankie's woorden. Naar die stem, die een beroep op hem deed. Voor hun moeder. Het was of ze een kamer voor hem opende waarvan hij het bestaan nooit vermoed had.

Dus as je het goed bekeke, had moe 'r eigen zo'n beetje opoffferd voor hulle allemaal. Maar most hij dat nou alleen betale? Hij had wel zo'n kleine duizend gulden op zijn spaarbankboekie staan, dat wist Ankie wel goed. Alleen wist ze niet dat hij met een kameraad een handeltje beginne wou en dat het zijn handelsgeld worre most. Hij had alles dik en dik nodig. Waarom docht pa niet wat meer om moe? Om z'n eigen docht 'ie wel, de koeie, de varkens, het huis ... Voor zijn peerd had 'ie warempel nog meer over as voor zijn vrouw.

Op dit moment ontstond in Joops binnenste een gevoel van bitterheid jegens zijn vader, dat zou uitgroeien tot wrok en hem tot verzet zou drijven.

Ankie was uitgepraat; en toen haar vreemde, hol geworden stem zweeg, zag hij haar aan.

Wat lijkt 'ie nou op pa, dacht ze.

„Je vrage m'n heel wat, zussie," zei hij met een zucht. „Maar je vrage het nogal lief en dus moet het maar beure. Wanneer moet 'ie er weze?"

„Zo gauw as het ken. Aârs begroot het je misschien," plaagde ze.

„Niks 'oor. Dat ding komt. En een goeie."

Twee dagen later bood hij Marie met een nonchalant gebaar een grote doos aan.

„Asjeblieft moe. Voor u."

„Voor mijn? Van wie? Wat zit erin?"

Zenuwachtig plukte ze aan het touw en toen dit los was trok ze snel het deksel los.

„Een stofzuiger," bracht ze hijgend uit. „Oh Klaas . . ." Ontroerd en dankbaar keek ze hem aan. Maar die zei:

„Ik hew zo'n ding niet besteld 'oor."

„Och, dan is 'ie wel niet voor ons," stelde ze ontnuchterd vast.

„U krijgt 'm van mijn," zei Joop nu.

„Van jou? Zo'n duur stuk? Maar kind, dat is veuls te erg. Waarom?"

„Nou, ik denk . . . om er stof mee te zuigen."

Ze lichtte de stofzuiger uit de doos en bewonderde hem. Joop toonde haar de hulpstukken.

„U hebt het op heden veul te druk zo. En iedereen heb er een."

„Kom kom . . . iedereen . . . ," remde Klaas.

„Nou, zo goed as iedereen," verbeterde hij.

„Wel, wel, wat ben ik hier blijd mee, zeun. Wel bedankt 'oor." En met een liefkozend gebaar streelde Marie over het zware donkerblonde haar van Joop, die het snoer afwikkelde en de stekker in het stopcontact stak.

De kamer werd nu vervuld met een gonzend geraas en Joop genoot van zijn moeders verrukking toen hij de zuigkracht demonstreerde. Klaas keek donker.

„Ja, zuk ken jij doen," zei hij naijverig.

„U had het ok kennen," wees Joop hem terecht. „We hadde evenveul."

Verder konden ze gelukkig niet gaan, want Marie eiste hun aandacht voor haar vreugde.

Toen kort daarop Klaas in de koegang was legde Joop een paar bankbiljetten op de tafel.

„Dut heb ik nog over," zei hij. „Ik had meer voor die stofzuiger in 't hoofd as 'ie kostte en nou had ik graag dat u hier wat voor u eigen van kocht. Een jurk of wat aârs."

Marie kwam naar hem toe en schoof de bankbiljetten uiteen.

„Maar joôn, zoveul geld ok nog? Dat wil ik niet hewwe 'oor," zei ze onrustig.

„U moet." Joop ging op een hoek van de tafel zitten en drong aan tot hij haar zag schreien. Voorzichtig streelde hij haar arm. „Gaat u nou huilen," plaagde hij, „en ik wou u nou juist blijd make."

„Daarom huil ik juist," zei ze gesmoord. „Omdat jij zo lief voor me benne. Maar dut is toch te erg 'oor."

„Niks te erg. En as u het niet neemt gooi ik het te water of ik drink me er dronken van. Nou, wat doen we?"

Lachend liet hij de papiertjes voor haar ogen wapperen tot zij ze vastgreep.

„Toe dan maar," gaf ze toe. „Maar dan hew ik liever dat pa er niet van weet. Die houdt niet van zuk."

„Dat zag ik," zei Joop kortaf. „Maar zou 'ie het niet ontdekke as u wat nuuws anheb?"

Marie zuchtte.

„Late we maar hope van niet. En aârs zal ik er wel wat op vinde."

Ankie gaf nog allerlei raad eer ze iets kocht, en haar smalle, kleine handen wezen als het ware aan hoe ze zich indacht dat de kleren moesten zijn. Marie deed blij en vrolijk ondanks het verdriet dat haar borst beknelde, toen Ankie zei:

„Neemt u vooral donker, moe. Of zwart. Dat ken u altijd drage en het staat u zo goed. En later, as ik het weer d'rs verander voor u, dan kleurt alles erbij."

Zwart, zei ze. En later as ik ... Terwijl zij wist dat er geen later zijn zou ... en ze wel zwart zou moeten dragen.

Zodra zich een gunstige gelegenheid bood ging ze naar de stad en besteedde daar het geld dat Joop haar gegeven had. Bij elk stuk dat haar getoond werd was het haar of ze Ankie's stem weer hoorde en ze liet zich daardoor leiden.

Nooit in haar trouwen had ze zoveel voor zichzelf gekocht, al had ze dikwijls verlangd dit te kunnen doen. Maar dan niet zó. Niet op aandrang van een doodziek kind met het spaargeld van een ander. Ze had dan ook alleen toegestemd om de grote liefde die ze hierdoor toonden.

Tot haar geruststelling bemerkte Klaas niets, al gleden zijn ogen soms in lichte verwondering langs haar figuur. Het werk eiste hem ook zo volkomen op. Twaalf stuks rundvee, zeventig varkens en een paard, dat is niet niks als je er alleen voor stond. Want Joop, waar hij al zijn verwachting op had gesteld, Joop ging in de handel en Cor was nog te klein om hulp te geven. Het was een geluk dat Marie zo goed kon melken en altijd hielp as het nodig was, anders kwam hij met al zijn werk nooit klaar. Hij had nauwelijks tijd om naar de barbier te gaan, daarom was 'ie blij toen Joop op een van de markten, die hij bezocht, een scheerapparaat voor hem kocht als een klein geschenk.

En dan was Ankie er nog. Beslist tweemaal daags bracht hij haar een kort bezoek. Dan deed hij opgewekt en plaagde haar een beetje en vertelde van de beesten en van zijn werk, al zat hij liever te huilen om wat steeds dichterbij kwam. Daarom was hij dankbaar voor het vele werk dat hij verrichten moest en dat hem geen tijd tot nadenken liet. En dan was er die eeuwige geldzorg ook nog. Zodra hij een hok vette varkens had afgeleverd moest eerst de rekening van de molenaar worden voldaan en dan bleef er weinig meer over. En van dat èn van het melkgeld moest alles bekostigd worden, ook de huishouding, nu Jan en Dirk de deur uit waren. Want Joop betaalde enkel kostgeld; een goed kostgeld, daar niet van, maar veel winst zat er dan toch niet meer aan.

„Ik ken niet meer misse, want hoe meer geld ik omhande heb hoe meer ik ermee doen ken," zei hij, toen Klaas eiste dat hij al wat hij verdiende zou inbrengen.

Marie had heel wat moeten sussen eer de vrede hersteld was tussen die twee.

Het was volzomer toen de levensvlam van Ankie, na een telkens zwakker wordende opleving, ineens uitbluste en Klaas en Marie samen in het opkamertje zaten na een stil afscheid van hun enige dochter, die achttien jaar lang zoveel schoonheid en geluk in hun leven had gebracht. Als een vlinder was ze door haar dagen gegaan, licht en liefelijk, en haar aanwezigheid had aan allen in huis vreugde gebracht. Haar zonnige stem was nu verklonken, haar kleine voeten, die voor ieder bereidwillg ronddraafden, waren stil en de vlijtige handjes rustten. Ankie was dood.

Klaas voelde zich neergebeukt. Al had hij dit wekenlang geweten en het van dag tot dag zien naderen, hij had altijd nog op het onmogelijke gehoopt. En nu was het tòch gekomen. In een schor en onbeheerst schreien had hij zijn smart geuit met in zich de plotselinge herinnering aan het kleine meisje, dat eens op de hoge drempel van de oude achterdeur naast hem zat en met haar zakdoekje zijn tranen droogde.

Marie keek op hem neer zoals hij daar voorover gebogen bij de tafel met het grijzende hoofd op de armen zijn leed uitsnikte. Als een botte zaag ging dit afscheid in martelend rukken al dagen, weken, al máánden door haar heen. Ontelbare tranen had ze in stilte geschreid en nog veel meer zouden er volgen. Maar nu moest ze die verdringen om Klaas en om de jongens, en ze beet haar trillende lippen bloedrood om de telkens opwellende snikken tegen te gaan.

Met een innig gebaar nam ze nog eenmaal Ankie's hand in de hare en streelde die ten afscheid eer ze van het bed wegging om plaats te maken voor hen die ze hoorde komen en die haar kind de laatste verzorging zouden geven.

Vast legde ze haar arm om de brede schouders van Klaas.
„Ga je mee?" vroeg ze zacht. „Ze kome."
Verward blikte hij naar haar op. Dan kwam hij omhoog en stond naast haar. Zo voerde ze hem weg, nog omziende naar wat hun was ontnomen, terwijl de rijzende zon, door het dichte gebladerte van de kastanjes getemperd, het opkamertje een mild en vredig aanzien gaf. En Marie wist dit: nooit in haar leven dat voor haar lag, zou haar geluk meer zó volmaakt zijn als het tot nu toe geweest was en elke herinnering aan wat voorbij was zou haar dit gemis fel en pijnigend doen gevoelen.

Nog eenmaal, voor het laatst, waren alle kinderen onder het hoge dak bijeen om het zusje uit hun midden te vergezellen op haar laatste tocht.

Toen was het voorbij en ging het leven zijn oude gang, naar het scheen.

In het dagelijkse leven van Marie was nog de weerklank van Ankie's stem, die haar drong zich goed te kleden, te kappen en te verzorgen, die voorgoed de neiging om zich te laten gaan uit haar wegbande. En ook was er het gemis dat ze met enkele van de vele kleine dingen, die haar bezwaarden, nu niet meer naar het opkamertje kon gaan om ze aan Ankie voor te leggen en dan samen naar een oplossing te zoeken. Onbewust had ze in zoveel zaken op haar dochtertje gesteund en deze hulp miste ze meer nog dan die van haar vaardige handen.

Het werd herfst en in de nieuwe schuur lagen weer twee hokken met vetgemeste varkens voor de verkoop gereed.

„U mag ze wel opruime 'oor pa," waarschuwde Joop, die iets gehoord had en het dus weten kon. „De spekprijs keldert."

„As je maar wete dat ik niet onder de drie-en-twintig cente verkoop," zei Klaas.

Die eigenwijze joôn met zijn raad ... Of 'ie zelf niet wist wat 'ie vrage kon.

Klaas kon een-en-twintig krijgen en weigerde. Een week daarna kwam Joop gehaast de koegang op.

„Pa, as u ze morgenochtend levere wil ken ik voor alle twee hokke nog negentien cente make."

Klaas, druk bezig met het sorteren der wintervruchten, keek op noch om.

Tot Joop ongeduldig vroeg:

„Doet u het? Dan maak ik er dadelijk werk van."

Nu hief zijn vader het hoofd op.

„Denk je dat ik gek ben?" vroeg hij ruw. „Onder de twintig gaan ze in geen geval. Ik mest varkens om eran te verdienen en niet om er geld bij te leggen ..."

„As u ze dan strakkies maar niet voor vijftien van de hand doen moet," voorspelde Joop somber.

„Och, joôn, waar weet jij nog van," spotte Klaas.

„Ze zegge allegaar aârs dat de handel in spek totaal dood is," zei Joop. „Toevallig hoorden we nog van een klein gaatje en we dochte, dat is voor ons."

„Om een aâr een zoet winstje te geven zeker. Verkoop dat smoesie maar an een aâr 'oor. Ik trap er niet in."

„Weet u dat heel zeker?"

Ze keken elkaar aan in het scherpe licht van de nog hoogstaande zon. Twee gelijkende gezichten, waarin het harde en onverzettelijke nu duidelijk naar voren kwam.

„Waar mag jij je toch mee bemoeie!" voer Klaas nu nors uit. „Al zal ik mijn varkens hier voor niks an een aâr geve moete, an jou verkoop ik ze vandaag niet voor negentien cente. En daarmee uit."

„Best. Dan gaan ik naar Krelis Hauwert."

„Dat moet jij wete."

Driftig liep Joop verder de koegang op en ging naar de kamer, naar Marie.

„Thee, zeun?" noodde ze.

„Graag moe. Maar ik heb weinig tijd 'oor."

Terwijl zij hem inschonk overviel hij haar met een stroom van woorden over de koppigheid van zijn vader.

„Ken u 'm niet tot rede brenge?" vroeg hij ten slotte. „Het loopt helegaar mis misschien, ze zegge dat overal en dat ken julle helegaar niet lije."

„Nee, dat kenne we net niet," wist Marie. „Maar ik denk niet dat pa naar mijn ok luistere wil, zeun. Hij is met zuk altijd zijn eigen gang gaan. Ik heb me er nooit veul mee inlaten."

„As om te helpen."

„Dat wel, ja," gaf ze stil toe.

Krelis Hauwert verkocht die dag zijn rijpe varkens wèl voor negentien cent en Klaas kon voor de zijne een week later achttien krijgen. Toen zestien . . . toen veertien . . .

En al zijn dieren aten iedere dag en ze werden al vetter; juist dat onverkoopbare vet; en er waren alweer twee hokken vol voor de verkoop gereed. En de meelrekening werd angstig hoog.

De pondsprijs voor vette varkens werd dertien cent, werd twaalf cent . . . En het verwachte herstel van de markt bleef uit.

De zestien minst zware verkocht Klaas ten slotte voor elf cent en een week daarna zijn vetste voor negen. De rest, nog onrijp, bracht vijftien op. Ten slotte verkocht hij ook nog maar twee van zijn fokzeugen, al brachten die maar een schijntje op. Van al zijn varkens hield hij dat jaar enkel een dikke schuld bij de molenaar over.

167

„Ziezo, dat hewwe we ok alweer had," zuchtte hij moedeloos, toen de hokken leeg en schoon lagen te wachten. Maar waarop?
„Hou die twee zeuge vooral an 'oor pa," bemoedigde Joop. „Je moet evengoed in de varkens zien te blijven. As de handel weer wat opleeft ken u dan, met een beetje geluk, zo weer oflevere."
„Ja . . . as . . ." gaf Klaas grimmig toe met toch een zweem van een glimlach naar Joop. Hij waardeerde het in de jongen, dat die er al deze ellendige weken nooit over gerept had dat hij hem de kans had gegeven er nog tijdig goed uit te springen. En dat hij zijn kans vergooid had.
Ja, zijn Joop was glad in de handel en verdiende soms een aardige stuiver. Zo met die kennis samen scharrelde hij alle dorpe en markte in de hele omtrek of en ze handelde in alles wat maar vee was en kans op een beetje winst bood. Het zat gerust wel goed met Joop.
Maar ondanks deze zekerheid bleef er toch een stil verdriet in Klaas, dat hem niets van Joop deed verdragen en dikwijls tot onenigheid leidde, waarbij Marie bemiddelend optrad en Cor onrustig toezag.
Zo ook toen Marie weer jarig was. Zijzelf had er weinig aan gedacht. Er was zoveel anders om aan te denken. Ankie, Klaas met zijn varkens . . . Dan schreef Jan dat hij een meisje had en of ze samen eens mochten overkomen, en Dirk was op visite geweest met de dochter van zijn baas. En Joop, die al een keer of wat met Riek van Gerrit en Sijtje uit was geweest . . . Haar jongens werden groot en gingen ieder hun eigen weg. Dat van Jan . . . ze was ervan verschoten toe ze de brief las. Zo'n deftig stadskind hier in die ouwe bedoening . . . en zij en Jan hadde plan om een eigen zaak te kopen . . . Wat een begin voor die jongelui in deze slechte jare . . . Dan stond de toekomst van Dirk 'r puur beter an. Zijn Hilda was een aardig, eenvoudig meidje en hij kon zo bij haar vader instappe op den duur. Maar Joop . . . Het zou niks erg weze al was Riek nog wat jong, die kwaal werd alle dage beter, nee, het was om wat moeder Ant 'rs zeid had en waar ze toe om lachte:
„Denk erom Marie, de Spijkers zoeke mekaar altijd graag as het om vrijen of trouwen gaat en dat is mee hulle ongeluk weest. Ik heb niks op dit buurmeidje teugen as dat ze graag opschept, maar dat is een Spijker-gebrek en ok as ze wel d'rs bezijden de waarheid spreekt as het in d'r kraam te pas komt, maar hou 'r bij je joôns vandaan, kind. Hou 'r bij hulle vandaan. Joop wordt een knappe joôn, Marie, maar hij is wat los voor de wagen, vrees ik, hou 'm een beetje krap."
Ze ging nu op hem letten, op zijn uiterlijk het eerst. Hij wàs knap, meer nog dan zijn vader ooit geweest was en niet minder aantrekkelijk voor vrouwen. Ook hij had dat charmante over zich, vooral als hij lachte en zijn ogen liet stralen. Zijn lichaam was fors en bijzonder lenig door sport en spel en zijn bewegingen waren soepel en los.

Veel meisjes wilden graag wel eens nader kennis met hem maken, hoorde ze vaak van Cor, en ze lieten dit hem op allerlei wijze merken ook, meisjes die in leeftijd en positie beter bij hem pasten dan het rijke verwende dochtertje van Sijtje. Wat hij toch in dat magere zwartharige ding zag? En ze had nog wel diezelfde lichtblauwe ogen als haar moeder ...

Toen ze er eens met Klaas over sprak had die haar hartelijk uitgelachen:

„Lieve kind, heb moeder jou dat ok al wijsmaakt? Kom, kom, wees toch wijzer. As je uitzoeke wille in hoever Joop en Riek nog familie van mekaar benne mag je er de gortzak wel bij hale. Nee, ik zou het niks gek vinde as het wat werd met die twee. Er zit een aardige duit bij Gerrit en Sijtje en je zouwe d'rs zien hoe gauw Joop zijn handel vare liet om boer te worren."

Daar heb je het, wist Marie. Geld hewwe en boer weze. Dan was alles goed bij Klaas.

En nou was ze morgen jarig. Verleden jaar had Ankie alles nog zo bestuurd dat het een soort feestdag werd. Ja, die was de ziel van alles weest, de leste jare. Die waarschuwde Klaas en de broers en ze vroeg ze om een beetje geld en kocht daar een aardig klein cadeautje voor, dat dan 's morgens leuk ingepakt naast haar bord lag. Er waren overal bloemen, ze maakte slagroom bij de koffie en een smakelijk toetje na het eten.

Nou zou het vast een dag worre net as alle aâre, met enkel een brief van Jan en een avondbezoek van Dirk ... às ze erom dochte. En de manne thuis ... Het zou d'r benuuwe ...

Toch zorgde ze van tevoren dat de dag feestelijk kòn zijn.

Die begon als alle andere. Joop had het druk en overnachtte bij zijn compagnon om geen tijd te verliezen, die zou eerst tegen de avond thuiskomen, en Klaas en Cor stonden vroeg op voor het melken. Later, tegen zeven uur, kwam zijzelf uit de bedstee. Toen ze zich gewassen, gekapt en gekleed had, voerde ze eerst de kippen en zorgde dan voor het ontbijt. Zodra Klaas en Cor van het melken terug waren en zich hadden omgekleed gingen ze aan tafel. Het was een zonnige morgen, waardoor de kamer een gezellig aanzien kreeg, zelfs de bloemen in de tuin voor de open deuren leken haar frisser en kleuriger dan anders.

Zou ik het maar zegge? dacht ze. Nee, toch maar niet, dat was zo gek. Ze hadde er geen van beiden om docht en as ze het nou zei hadde ze een hekel an d'r eigen. Joop prakkezeerde er vanzelf helegaar niet over, die docht, net as de meeste manne, wel enkel om zijn werk en de aâre twee ware weg. Niks zegge maar, ruste late. En ze glimlachte stil om haar domme grote jongens, waar ze haar man ook al onder rekende.

Het was misschien wel beter zo, nu Ankie er niet meer . . . En weer keek ze naar buiten, naar de anjers die hier anders in de kamer hun prettige kruidnagelgeur zouden verspreiden.

„Wat had u net zo een schik?" vroeg Cor. „Magge wij ook meelache?"

„Een binnenpretje, zeun. Ik lachte jullie een beetje uit. Lust je nog een boterham?"

„Graag. Maar waarom worre we uitlachen?"

„Dat vertel ik je later wel d'rs misschien."

„Zo. Mag klein broertje het weer niet wete? Ik ben aârs al veertien 'oor."

Nou kon ze het mooi zegge. Zo tussen neus en lippe deur.

„En ik vier-en-veertig," zei ze heel gewoon.

„En ik?" Klaas keek haar vragend aan. „Hoe oud ben ik ok weer?"

„Negen-en-veertig toch."

„Oh. Ben ik al zo oud?"

„Kijk maar d'rs in de spiegel, dan zie je het wel."

„Pas maar op dat ik 'm jou niet voorhou. Nou het zontje zo schijnt zien ik in jouw haar ok al puur zulver zitten."

Cor zong iets van „Zilv'ren draden tussen 't goud."

„Joôn hou op, het is geen gehoor." Marie hield de handen voor de oren. „Wacht jij maar met zingen tot die beerd uit je keel is."

„Hoe ken die er nou uitgaan as ik nooit geen thee krijg?"

„Hier dan."

Ze schonk voor ieder nog eens in en kort daarna ging ieder aan zijn eigen werk. Het werd een dag als alle andere. Er kwam zelfs geen brief van Jan.

Onder theetijd kwam Joop het pad opfietsen.

„Die heb zeker inkope daan," zei Cor. „Hij heb een pakkie op zijn bagagedrager."

„Nou, die het breed heb, laat het breed hange, éé," vond Klaas.

Dan vloog de kamerdeur open en Joop stoof naar binnen. Naar zijn moeder.

„Goeiemiddag samen. Jarige, van harte gefeliciteerd 'oor en nog heel veul jare. Hier is nog een cadeautje, al ben ik er niet te vroeg mee."

Zijn sterke armen om haar heen, zijn wang tegen de hare, die blijde hartelijke klank van zijn stem, het deed zo oneindig goed.

„Dank je wel, zeun. Gauw kijke wat erin zit."

Ze ging zitten en knoopte voorzichtig het touw los dat om het pakje zat.

„Ben jij dan jarig?" vroeg Klaas ontstemd. „Daar wist ik niks van."

„Ik ok niet," zei Cor ontdaan.

„Dat had je toch wel effies zegge kennen," verweet Klaas haar. „En aârs jij wel." Dit tegen Joop.

„Ik zei vanochtend toch al dat ik vierenveertig was," suste Marie.

„Maar niet dat je jarig ware."

„Och malle joôn, wat hindert dat nou?" Haar ogen blonken hem tegen. „Ik begreep immers zó dat jullie er niet om dochte."

„Lachte u daarom?" vroeg Cor.

Ze knikte zonder dat haar glimlach week.

Nu was het touw los. Ze wikkelde het papier af en opende voorzichtig de prachtige doos die erin verpakt was geweest.

„Oh, wat een mooie kapdoos," stamelde ze ontroerd.

Het was een pronkstuk. Donkerrode leerbekleding van buiten met een koperen sluiting, en van binnen met geplooide crème zijde gevoerd, waartussen de kam en de borstel gebed lagen, terwijl het deksel de spiegel omvatte.

„Wat prachtig!" riep Cor.

Klaas dronk zwijgend zijn thee. Zijn wenkbrauwen dwaalden onder zijn fronsend voorhoofd, zijn ogen werden somber toen hij zag hoe Marie, lichtblozend, met bevende vingers kam en borstel bewonderend streelde.

En dat voor een ding dat wie weet hoeveel kostte en waar ze niks an had, want ze ging immers toch nooit uit. Die Joop was ok altijd zo'n aapstraal. Waarom had 'ie er niet over praat dat ze jarig was, dan hadde ze same wat geve kennen, een ding waar ze wat an hàd. En aârs had ze het zelf zegge kennen. Nou sloeg 'ie een figuur van prut. En Cor? Waarom was die niet moeid? Maar niks 'oor. Joop en moeder; en moeder en Joop. En geen mens ertussen. Je zouwe 'm . . .

Klaas wond zich àl meer op. Tot zijn groeiende ergernis zich een uitweg zocht in felle verwijten tegen Joop, die er scherp commentaar op gaf.

„Span jij het peerd alvast maar in, zeun," zei Marie gejaagd tegen haar jongste. „Pa komt zo wel," eer ze haar rustige bedarende woorden behoedzaam tussen hun driftuitingen plaatste en hen zo tot beheersing dwong.

„Jij wille altijd alleen de mooie man weze bij moeder," mokte Klaas nog verwijtend. „Een tijd leden was je ok al zo stiekem doende met die stofzuiger."

„Ho, ho," wees Joop af. „Dat was mijn werk niet 'oor. Dat heb Ankie toe voor mekaar maakt. Ik most 'm enkel maar kope en betale en aârs niks."

„Ankie . . ."

Een zware stilte viel in de kamer nu alle stemmen plotseling zwegen en ieder dacht aan het zorgende schepseltje, dat jarenlang deze dag tot een feestdag had gemaakt. Het was hun opeens of ze weer in hun midden was.

„Komt u, pa?" riep Cor in de koegang.

Klaas schrok op en keek naar de klok.

„Nodig tijd," mompelde hij en greep naar zijn pet.

„Wacht effies, dan gaan ik ok mee," zei Joop. „Dan benne we vanavond mooi vroeg. Ik zal me gauw verklede."

Nu waren ze alleen. Klaas ging weer zitten en Marie ruimde het touw en papier weg. Hij keek naar haar strakgesloten mond en neergeslagen ogen. Daar had je weer dat bijzondere in d'r. Waarom verweet ze 'm nou niks of schold 'm niet 'rs goed uit, of huilde ze een deuntje. Dan kon je wat terugdoen of zegge. Maar zo . . .

Na een poosje vroeg ze rustig:

„Was dut nou nodig, Klaas?"

„Dat vraag ik m'n ok af," zei hij triest. „Julle met je . . ."

„Nee, niet wij. Je hewwe een hekel an je eigen, dat is het en niks aârs."

Ze ging naar hem toe, leunde over zijn schouder en zoende hem op zijn mond. „Je benne een lieve malle joôn," plaagde ze. „En je hewwe je vrouw nog geeneens gefeliciteerd. Zou je dat niet 'rs doen? Het mens wacht er de hele dag al op."

Hij zuchtte.

„Och, jij lieverd." De gelukwens kwam. Innig en zuiver en daarna volgde een uiteenzetting van alles wat zijn gedachten tegenwoordig gevangen hield. Ze luisterde geduldig.

„Maar nou heb je nog geen cadeautje van ons," zei hij. „As Cor je nou nog wat geve wil?"

„Bij Leenderts staan een paar mooie blauwe pantoffels voor het raam. Die koste maar een beetje en ik wil ze dolgraag hewwe," vertelde ze vlug, want Joop riep: „Ik ben klaar 'oor!" en Cor rammelde ongeduldig met de emmers.

Terwijl de kar door de boomgaard hotste, liefkoosden haar vingers voorzichtig het donkerrode leer van de luxe kapdoos. Het dwaze, buitenissige geschenk van een liefhebbende zoon.

15

Kort daarop bracht Joop een verrassing voor hen allen mee naar huis: een radiotoestel.

„We hadde een gelukkie," verklaarde hij dit geschenk.

„Hoera!" juichte Cor. „Nou hoef ik niet meer naar een aâr om de sportberichte en interlandwedstrijde te horen."

„Het kon er bij ons echt nooit of, 'oor zeun," zei Marie met een snelle blik op Klaas.

„Ik vind het toch maar raar," ging Cor door, „vader heb een plaats met tweeëneenhalf bunder en dan huurt 'ie nog twee wegberme erbij; hij heb twaalf koeie, twee pinke, vier kalve, een peerd en dan nog twee zeuge met bigge en zes schape. Maar een radio, dat kon niet lije . . ."

„Ik ben van niks of begonnen," verdedigde Klaas zijn zuinigheid. „Het komt bij ons wel allegaar, maar lenigan. Ik heb pas die strop met die varkens had en dan gooi je zomaar geen honderd gulden weg voor zuk. Jij moete nog een nuuwe fiets ok hewwe immers."

„As ik deimee een motor koop mag 'ie die van mijn wel hewwe, dat is nog een best," zei Joop.

„Koop jij een motor? Eerlijk waar? Wat voor merk?" vroeg Cor vol belangstelling.

„Dat weet ik nog niet precies, maar voor de winter is 'ie er."

„Mag ik er dan ok 'rs op rije, Joop?"

„Niks 'oor. Je magge wel mee op de duo."

„Fijn joh." Opgetogen wreef Cor zijn handen tegen elkaar.

Klaas nam het minder goed op. Die schudde afkeurend het hoofd. „Kijk maar uit, jij. Strakkies verpruts je an dat ding meer as je verdiene. Ik weet zuk al. Allegaar niks gedaan."

„Ik hew 'm echt nodig, 'oor pa," zei Joop. „Zoas het nou gaat benne we veul te lang onderweg. Met een motor kenne we veul meer ofdoen."

„Ja, dat wete we wel." Klaas wou er niet aan. „Kort onderweg en lang bij de mense. Of in de kroeg."

Het klonk spottend en Marie zag dat Joop zich opwond.

„Begin jullie weer?" vroeg ze kortaf. „Vooruit Cor, laat jij die radio 'rs speule, dat hoor ik liever."

Dit was niet geheel waar. Als ze eraan dacht hoe Ankie hiervan zou hebben genoten, dan deden haar ogen pijn van moeilijk te weerhouden tranen. Maar alles beter dan dat bekvechten van die twee.

Toen het melkerstijd was volgde ze haar man naar de schuur, en vroeg als in scherts:

„Was de koe vergeten dat 'ie ok nog 'rs een kalfje weest is?"

Klaas keerde zich om.

„Hoe dat?"

„Wie most er vroeger met alle geweld een fiets hewwe om erop uit vrijen te gaan, omdat 'ie aârs zolang onderweg was? Heette die joôn niet Klaas Spijker?"

„Over koeie gesproken . . . jij magge geen ouwe koeie uit sloot hale, weet je dat wel? En een fiets is lang geen motor. Wat zal die joôn eran hewwe? Voor zijn handel niet veul, vrees ik."

„Misschien wil 'ie er ok wel op naar de meid."

Klaas lachte om haar volhouden over zijn tochten naar Sijtje.

„Dat ken 'ie opheden aârs wel lopende of, net as ik oplest," ging hij erop in, maar vervolgde dan op geheel andere toon: „Maar ik hoor het al, het is weer net as altijd, Joop heb gelijk en ik ben het lelijke beest."

„Nou, helegaar een lélijk beest . . . je kenne gerust nog wel voor de krame om 'oor. Maar je wete drommels goed dat ik een verlegen hekel an die motorfietse heb. Ze gaan m'n veul te hard en je hale d'r een ziekte mee op je lijf van de koud. Ik denk zo . . het geeft toch niks of we er teugenin gaan, want hij koopt er toch een. Wat geeft dan al die heibel?"

„Wie maakt er heibel?"

„Jullie alle twee. Het ging er net zo weer aardig op an. Jullie benne krek hetzelfde en even wijs. Maar aangezien jij de oudste benne verwacht ik toch . . ."

Ze hield op en keek hem aan.

„Ja, ik snap het. Zoet maar."

Het klonk gekwetst en meteen wendde hij zich af om de melkblokken en spanriemen op te nemen. Marie ging een paar passen terug om hem doorgang te verlenen en kwam nu juist in de lichtbaan van een der kleine raampjes. Toen was er ineens iets aan haar dat Klaas het schuwe meisje van vroeger in herinnering bracht. Eer hij wegging boog hij zich naar haar over om een zoen.

„Ik zal het nooit meer doen," beloofde hij gedwee als een kind.

„Het is je geraden," dreigde ze.

Of het nu hierdoor kwam, of door de afleiding die de radio bracht, in de nu komende weken was er geen twist meer. Zelfs wees Klaas dadelijk een hoek van de dors aan als stalling toen de motor kwam.

„As je maar wete dat ik hier in huis geen lawaai van dat ding hewwe wil 'oor," eiste Marie zodra ze hem zag.

„Geen last moe," zei Joop en toonde haar vol trots zijn leren pak.

„Dat benne ok een paar dure boutjes, verwacht ik?" vroeg Klaas en

hij berekende in zichzelf hoeveel geld zijn zoon deze week wel had uitgegeven en wat hijzelf daarmee had kunnen doen. Doch hij uitte dit niet, hij toonde zelfs belangstelling.
Waren Joop en Riek Bruin verleden week weer niet samen op stap weest? En had 'ie een dag of wat tevoren niet zien hoe hij in de half-donkere bogerd Riek zoende en zij hem? Hij was stil weslopen vanzelf. In zuk moet je niet roere, dat moet je rustig suddere late. Maar hij had die avond lope te spinne as een poes. En daarom was het nou misschien nog wel goed dat Joop dut ding kocht had en dat dure pak ervoor. Dan konne Gerrit en Sijtje maar zien dat het hier ok zuk min spul niet meer was. Joop en Riek . . . Hij zag al vooruit hoe dat jonge stel later hier naastan boere zou en Cor op zijn plaats. Twee Spijkers elk weer op een eigen boerderij.
Van die gedachte vervuld kuierde hij op een zondagmiddag zijn land eens uit tot aan de smalle afscheiding tussen het achterstuk en de honderdvijftig roeden bouwland van Arie Spaan. As 'ie het guster-avond goed hoord had, dan was dat hoekie uit de hand te koop. En hij kon het er weerlichts goed bij hewwe.
Kenne? Hij mòst het erbij hewwe. Want dáárachter lag weer de Bink, een mooi stuk kerkeland van aârlef bunder, en as ouwe Simon Rol dat mettertijd 'rs opgaf, en dat zou 'ie wel, want hij had het nou feitelijk al te veul, dan kon 'ie dat probere te huren en was de zaak prachtig voor mekaar. Dan had 'ie een volledige plaats. Ja, dat stukkie hier, dat most 'ie kope . . .
Maar wie zou 'm helpe? Hij zat nog an zijn nek toe in de schuld. En hij mòcht dut eigenlijk niet gaan late.
Klaas stond wel een halfuur zomaar stil te staren in de grauwe no-vemberlucht, alsof hij daar een oplossing zocht. Zijn gedachten gin-gen terug naar die dag toen hij zijn land voor de eerste maal zag. En naar zijn plannen van toen . . .
Zou Jan de Vries 'm niet helpe kenne? Zou 'ie 'rs met 'm prate? Hij had 'm toe ok zo trouw holpen . . . en hij zei later dat as het wéér . . . Ja, dat most 'ie doen. Vanavond nog.
Hij deed het en Jan zag het geval zoals hijzelf het zag en hij zei luid en hartelijk als steeds:
,,Ik ben je man 'oor Klaas. Koop het maar gauw, want het hoort bij jouw plaats."
Toen hij dit wist durfde hij geen dag meer te wachten uit angst dat een ander hem nog voor zou zijn en hij kocht op de terugweg meteen die honderdvijftig roeden. Eer het lente was had hij het bij zijn an-dere land getrokken en nu grensde zijn bezit rechtstreeks aan de Bink.
Weer ging het leven verder. De schuld bij de molenaar was afbe-taald en die van de verbouwing eveneens. Nu liet Klaas de wel

schilderachtige, doch niet zeer economische ierwik opruimen en inplaats daarvan een flink gierkelder bouwen, met iets verderop een
silo voor het inkuilen van gras.

„Wil je niet liever eerst 'rs wat aflosse?" vroeg Marie voorzichtig
toen hij haar zijn plan vertelde. „Die jaarlijkse rente is altijd een
hele rib uit je lijf, vind ik."

„Dat is het," gaf hij grif toe. „Maar nou Cor daar in Alkmaar op
school gaat wil 'ie bij mijn dat ouwerwisse gepruts niet meer zien.
Ik doen het meer voor hem as voor mijn eigen. En mijn bedrijf
wordt er meer door waard vanzelf. Volgens Cor haal ik het geld dat
ik er nou insteek op den duur weer dubbel en dwars eruit."

„Dat is mooi en goed," vond ze, „maar ik zien toch liever d'rs wat
geld in de kast ok."

„Kom kom, we benne de leste jaren toch zeker pittig vooruit boerd."
Dit moest ze toegeven. Behalve de hypotheek, de duizend gulden
van Leendert en het geld dat Jan de Vries in dat hoekje land ge-
stoken had, waren er geen schulden meer; en al was zuinigheid nog
geboden, ze konden toch behoorlijk leven.

Breeduit stond Klaas iedere dag meerdere malen bij het werk toe te
zien. En als hij dan Gerrit Bruin op diens erf zag lopen, nodigde hij
hem uit om zijn oordeel te horen.

Gerrit moest zien dat het hier ok een piekfijne boel werd op den
duur, niks minder as bij een aâr. Zoas nou met dat leren van Cor,
en hij begon lenigan weer pittig in de varkens te komen, en dan had
'ie iemeslesten een eerste prijs met zijn schape haald... En dan
was 'ie nou ok lid van de fokveevereniging worren. Ja, hij telde nou
gerust mee. Met Joop en Riek was het nog altijd an volgens Cor, die
hield dat geregeld zo'n beetje in de gate. Het was wel gek dat ze
d'r eigen zo achterbaks hielde, het was toch geen schande dat ze gek
op mekaar ware? Gerrit zou er misschien wel niet vóór weze, dat
was te verwachten, maar Sijtje zou ze vast niks in de weg legge. En
was dat wèl zo, dan zou hij d'r eens opzoeke as ze alleen was en 'r
een hartig woordje zegge over vroeger. Dan zou ze wel bedare.

De aâre joôns ginge 'r eigen gang. Jan was over weest met z'n
meidje. Dat was een hups ding en goed bij de tijd. As het hulle
lukte om zo'n melkzaak te krijgen, dan zoû zij het daar wel in
redde, want het was een mansvelder. Dirk was al aardig op weg
naar zijn trouwdag met de dochter van zijn baas; een verlegen lief
meidje was dat, die Hilda. Ze had in d'r doen wel wat van Ankie
vroeger, daarom was Marie vast zo op 'r steld. Dat steltje kwam
oftig 'rs effies an.

Maar Joop? Die vertelde niks over zijn vrijerij. As Cor het niet zeid
had, zoû ze het geeneens wete...

Joop begreep dit zelf ook niet. Hij meende zeker te weten dat Riek dol op hem was. Hun verkering was al meer dan een jaar aan de gang en toch wilde ze zich niet aan hem binden. Telkens diste ze een ander verhaal op waarom dit niet ging, en geloofde hij dit niet altijd, hij berustte erin, want Riek had een sterke wil. En ze wist hem zo heerlijk te betoveren met haar felle hartstocht, ze omving hem daarmee als met duizenden fijne draden, waarin ze hem zo verwarde dat hij nooit meer los kwam.

Aan hen werd oude Jan Spijker's vrees bewaarheid. Ze zochten elkaar in een hevige duistere drang, in een wilde begeerte, die toch geen liefde was. En ze konden niet meer terug. Het was begonnen met een stoeipartij, uitgelokt door Riek; er was een zoen gevolgd en daarna een afspraak, en van toen af waren ze geregeld samen naar alle kermissen en feesten in de omtrek geweest. Hij voerde haar op zijn motor overal heen waar ze wou zijn en hij liet haar genieten wat ze wenste, want hij verdiende aardig wat geld met zijn handel.

Het was bijna herfst toen Willem Hauwert, de jongste zoon van Krelis, aan Riek vertelde dat hij met paard en kar te schoonrijden ging en tevens te ringsteken, en haar vroeg of zij naast hem wilde zitten.

Dit lokte haar geweldig aan. Willem was een vlotte vent en dan met dat piekfijne stelletje van Krelis naar de stad te gaan . . . Ze nam het aan. Joop, och, die zou ze wel wat op zijn mouw spelden . . .

Thuis vertelde ze het aan haar moeder. En Sijtje, die kort geleden iets over een scharrelderijtje met die zoon van Klaas gehoord had, Sijtje nam haar kans dadelijk waar. Ze prees Riek omdat ze Willem uit de brand hielp, hij kon nu eenmaal niet alleen gaan. En ze beloofde haar een nieuw mantelkostuum met hoed en schoentjes.

,,Want stel je d'rs voor dat julle het schoonst geheel worre," plaagde ze vrolijk. ,,Dan moet jij ermee in overeenstemming weze. Maar hoe zou je buurvrijer het vinde?" vroeg ze dan heel gewoon.

,,Joop? O, die heb het maar goed te vinden. Dut is wat mijn angaat."

,,Gelijk heb je. Zo'n joôn is wel aardig voor d'rs een paar keer, maar zuk moet nooit te lang dure, éé? Ik ben vroeger zo 'rs een tijdje met zijn vader weest. Erg leuk en aardig 'oor, maar niet om mee deur te gaan."

,,U met buurman Klaas? Oh moe . . ."

Riek keek haar moeder verbijsterd aan.

,,Ja, en stel je d'rs voor dat het anbleven was . . . ?"

Sijtje hield haar dochter een beeld voor van wat had kunnen zijn, zoals dit beeld nu in haar plannen paste. En Riek, die zo dikwijls bij de Spijkers overhuis was geweest, zag dat beeld in de donkerste schakeringen. En ook dat het voor haar wel eens een toekomstbeeld zou kunnen zijn.

177

„Je moete altijd om later ok denke, éé," zei Sijtje verder. „Kijk, jij konne nou niet best lere, maar je hewwe toch nog een tijdje naar de H.B.S. weest en je hewwe pianospeulen leerd en je hewwe altijd had wat je hartje begeerde. Dat had dan puur aârs weest vanzelf. Enfin, dat weet je nou."

In de dagen die tussen die middag en het ringsteken verliepen dacht het domme hoofdje van Riek Bruin zwaar na over alles wat Sijtje gezegd had. Riek was wat men een jongensgek noemt. Ze had al heel wat vrijers in stilte versleten eer ze met Joop uitging, maar met geen van hen was ze zo ver gegaan als juist met hem. Zijn zinnen deden zo'n dringend beroep op de hare dat hun passie oplaaide tot een vlam; een heet, gevaarlijk vuur, waarmee ze roekeloos speelden. Tot nu toe had ze zich nog niet gebrand, maar hoe licht kon dit niet gebeuren in zulk een roes van lichamelijk genot.

Eerst nu realiseerde Riek zich dit goed, nu ze de voordelen van een verkering met de zoon van Krelis Hauwert opwoog tegen die met Joop, al was die knapper en leuker en al had die dan een motor. Ze moest het maar uitmaken tussen hen. Maar ze zou ermee wachten tot na het schoonrijden; ze wilde eerst weten of Willem het maar voor die ene keer bedoelde of niet. Daarom ontliep ze Joop voorlopig, zodat hij geen afspraak met haar kon maken en hij dus alleen naar de stad toog in de hoop haar daar te zullen zien.

Hij zag haar al spoedig, en dat was hem als een slag in zijn gezicht. Daar zat Riek, haar tengere gestalte keurig in een grijs mantelkostuum en een hoedje in dezelfde tint grijs op het zwarte haar, de lichtblauwe ogen in hun krans van lange zwarte wimpers lokkend op Willem Hauwert gericht, die naast haar zat in zijn vaders tweewielige kar, met daarvoor de keurig opgetuigde witvoet, die soepel en sierlijk de baan ronddraafde. Hij begreep dit niet. Nog minder begreep hij dat ze de hele dag en avond met Willem samen bleef en deed alsof ze hem niet zag. Met als gevolg dat hij zijn troost bij een stel vrolijke kennissen zocht en tamelijk dronken thuiskwam.

Nog in diezelfde week wist hij Riek op te vangen en vroeg haar woedend wat ze met deze daad voorhad.

„Dat het met ons uit is," zei ze vinnig.

Zijn beroep op hun verhouding, die naar zijn opvatting bindend was, negeerde ze met spot.

„Jij met je ouderwetse opvattingen," zei ze met een minachtend lachje. „Denk jij nou eerlijk dat het met ons ooit wat worre ken? Ik wil je wijzer hewwe, Joop. Jij benne toch geen jongen voor mijn. Julle benne toch veul te arm ... Het was erg mooi voor een tijdje, maar nou is mijn zin eraf. Ik vind je een leuke knul, maar niet om mee te blijven."

„Dus jij wille het liefst van twee walle vrete," beet hij haar driftig

toe. „Je gane graag met Wullem om zijn vaders cente en met mijn
... bah, wat vind ik dat min. Wullem is te beklagen met zo'n of-
gelikte meid as jij benne."
„Je hoeve niet zo kwaad te worren," vond ze boos, „we hewwe toch
een boel plezier had samen."
„Nou en of ...," zei hij grimmig. Hij zei nog veel meer. Lelijke
dingen, die haar het bloed naar de wangen joegen en haar krenkten
en vernederden. Het liefst van alles had hij haar geslagen en gekneusd tot ze alles herriep en schreiend in zijn armen kroop. Doch
hij beheerste zijn trillende handen en kneep ze achter zijn rug tot
vuisten. Ze was het immers niet waard dat hij ze aan haar vuil
maakte?
Nou beweerde ze dat haar moeder het haar verbood om nog langer
met hem te gaan. Best mogelijk, maar dat maakte al wat ze gezegd
had niet anders. Hij was en bleef haar te min om met hem te trouwen. Ze had hem een beetje voor de gek gehouden en anders niet.
Na haar nog een laatste, vreselijke belediging te hebben toegevoegd,
keerde hij zich bruusk om en ging, wetende dat dit onherroepelijk
voorbij was en zich niet in staat voelende dit zomaar te aanvaarden.
Sijtje triomfeerde. Ze had Klaas in zijn zoon terugbetaald wat die
haar eens had aangedaan; en die Marie, dat stijve mens, had ze getroffen door haar lieveling een dolle kop te bezorgen.
Was zij ruim een jaar geleden niet de minste geweest door haar een
condoleantiebezoek te brengen toen haar dochter overleden was?
En was ze niet ijskoud door haar ontvangen? En waarom? Enkel
omdat ze, toen ze hier kwamen wonen, niet dadelijk omgang wenste?
Maar dat ging toch niet, zoals daar de zaken toen stonden? Nu was
alles anders en kon dat beter. Zo iets moest dat mens toch inzien ...
Dat Klaas hier goed ontvangen werd, dat kon niet anders, ten eerste
was hij familie en ten tweede kon ze hem niet voor het hoofd stoten
om dat van vroeger ...
Ze zou 'm toch 'rs wat zegge over Joop en Riek, bedacht ze na een
poos. As dat zo 'rs uitkwam ....
Want het oude zeer deed haar nog dikwijls pijn als ze hem zag.

Al heel spoedig deed het gerucht de ronde dat Joop Spijker slecht
oppaste. Hij dronk en gokte en werd vaak in verkeerd gezelschap
gezien. En Riek Bruin had stevige verkering met Willem Hauwert.
Nou, ze mocht van geluk spreke dat ze die boemelaar niet nomen
had ...
Zo dacht Klaas er blijkbaar ook over, want hij was nog steeds be-
vriend met Sijtje en kreeg van haar het nodige over Joops huidige
gedrag te horen. Haar lichte ogen blonken fel tussen de zwarte wimpers toen ze zei: „We konne het eerlijk niet langer goedvinde dat

ons Riek met 'm uitging. Maar het beroerde is dat 'ie het heur en Wullem nou geregeld lastig maakt as 'ie dronken is en dan hele rare dinge van 'r zeit."

Dit werd Klaas toch te bar en hij besloot daar spoedig een einde aan te maken.

Toen Cor op een zondagmiddag ging voetballen en ze gedrieën aan tafel zaten, zag hij zijn kans schoon en begon erover tegen Joop. Die zei niets en liet hem rustig uitspreken.

„Vertelde buurvrouw u dat zelf?" vroeg hij toen kalm.

„Ja."

„En zei ze niet, dat ze er zelf op anstond dat Riek mee te ringsteken ging? En dat ze teugen 'r zeid heb dat ik veuls te arm was en geen vrijer voor heur?"

„Welnee. Hoe kom je daarbij?"

„Zo is het toch gaan. En van die tijd of is het uit met ons en geen dag eerder. Ik was te min."

„Maar waarom treiter je d'r dan nou nog zo?"

„Omdat ze van mijn is." Joop werd korzelig tegen zijn vader.

„Je benne gek. Er is niks van jou."

„Zij wel . . ."

Marie begreep . . .

„Maar Joop!" riep ze ontsteld. „Hoe kòn julle!"

„Snapt u nou wat mijn dwars zit? Die hele mooie familie daar. Die Gerrit Bruin, die net doet of wij vuilnis benne, en zijn vrouw, die te groôsk is om met moe om te gaan en 'r dochter van mijn ofhaalt; en dan Riek zelf, die eerst doet of ze stapel op je is en je dan weg-schopt op een gemene manier."

„Maar dat is voor jou toch geen reden om zó te doen," vond Marie.

„Dut moet ik uitraze. Het ken me immers niks meer schele hoe het gaat. Ik was stapelgek op die meid en ik ken het niet opvrete dat ze nou met een aâr is. Dat ken u misschien niet begrijpe, maar zo is het toch. Hier moet ik eerst overheen."

Zijn jonge gezicht was vertrokken in opstandige wrevel.

„Hou je dan zo groot van d'r?" vroeg Marie bezorgd.

„Dat weet ik zelf niet. Ik ken alleen maar niet hewwe dat ze me zo behandeld heb na al wat er tussen ons weest is."

Nu begon Klaas los te komen. Met sterke woorden verweet hij Joop op harde toon diens gedrag. Eerst tegenover Riek en nu tegenover zichzelf. Hij noemde hem een schoft en een slappeling. Joop ging er tegenin en hekelde zijn vaders vriendschap met Sijtje en vroeg hoe je zo iets moest noemen, waarna Klaas hem een brutale hond vond. Het werd een ruzie erger dan ooit, en Marie wist zich machteloos tegenover deze driften. Ze verademde toen Joop na een hevige ver-wensing van zijn vader de kamer uitstoof en enkele minuten later de dorpsstraat afreed. Toen hij op de weg was stak hij zijn hand naar haar op en lachte. Het knappe gezicht onder de leren kap was nu weer levendig en blij. Voor háár. Hij reed weg en ze luisterde tot de diepe zang van zijn motor eindigde in een verre zoemtoom. En keek onderwijl naar Klaas, die nors voor zich uitstaarde.

„Een mooie boel met dat stel, niet?" snauwde hij ten slotte.

„Welk stel bedoel je?" vroeg ze effen.

Voor de tafel staande zag ze hem vragend aan.

„Joop en Riek vanzelf. Dat is nou de hedendaagse jeugd zeker."

Het klonk smalend en zijn ontstemming was duidelijk zichtbaar.

„Och, de appels valle misschien niet ver van de stam," verontschuldigde ze de jonge mensen.

Met een schok hief hij het hoofd op.

„Wat bedoel je?" vroeg hij scherp en kort.

„Wat ik zeg."

Hij schoot overeind en greep haar arm vast.

„Denk jij dat? Gaf ik jou daar ooit reden toe?"

Als klemmen knepen zijn vingers in het zachte vlees.

„Dat gaf je nou. Jij ginge wel erg teugen Joop tekeer, maar néém jij dat, zoas die lui hem behandeld hewwe? Zo te zien en te horen doen je het; en dat geeft mijn te denken. Wat Joop vertelde had ik al lang begrepen, maar jij late je altijd alles wijsmake wat Sijtje je vertelt. En nou geloof je dat nòg. Of niet soms?"

„En jij gelove alles wat Joop zeit."

„Ja, dat doen ik, want die liegt nooit. Maar Riek deed vroeger al niet aârs. En Sijtje vertelt ok wat in d'r kraam te pas komt, hew ik wel ontdekt. En laat nou mijn arm los, want aârs wordt 'ie bont en blauw."

Zijn greep verslapte en hij staarde verwezen voor zich uit.

„Dat jij dàt denke durve," stiet hij uit. „Ik docht dat jij me toch wel beter konne."

„Jouw wel. Maar heur niet."

„Dat wil je immers geeneens."

„Nee. En nou helegaar niet meer. Nooit en nooit meer. Al leg jij 'r dan ok thuis," beet ze hem toe. „Waarom heb je heur niet nomen inplaats van mijn as je zo op 'r steld ware? Dan zou ze je kindere tenminste niet blamere."

Ze wist deze woorden dwaas en onredelijk, maar ze moest dit zeggen in haar gekrenkte trots om haar zoon.

„Je benne niet wijs. Het is me te min om er nog een woord over vuil te maken," snauwde Klaas. „Omdat Joop nou zo slecht oppast haal jij er weer van alles bij om zijn baantje schoon te praten. Het is weer net as altijd. Had 'm maar een beetje krapper houwen vroeger, dan was 'ie nooit zo onder het volk komen, dan had ik een beste knecht an 'm had en was dut niet beurd."

„Zo, denk je dat? We ware dan aârs net even arm as nou 'oor."

„We benne niet arm meer," zei hij ruw.

„Goed. Zonder geld dan."

Marie ging zitten en tussen hen werd die dag nauwelijks meer een woord gewisseld.

Joop scharrelde van het ene café naar het andere, zat overal een poos, dronk meer dan goed was en vergat te eten. Ten slotte belandde hij nog laat in een zaak, waar juist een balavond werd gehouden en ontdekte daar tussen de dansende paren Riek Bruin en Willem. Als gewoonlijk wekte dit in hem de lust haar te tergen en te treiteren, tot ze voor zijn grievende woorden haastig vluchtte, vrezend dat Willem die zou horen en hem, om dit te voorkomen, met een handig smoesje meelokkend.

O, hij kende haar zo goed, haar uitvluchten en rap uitgesproken leugentjes, maar ook haar kussen en lieve maniertjes en de straling van haar helle ogen.

Maar hij zou zich vannacht koest houden en haar alleen maar bang maken door zijn aanwezigheid. En daarom bleef hij op de verhoging voor de tot balzaal ingerichte kolfbaan staan. Zijn blik zocht haar gezicht en hield dit vast tot ze terugkeek en schrok. Toen hij haar zag blozen van angst en ergernis was het hem voor dit keer genoeg. Haar avond was bedorven en de volgende keer zou hij het wel weer eens anders doen. Hij zag juist een paar kennissen die hij nog eens trakteren zou en dat ging voor. Zo deed hij dus en werd daarna zelf getrakteerd en dronk toen nog een paar borrels toe. Tegen sluitingstijd stond hij eindelijk op. Wat drommel moest hij hier nog langer doen? Hij ging weg, naar huis.

Iedereen opzij dringend betaalde hij zijn verteringen en vertrok. Buiten gekomen had hij eerst nog wat moeite met zijn onwillige motor, doch toen hij er eenmaal op zat brachten de gewende gebaren die spoedig op gang. Licht slingerend reed hij weg en in drieste stemming joeg hij huiswaarts. Hij voelde zich ineens tot alles in staat. Het rijden werd hem als een zweven in ontzaglijke ruimten en het geraas van de motor hoorde hij als een wild gezang. Hij kreeg de prettige gewaarwording van los van alles voort te gaan en dit drong hem tot nog snellere vaart. Zo lekker dronken als nu was hij nog nooit geweest. Zelfs Riek kon hem nu niets meer schelen. Strak tuurden zijn troebele ogen tot aan de uiterste grens der voortvliegende lichtkring van de koplamp. De bermen en bomenrijen vloeiden ineen tot een vage lijn, die hij halfbewust volgde, zelfs door de bochten. Tot aan die ene scherpe hoek, die hij anders altijd in een matige gang doorging, maar die hij nu door zijn razende vaart nog niet verwacht had. Ineens stormden enkele bomen op hem toe. Een flits van begrip deed hem nog een poging wagen de hoek zo wijd mogelijk te nemen, doch dit mislukte volkomen. Hij voelde nog hoe het achterwiel slipte ...

Het was een hoek tussen twee stille verlaten wegen, en niemand hoorde de doffe slag van zijn val en het plotseling eindigend motorgeronk.

Ruim twee uur later werd hij door een paar naar huis kerende jongelui gevonden.

Marie luisterde en wachtte vergeefs.

Ze had al meerdere zondagnachten luisterend gewacht op het bekende geraas van Joops motor, en zodra ze dit hoorde verliet ze met één glijdende beweging de bedstee en liet hem binnen door de kleine dorsdeur. Hem en ook zijn motor, als hij niet meer in staat was dit zelf te doen. Soms hielp ze hem ook nog zich van zijn stijve kleding te ontdoen en stopte hem dan als een kind in zijn bed in de koegang. Later sloop ze dan stil weer naar de kamer, dankend voor de behouden thuiskomst van haar jongen. En blij dat Klaas altijd zo vast sliep ... Wat niet weet wat niet deert, vond ze. Er was al ruzie genoeg tussen die twee.

Maar nu was hij toch èrg laat.

De klok sloeg twee uur ... drie uur ... Nog geen Joop. Ten slotte wekte ze haar man.

„Klaas, zeg Klaas!" drong haar stem.

„Is de wekker gaan?" prevelde hij slaperig.

„Dat is er zó bij te doen. Maar ik ben ongerust. Joop is nog niet thuis."

Hij draaide zich naar haar toe.

„En ben jij daar ongerust over? Kom ... Joop redt zijn eigen wel 'oor. Misschien zit 'ie wel wat lang bij een meidje."

„Maar hij gaat toch niet uit opheden?"

„Dan ken dat nou toch wel weer zo weze?"

Zijn stem klonk zo rustig dat haar angst bedaarde. Weer wachtte ze en Klaas dutte nog even in tot de wekker afliep.

„Nou, is Joop er al?" vroeg hij dadelijk.

„Nee, nòg niet. Hij zal toch niet weer ..." Ze hield haar woorden in, maar hij vulde aan: „Niet dronken weze bedoel je. Best mogelijk. Het zou de eerste keer niet weze. Denk je dat ik niet weet hoe 'ie soms thuiskomt?"

„Nou. Zo erg ..."

„Ja. Probeer het maar niet te verdoezelen 'oor. Ik hew 'm wel d'rs hore brabbelen as jij 'm in huis liete. En nou heb je weer geen oog dichtdaan zeker?" Het klonk wrevelig en toch hoorde ze bezorgdheid in zijn stem.

„Ik heb eerst een tijdje lekker slapen 'oor," zei ze haastig.

Hij stond nu op en wilde de dekens opnieuw over haar heen schikken, maar zij weerde dit af.

,,Ik kom er ok uit," zei ze beslist.

,,Nou al? Waarom?"

,,Ik ken toch niet meer slape nou. As er maar niks beurd is."

,,Wat zou er nou beurd weze kenne?" mopperde Klaas. ,,Misschien is 'ie hier of daar wel in slaap zakt, of was 'ie niet in staat om op zijn motor te rijen. Maar ik zal Cor roepe, want het wordt onz' tijd."
Enkele minuten later reed de kar wankelend en stotend de boomgaard over. Marie bleef alleen in het grote huis en wachtte in haar hoekje bij de kamertafel op het bekende geluid, dat lichte geronk in de verte, dat al luider werd en dieper klank kreeg tot het voor het huis van Krelis Hauwert opeens overging in een zacht zoemen.

Daar naderde wel een fietser. Het voorhoofd gefronst tuurde ze scherp wie dit kon zijn en ademde verlicht toen ze zag dat het de knecht van Simon Rol was. Er volgde er nog een, een verlate vrijer blijkbaar, want hij was nog op zijn zondags en trapte als een dolleman.

Een poos later zag ze weer iemand naderen en weer keek ze. Deze had iets dat haar bekend was. Hij leek wel... hij was... Haar denken stokte, het weigerde te aanvaarden wat haar ogen zagen. En toch wàs het Dirk, die van zijn fiets kwam en het straatje naar de achterdeur opliep.

Geen stap ging ze hem tegemoet en toen hij zacht de kamer inkwam, in de stellige verwachting haar nog slapende te vinden, keek ze met iets van afweer naar zijn ontdaan gezicht.

,,Is u al op?" vroeg hij met een vreemd matte stem.

Ze gaf geen antwoord en bleef hem aanzien.

,,Wat is er met Joop?" ontsnapte dan aan haar strakke lippen.

Dirk zag de kamer rond en naar de bedstee.

,,Is pa er niet?" vroeg hij, als om tijd te winnen.

Ze schudde het hoofd en herhaalde haar vraag.

Toen vertelde hij hoe hij ruim een uur geleden door de politie was gewekt, omdat Joop op weg naar huis een ongeluk was overkomen.

,,En?" vroeg ze enkel.

,,Hij is lelijk terechtkomen," zei hij.

,,Is 'ie puur bezeerd? Waar? En waar is 'ie nou?"

,,Hij is met zijn hoofd tegen een boom sloegen."

Ze sloot de ogen.

,,Ben je bij 'm weest?"

Hij knikte stil.

Een reeks van vragen welde haar naar de lippen, want elke vraag en elk antwoord betekende een weinig uitstel, dàt te vernemen wat zijn gezicht haar boodschapte. Maar Dirk maakte dit onmogelijk, want hij, die stille gesloten jongeman, hij viel in zijn vaders stoel neer en begon opeens onbedaarlijk te snikken. Dit brak haar verstarring. Ineens was ze naast hem en legde haar arm in het oeroude troostende gebaar om hem heen.

,,Stil maar, zeun," suste haar hortende gebroken stem, ,,vertel het me maar. Toe maar, mijn joôn."

Hij trok haar dicht naar zich toe en zo vernam ze dat haar liefste zoon gestorven was. En hoe . . .

Wilde, radeloze smart woelde in haar rond en drong haar tot een uiting: doch één gedachte hield haar nog volkomen in bedwang: ,,Wil je het pa ok zegge?" fluisterde ze moeilijk.

Klaas . . . Hoe moest Klaas dit vernemen?

Hij gaf dadelijk toe en liet haar los.

,,Maar u ken toch niet alleen blijve?" zei hij bezorgd.

Ze knikte heftig.

,,Gaan maar dadelijk, zeun."

Dirk gehoorzaamde. En toen hij door de boomgaard liep, zonk zij ineen op de vloer en klaagde jammerend haar leed uit in een luid opstandig schreien, tot dit uiteindelijk enige verlossing bracht.

16

„Blijf julle nou niet meer zolang bij ons vandaan?" vroeg Marie aan
Jan en zijn verloofde, toen die na Joops begrafenis weer naar Rotterdam teruggingen.

„Nee hoor moe, beslist niet," had hij grif beloofd, maar Willie had
gezwegen en toen wist Jan dat hij die belofte niet geheel inlossen
kon, hoe graag hij dit ook wilde. Want juist nu, in deze enkele
droeve dagen, had hij gevoeld hoe nauw hij nog met zijn tehuis verbonden was. Hoe had hij er niet tegenop gezien om hierheen te komen na wat Dirk hem telefonisch had meegedeeld. Maar het moest
en dus ging hij. Willie zou een dag later komen, die kon zo ineens
niet uit haar werk weg.

Onderweg ging hij eens na in hoe lang hij Joop en zijn ouders niet
had gezien. Het was bijna een jaar. Na Ankie's dood had hij hen
slechts eenmaal een kort bezoek gebracht. In hun vakantie zouden
ze weer komen, was gezegd, maar Willie had voor die week heel andere plannen en hij kon zijn wil nooit sterk tegenover de hare stellen
en dus gingen haar wensen altijd in vervulling, hoezeer hij soms ook
verlangde naar de bezadigde rust van het dorp, de hoeve, de boomgaard en het wijde veld.

Het was met een bedrukt gevoel van schuld dat hij eergister het gele
klinkerstraatje betrad dat naar de zijdeur voerde. Treuzelend had hij
die geopend, in de stellige verwachting hier alles verward en geheel
ontredderd terug te vinden na dit vreselijk gebeuren.

Maar vader en moeder kwamen hem zelf tegemoet en al vertoonde
hun gezicht ook duidelijk de sporen van ontzetting en verdriet en
al was elke klank uit hun stem weggevaagd, ze waren hartelijk voor
hem en dankbaar voor zijn spoedige komst. Binnen enkele uren voelde hij zich weer even thuis als vroeger. Over alles wat er te bespre-
ken en te regelen viel werd ook zijn mening gevraagd, en hoe stil en
afgetrokken moe ook was, ze haalde zijn eigen theekopje uit de
pronkkast en zette bij elke maaltijd het mosterdpotje naast zijn bord.
En dat terwijl in huis niemand anders dit gebruikte. Het leek hem
soms toe of alles nog bij het oude was, als de gesloten kist maar
niet in de voorkamer stond en de gesprekken anders waren. Nu zei
moe soms zomaar ineens: „Hij wuifde me nog zo blijd toe eer 'ie
wegging. Had ik toch maar wete kennen dat het voor het lest
was . . ."

En vaders klankloze stem vulde aan: „Dat ik 'm nooit meer wat
zegge ken en 'm niet meer zien . . ."

Dirk trok even met zijn mond. Die hàd Joop nog gezien.

En grootvader Veld zuchtte over de twee jonge mensen hier in huis, bij wie het heerlijke leven was verstild in de dood, terwijl hij en zijn vrouw hun stramme lichaam nog moeizaam voortsleepten.

Nu was het voorbij. Hilda, de verloofde van Dirk, had voor moe alles in huis weer in zijn oude toestand gebracht, en de dingen waarvan ze wist dat ze aan Joop hadden behoord in de opkamer geborgen bij die van Ankie. En Willie en hijzelf vertrokken weer. Een handdruk voor pa, een zoen voor moe en elk ging zijn eigen weg.

Wat is het nou leeg en stil, dacht Marie in die dagen die op Joops begrafenis volgden. Het is nog veul erger as nadat Ankie weg was.

Ze vergat dat ze nadien nooit meer gezongen had en dat nu ook haar lach verstorven was, zodat geen klank het huis meer vervulde, noch de echo ervan. Die leegheid en stilte heersten niet enkel onder het ruige dak, doch diep in haarzelve. Ze had een zware klap gehad en was nog wat versuft. Het ware begrip van het gemis moest nog komen. En ze had ook nog teveel zorg om Klaas. Want Klaas had niet gehuild nu. Wel had hij zijn leed tegen haar uitgeklaagd over die laatste ruzie en dat Joop toen na een verwensing van hem woedend het huis verlaten had. Gelukkig kon zij hem herinneren aan zijn lachend gezicht en de groet van zijn hand toen hij wegreed en aan zijn spontane gewone manier van doen na elke twist.

„Julle mene het immers nooit zoas je het zegge," troostte ze moeilijk.

En nu stond Klaas voor haar met de papieren van Joop in de ene en zijn geld in de andere hand. Ook dat wat die vreselijke motor had opgebracht. Dit had Dirk gelukkig afgewikkeld.

Klaas zei stroef met een dikke stem: „Joop wou altijd dat je elektrisch koke zouwe, nou ons gas zo slecht wordt, en daar hewwe we oftig woorde over had. Ik hew docht dat jij het nou maar van zijn geld kope moste. Dat zou hijzelf ok vast hewwe wille, geloof ik."

„Goed," fluisterde ze en nam het geld eerbiedig van hem over.

En toen Klaas weg was schreide ze om dit, Joops laatste geschenk; en kreunde in een smartelijk hevig verlangen naar hem.

Zelf kòn zij dit niet in orde maken. Dat deed Hilda, het vriendelijke, hartelijke vrouwtje van Dirk. Marie hield van Hilda, en de wetenschap dat zij en Dirk in zorg en liefde over haar dachten was haar een kleine troost in haar stil gedragen leed. Ook hùn vroeg ze telkens: „Kom julle gauw 'rs weer?" En dat deden ze graag . . .

Toen het weer staltijd werd wilde Marie beslist dat Hanne de hoekplaats op de korte regel kreeg en Klaas gaf dit dadelijk toe. In die hoek zette hij toch altijd zijn minste vee en daar hoorde Hanne lenigan ook bij.

Want wat wàs het een lelijk dier!

Marie vond dit blijkbaar niet, want iedere keer als ze van de dors naar de koegang ging of andersom, en dan door de smalle gang langs Hanne's plaats liep, gaf ze haar iets. Een vrucht, een stukje lijnkoek of een schijf peen. Hanne wist dit al spoedig en ze herkende Marie al aan de vlugge tik van haar klompen. En verving die Klaas of Cor soms bij het melken, dan stapte ze steêvast eerst bij Hanne op stal. Het was haar soms of dit beest iets van de grote leegte in haar wegnam, doordat ze haar steeds herinnerde aan een strelende jongenshand, een juichende stem en twee donkere vragende ogen.

Hanne bracht haar iets van Joop terug.

Eens bleef ze op een heldere morgen heel stil in de deur tussen de zijkamer en de koegang staan, want in het lage zonlicht zag ze opeens scherp en duidelijk drie paar klompen staan.

Drie paar: netjes op een rij.

Hoe kort leek het haar nog geleden dat daar zeven paar schots en scheef door elkaar stonden en lagen. En van elk paar wist ze toen reeds op het eerste gezicht de drager te noemen.

Die twee die zo mooi schoon waren, de ene wat scheef aan de buitenkant, die waren van Jan; en zulke poepeklompe droeg Dirk altijd. Ankie had die smalle geverfde dingsies, en dat smerige paar met ieder een bandje over de kap en met van één een stuk uit de hiel, dat ware vanzelf Joop zijne. Cor die twee kleintjes vol mest en strootjes. En dan waren er die van Klaas en haarzelf.

Eens zeven... En toen schrok ze soms als er één een vals geluid gaf of een gat toonde, want dat betekende dat er nieuwe nodig waren. Toen was dat een soort ramp. Nu zou het dat niet meer zijn.

Want in deze winter huurde Klaas de Bink en vergrootte daarmee zijn bedrijf volgens zijn plannen van jaren her. Ook loste hij de halve hypotheek af.

Vaak liepen ze samen zo eens over de koegang langs de stallen en dan las Marie aan de balk boven elk drachtig dier de datum waarop haar kalf verwacht werd.

Ook bij Hanne.

En ze wachtte daarop.

Hanne bracht een mooi getekend, flink kalf. Doch toen Klaas rustig zei: ,,Een bultje," ging ze stil weg.

Het volgende voorjaar trouwden Dirk en Hilda en verkocht Klaas drie vette koeien voor een extra hoge prijs. Bovendien was hij bijzonder gelukkig met zijn varkens. Toen hij in het eind van december het trommeltje te voorschijn haalde en de inhoud, al kende hij die ook tot op een gulden, nog eens natelde, toen wist hij zich bijna een vrij man. Want in zijn handen hield hij de last waaronder hij jaren en jaren gebukt was gegaan, het bedrag van zijn laatste grote schuld.

„Nog een weekje, dan ben ik van die nachtvreters af," juichte hij.

„Wil je juist je hele hypotheek aflosse?" vroeg Marie verbaasd.

„Waarom nou niet eerst die duizend gulden van Leendert en dat van Jan de Vries, en de rest naar de bank?"

„Nee. Dat lijkt misschien beter, maar ik wil en zal eerst van die hypotheek of en dat geld van Leendert. Dat van Jan is meer een losse schuld."

„Zo. Schuld of schuld is bij mij aârs hetzelfde, of 'ie los of vast is," vond ze. „Maar je moete het zelf wete 'oor."

En ze knikte hem blij toe, want ze zag zijn bruine ruwe handen trillen van emotie.

Kort daarop begon Cor tegen zijn vader over een betere selectie te praten en Marie hoorde in zijn jonge stem een klank van opperste voldoening.

„We kóme d'r zo," besliste hij. „We fokke nou uitsluitend al best vee, maar dan wordt het prima. Het beste van het beste en daar moete we op an, het gaat zo het gaat. En de rest moet nou maar d'rs opruimd."

„Wie benne dat, die rest?" vroeg Marie ongerust.

Cor noemde een naam, toen nog een. „En dan Hanne vanzelf."

„Hanne?"

De twee mannen keken haar bevreemd aan.

„Ja die," gaf Cor verwonderd toe. „Dat is een smet in onze veestapel om het zo maar d'rs te zeggen."

„Zolang ik hier nog wat heb in te brengen, houwe we die. En as we strakkies een kui van dr' tele blijft die ok an," zei ze, en haar stem was hees van ontroering.

„U is . . ." Cor hield het woord snel terug. „Waarom?" vroeg hij dan.

„Omdat die koe niet van julle is, maar van mijn."

„Oh."

Er werd niets meer over gezegd. Marie nam de krant en deed alsof ze las en de mannen bespraken zacht het werk voor de komende dag.

Die is mijn ok al over het hoofd groeid, dacht ze en ze keek Cor tersluiks aan. Ook die was donker van haar, al had hij niet dezelfde ogen als Dirk en Joop en zoals Ankie die had. Ze waren lichter van kleur en minder diep, maar toch ook niet gelijk aan die van de blonde Jan. Cor was zijn vaders joôn bleven, zijzelf had nooit veul vat op 'm had. Op en top boer, had hij nooit belangstelling voor wat aârs. In zijn oge ware manne as Jan en Dirk van weinig belang in de samenleving. Dat ware immers geen boere. Nou ja, er moste aâre mense ok weze . . . maar hij hoorde daar liever toch niet bij.

„Omdat hulle het niet weze wouë, kon jij het worre," had ze hem eens als een terechtwijzing toegevoegd, maar haar woorden gleden langs hem heen.

Dat wordt, vrees ik, een echte Spijker, dacht ze eens toen ze hem bazig en arrogant tegen een los arbeider hoorde optreden. En een harde Spijker ook.

En deze gedachte deed haar huiveren.

„Twaalf februari" stond groot en duidelijk op de balk boven Hanne's stal.

In de vroege morgen van de achtste hoorde ze het oude melkkarretje snel het pad afrijden.

Een dood kalfie? dacht ze en ze ging na wie van de koeien aan de telling was. Of zou het een schaap wezen? Of een schram?

Onder het ontbijt schoot het haar weer in gedachten en ze vroeg terloops:

„Heb er vannacht of vanochtend een koe kalfd?"

De beide mannen wisselden een snelle blik.

„Ja, Hanne," zei Klaas.

„En?" Verwachting klonk in haar stem.

„Een dood bultje."

„Och, wat spijt mijn dat."

Ze zuchtte even en Hanne werd niet meer genoemd, al gaf die blik tussen vader en zoon haar een gevoel van onzekerheid.

Twee dagen daarna kwam de slager haar bestelling opnemen.

„Belieft u nog wat van de week, vrouw Spijker?"

Ze gaf op wat ze nodig had en vroeg toen:

„En hoe was het kalf?"

„Prima. Wou u er soms nog een pondje frik bij?"

Ze scheen te aarzelen.

„Frik . . . ?" En toen, alsof iets haar in gedachten kwam, „wat was het eigenlijk?"

„Een kui."

„Niet flauwig of zo?"

„Niks 'oor, springlevend en zo goed as wat."

„De moeder is een vale. Was deuz' ok zo lelijk?"

„Nee, het was wel mooi tekend. Nou, wat doene we?"

„We moste het toch zo maar late. Geen frik van de week."

Marie was zwijgzaam gedurende deze lente. Ze onderhield het huis en de tuin en als het nodig was hielp ze met lichte bezigheden in het bedrijf. Daardoor had ze het overdruk en volgde voor haar elke avond schielijk op de pas verschenen morgen. Kwam dan de nacht weer, dan was ze te moe om de breedte en diepte der kloof te meten die Klaas en Cor van haar scheidde. Graasden de koeien op het voorstuk, dan liep ze dikwijls des middags de boomgaard uit en keek naar de trots van de twee mannen, naar de mooie aftekening van het diepe glanzende zwart tegen het helderwit der huiden, en naar hun loom bewegen dat toch iets sierlijks had. Ze kende van alle naam, afstamming, melkgift en vetgehalte daarvan. Ook van de oude, kleine witkop, die het volgende voorjaar weg moest, en van Hanne, wier vaal schonkig lijf toch lelijk afstak bij de andere koeien. Zou Hanne al . . .? Ze had er nog niks over hoord, maar dat beurde oftig, je kon alles niet bijhouwe en ernaar vrage stond 'r te hoog na wat ze van 't voorjaar daan hadde. Maar as Hanne weer zowat an de telling was, dan zou ze wel zorge erbij te wezen as het kalf geboren werd, en as het weer een mooi kuitje was, dan mòste ze het houwe, zin of geen zin. Wat drommel, het beest was altijd een best weest wat gift en gehalte angaat, en daar was op den duur wel wat goeds uit vort te telen. Hanne werd al wat ouwer en over twee, drie jaar was het misschien te laat.

Klaas wist niets van haar gedachten. Haar zachte, zonnige vrolijkheid en haar nooit falende zorgen waren door alles heen gebleven en nooit deed een van hen een vergeefs beroep op haar kracht of haar liefde. En zoveul as nou had 'ie nog nooit an zijn hoofd had, dacht ze. Cor praatte opheden nooit aârs as over allerhande nuwigheid, waar 'ie vroeger geen begrip van had. Het was een Jacobsladder of een combine, of hij had het over selectie en inseminatie en bodemonderzoek en juiste bemesting en Joost weet wat allegaar meer. En die joôn leerde maar en las maar en besprak dat dan later met hem. Ja, die Cor dat werd nog 'rs een boer. En het bedrijf dat floreerde erdeur. Jan de Vries had nou ok zijn cente terug en hij begon al een aardig bedrijfskapitaaltje te vormen. Niet meer in het ouwe trommeltje, maar op de boereleenbank.

Ja, Klaas was zielsgelukkig deze laatste jaren, en Marie koesterde zich in zijn geluk, al was het dan ook het hare niet. Zij wist haar hoogste geluk voorbij na de dood van Ankie en Joop, maar ze zamelde de resten zorgvuldig bijeen om die te behouden en ervan te genieten.

Heel lang stond ze dan soms te dromen bij het hek van de boomgaard, tot een blik naar de zon haar waarschuwde terug te gaan. Dan wandelde ze tussen de stammen in de koele schaduw, blikte omhoog in de koepels van groen en speurde naar het groeiende fruit. Bij de oude jut toefde ze altijd even en legde haar hand tegen diens ruwe stam. Cor had het erdoor gekregen bij Klaas: de jut moest deze winter om.

Toen Dirk hem dit vroeger eens aanraadde, was één zachte wenk van haar voldoende om de jongen te doen begrijpen hoezeer zij daartegen was en had hij er nooit meer over gesproken. Maar Cor? Die haalde zijn schouders op en telde zelfs haar woorden niet. Moe leek wel niet wijs met haar conservatieve ideeën. Die boom was onrendabel en moest er nodig uit. Meer dan nodig. In zijn plaats konden wel vier andere staan. Klaas was het er natuurlijk mee eens.

Bij de herinnering aan dat uur trok trok een smartelijke lijn om haar mond. Zou het nu met Joop en mijn vroeger ok zo weest hewwe as nou met hulle? peinsde ze. Nee, beslist niet. Dinge zoals met dat kalf en nou met deuz' boom zou Joop nooit daan hewwe. Al kon die het nooit goed met Klaas rooie, zuk zou 'ie 'm toch nooit andoen.

Joop en Cor . . . Vergeleek ze die twee niet teveul? En kwam haar jongste er dan niet wat bekaaid of? Cor mocht 'r oftig bezeren, maar had Joop dat ok niet meer as eens daan? En dede ze dat niet allemaal op zijn tijd? Behalve Ankie dan . . . Cor was toch een oppassende joôn? Voetballe en schake ware zijn enigste liefhebberije voorlopig en verder leefde hij voor het bedrijf. Most ze daar niet meer as dankbaar voor weze?

Licht speelde de wind door de hoge wijde kruin van de oude boom, tegen wiens stam ze leunde. Het geritsel der bladeren werd haar tot klanken en beelden van al de weelde die het leven haar op deze plek eens geschonken had.

De kerkklok sloeg.

Al zó laat? Haastig ging ze naar huis, waar de plicht riep.

Die herfst kwam er weer een hoekje vrij en Klaas besloot ook dàt te huren.

„Dan mogen we wel een vaste werkman neme," vond Cor. „We kunne ons werk nu al haast niet aan met meestentijds een losse arbeider erbij, dus dan helemaal niet meer."

„Nou, dan doen we dat. Ik had er ok al over docht," gaf Klaas dadelijk toe. „Wel, wel, ik een werkman . . ."

„Je hewwe hier vroeger toch al d'rs een vaste knecht ok had," bracht Marie hem plagend in herinnering.

„Nou ja, toe . . ." Klaas lachte zuinig en wuifde afwerend met zijn hand. Hij wilde niet graag meer aan die tijd herinnerd worden. Voor hem telden slechts het heden en de toekomst. Die van Cor en hemzelf en hun bedrijf. Verder niets. Want de geboorte van het eerste kindje van Dirk en Hilda interesseerde hem maar matig, omdat hij juist die dag een zeldzaam mooi stiertje had geteeld, dat voor de toekomst veel beloofde. Iets wat Marie geërgerd deed uitvallen:

„Je vaders belangstelling gaat ophéden meer uit naar stamboekvee as naar familie, 'oor Dirk. Misscnien zou 't 'm meer zinne as het een Klaas Spijker worren was. Een Ankie scheelt 'm minder."

Zodra ze gezegd waren had ze spijt van deze woorden. Klaas keek haar zo vreemd aan, net alsof ze hem bezeerd had. Hij zei echter niets terug en Dirk had verder, als zo dikwijls, met haar alleen het gesprek voortgezet. Wel trachtte Klaas het 's avonds weer goed te maken met een voorstel om samen met een auto de kraamvrouw te bezoeken, maar het smartelijke gevoel nam hij niet uit haar weg. Dat bleef groeien tegen haar wil.

Toen na de grote Hoornse Koemarkt het vee weer gestald was vroeg ze, terwijl ze over de koegang liep:

„Moete de datums van het kalven niet meer an de balken staan?"

Klaas zei niets, en Cor antwoordde onverschillig: „Welnee, ,moe, dat hoeft toch niet. We hewwe immers alles te boek staan?"

„En verleden jaar dan?"

„Och, toe heb pa het zomaar nog 'rs daan."

Klaas nam de bezem en begon hier en daar wat gemorst stro bijeen te vegen en Cor wilde naar de dors gaan, maar ze hield hem staande. Ze voelde dat er iets niet in orde was.

„Wanneer moet Hanne kalve?"

Met duidelijk getoonde verbazing keek hij haar aan.

„Hanne? Maar die is toch geld bleven?"

Marie voelde zich verstijven in drift en het bloed steeg haar heet naar de wangen.

„Hoe ken dat nou?" vroeg ze ruw.

Hij trok met de schouders.

„Ik weet het niet 'oor. Ouderdom denk . . ."

„Lieg me niet nog 'rs voor, Cor. Denk je dat ik niet weet dat dat dooie bultje van dut voorjaar een mooie levende kui was?"

Klaas liet zijn bezem rusten en zag haar verbijsterd aan. Op zo'n toon vol versmoorde woede had hij zijn vrouw nog nooit horen spreken.

„Denk je dat ik toe niet begreep wat jullie van plan ware?" ging ze door. „Al wou ik nòg zo graag die koe van Joop en later één afstammeling ervan houwe, nee, dat soort paste niet meer in jullie veestapel en ze moest en zou eruit. Hoe durve jullie me dat an te doen, en dat enkel om je vervloekte groôskigheid. Nou, julle benne een paar echte Spijkers 'oor." Ze beet hun deze laatste woorden toe.

„Maak er asjeblieft niet zo'n drama van," zei Cor grof en brutaal, om zich een houding te geven. „Pa en ik wille de veestapel op zo'n hoog peil brenge as maar mogelijk is, en dat is iets waar u geen begrip van heb en daar moet u zich niet mee bemoeie ok."

„Pa . . . en . . . jij . . . ," zei ze langzaam.

Nu kwam Klaas naar haar toe.

„Kom, Rie, maak je niet zo overstuur," suste hij, „het ging toch om best."

„Dat „best" moste we er maar aflate, niet?"

„Och wat geeft al dat gekift," zei Cor ongeduldig, „het is nou toch eenmaal zo."

„Je hewwe gelijk. We prate er niet meer over." Zonder man of zoon meer met een blik te verwaardigen liep Marie naar de deur.

Heel die winter heerste er een lichte spanning in de huiskamer door de afwerende houding van Marie, die geen enkele toenadering duldde. Cor ontliep haar zoveel hij kon en Klaas wierp zich op het werk als een jonge kerel, terwijl hij zijn avonden dikwijls bij Gerrit en Sijtje doorbracht. Meer nog dan de twee vorige winters verwende Marie haar vale koe met lekkere hapjes en ze molk, toen dit nodig was, nog een paar keer mee. Over de verkoop van Hanne en de bedongen prijs werd in haar bijzijn nooit gerept, maar toch wist ze dag en uur waarop Hanne gehaald werd. En toen ze die morgen, staande bij het schut, de grote goedige kop nog eenmaal streelde, toen nam ze afscheid van meer dan enkel van een laatste levende herinnering aan Joop.

Zodra Klaas met het geld dat Hanne had opgebracht naar huis kwam eiste ze dit op. Verbluft zag hij haar aan.

„Wat nou?" vroeg hij. „Wat moet jij ermee doen?"

„Dat is mijn zaak. Joop heb die koe indertijd an mijn geven en dat geld komt mijn dus toe," zei ze koel en hoog. En ze hield hem haar open hand voor.

Noodgedwongen, geïmponeerd door haar wijze van doen, gaf hij het over en zag toe hoe ze het met trillende vingers in haar kralen beurs stopte en die weer in haar eigen lade wegborg. Vragend, iets verlegen, keek hij haar aan, maar ze gaf hem zijn blik niet terug, al voelde ze de smeking in zijn ogen.

Wel toonde de rijk bloesemende oude jut haar dat Klaas iets trachtte goed te maken, ze wist echter vrijwel zeker dat Cor ook hierin uiteindelijk zijn zin zou doordrijven. En wat deed dan dit ene jaar ertoe?

Per één mei zou de nieuw gehuurde vaste arbeider komen, maar eind april moest Cor beslist een dag van huis.

„Dan melkt moe wel mee," stelde hij een dag tevoren doodgewoon vast. „Zegt u het haar even?"

„Vraag het zelf maar," wees Klaas dit echter af.

Na het eten schoot het Cor weer te binnen en hij zei zo terloops tegen Marie: „Ik moet morgen naar Hoorn en dan ken ik voor melkerstijd niet terug weze. Melkt u dan effies voor me?"

Ze keek hem verwonderd aan.

„Ik?" vroeg ze koel. „Waarom?"

„Nou . . ." Haar vreemde houding benam hem iets van zijn zekerheid. Ze verving hem of zijn vader steeds vanzelfsprekend. „U doet het toch altijd?"

„Dat dééd ik, ja. Maar nou mag ik me niet meer met julle boerderij bemoeie immers? Je kenne dus beter een aâr vrage, zeun."

Het laatste woord zei ze met veel nadruk.

„Maar moe . . . het is nog maar voor één keertje?" vroeg hij bedremmeld. „Over een paar dagen komt Jacob en dan hoeft het niet meer."

Ze trok de wenkbrauwen iets op en schudde het hoofd, zodat de nu sterk grijzende krulletjes bewogen.

„Nee mijn joôn. Ik kijk geen koe meer an," zei ze rustig en beslist.

„Dat is ok wat. Wat moet ik nou morgen?"

„Thuis blijve of een aâre melker zoeke, want op mijn hulp heb je niet meer te rekenen."

„En dat enkel om die ene lelijke vale koe," viel hij bitter uit.

„Nee Cor. Niet om die koe. Het is omdat jij het ernaar maakt hewwe."

Cor keek haar verwezen aan. Hij begreep er niets meer van. Zover zijn herinnering reikte had moe altijd met plezier voor hem klaar gestaan; nooit was iets haar teveel geweest en met een grap of een kwinkslag maakte ze de minst aangename karweitjes tot een pretje. Ook was ze immer vol belangstelling geweest voor alles waarvoor hij haar aandacht vroeg. Wel was haar houding de laatste maanden sterk veranderd, maar dít had hij niet verwacht.

Hadde ze maar niet beter daan as ze dat vale mormel houwen hadde? Of, beter nog, dat kalf van verleden jaar . . . Dat was toch zo gek niet weest?

Maar buurvrouw Bruin had er zo ijselijk de gek mee stoken, toe vader vertelde dat moe juist zo gek met die koe was . . .

„Dan kan je toch weer zien dat je vrouw geen echte boerin is, éé. Die benne toch in de regel meer op het bèste vee steld. Gerrit zou raar opkijke as ik zó'n scharminkel stond te aaien."

„Heb u Hanne wel d'rs zien?" had hij gevraagd en toen zei ze: „Ik? Welnee. Maar Gerrit en Wullem Hauwert hewwe me er wel zoveel over verteld dat ik best weet hoe die er uitziet. Het is bepaald wel wat raars . . ."

Die woorden hadden hem ertoe gedreven om zijn vader over te halen Hanne weg te doen tegen zijn moeders wil.

Maar as Cor alles vooruit weten had . . .

17

Jan trouwde en ze reisden gezamenlijk naar Rotterdam. Toen ze haar handtekening zette wist Marie dat ze daarmee van deze zoon ook een soort afscheid nam, want van nu af aan zou ze hem zelden meer zien. Tenzij dit jonge paar hen nodig had . . .
Toen ze weer opzag zochten haar ogen onder de vele aanwezigen in de grote trouwzaal Dirk. Vreemd toch dat die kalme, stugge jongen haar in de laatste paar jaren zo lief geworden en zo nabij gekomen was. Twee kinderen had de dood haar ontnomen en vandaag stond ze haar oudste voorgoed aan het leven af. Cor had ze zo goed als nooit bezeten, die wendde zich uitsluitend tot zijn vader met al wat hem hinderde of interesseerde, doch Dirk, die er vroeger altijd zo'n beetje bijliep in de schaduw van Jan en Joop, Dirk was nu haar àlles geworden. Hij en Hilda en de kleine Ankie. Hilda was het die haar in het volle leven trachtte te halen. Zij drong haar mee te gaan naar een film, een toneelvoorstelling of een Nutsavond. Zelfs was ze op haar verzoek nu lid van de Bond van Plattelandsvrouwen geworden. Het was de vrouw van Krelis Hauwert met wie ze daar geregeld heenging en met wie ze nu dagelijks prettig omging. Dat stijve mens bleek meer verlegen dan trots of stuurs te zijn. Nu ze zoveel meer vrije tijd had als voorheen was ze zelfs ook begonnen te lezen; kranten en tijdschriften en soms ook een boek. Dat bracht de gedachten op andere dingen dan de eigen kring. Niet dat het haar zoveel scheelde wat er in de grote wereld omging, maar nu wist ze er tenminste iets van als Klaas en Cor ergens over spraken en haar lieten merken dat Sijtje er ook van wist.
Ja, haar leven was wèl veranderd in de laatste jaren en niet met alles ten goede, vooral niet wat haar huwelijk betrof. Want sinds het gebeurde met Hanne leefden Klaas en zij vrijwel als vreemden naast elkaar. Dit was tussen hen niet bijgelegd. Alles had ze aanvaard, zelfs dat hij, nadat Joop begraven was, tòch weer naar de buren ging en er later Cor ook mee naar toe nam. Maar dat hij haar zó weinig telde, haar en haar gevoelens, dat kòn ze niet aanvaarden. Dat had iets in haar vernield.
Soms, in de kerk, als de plechtige rust daar haar omving en ze luisterde naar de stem die vanaf de kansel woorden sprak die haar vaak troffen en diep in haar iets wekten, nam zij zich voor om de gebroken banden weer op te zoeken en vast te knopen, maar thuisgekomen was één woord van Cor al voldoende om dit plan weer op te

schorten. Want Cor spotte graag en dikwijls met haar kerkgang. Zelf wilde hij van kerk noch godsdienst weten; daar was hij, volgens zijn zeggen, te verstandig voor; hij wist wel beter.

„Jullie weten niet wat er onder ons jongeren allemaal leeft," zei hij vaak.

„O ja. Voetbal . . . ," zei Klaas dan droog.

„Dat bedoel ik niet. Behalve sport is er meer dat ons interesseert," verweerde Cor zich dan heftig. „Wij wille vernieuwing op elk terrein; het oude heeft afgedaan en daar hoort de godsdienst ook bij."

„Vind je?" had ze eens gevraagd. „Pas dan maar op, zeun, dat het leven jou nog niet 'rs op je knieë dwingt op de een of aâre manier. Jij hewwe je leste hemd ok nog niet an. En dan wordt het lenigan tijd dat vader de Bink ok maar opgeeft, niet . . ."

„De Bink?"

„Ja, mense die er zo over denke as jij, redde d'r eigen wel op een aâre manier denk ik. Ik meen me aârs te herinneren dat vader er indertijd best mee in 't zin was."

„Maar u denkt toch niet dat ik me daarom an de kerk verbind?"

„Laat maar ruste vrouw," zei Klaas toen gemoedelijk. „Het verstand komt met de jare en later zal Cor zelf zijn weg òk zoeke moete net as alle aâre mense. En hoe 'ie dat wil is zijn zaak."

En dus liet ze het maar rusten en sprak ze er niet meer over. Ook niet tegen Jan toen ze hoorde dat die het volgens Willie te druk had om naar de kerk te gaan. Slechts Dirk was haar voorbeeld trouw gebleven en het was voor haar een troostvol moment toen ze zijn dochtertje in de kerk aan Hilda overgaf en voor de tweede maal in haar leven „Anna, ik doop u . . ." hoorde uitspreken tegen een dochter van haar eigen bloed; en voor het eerst na Ankie's dood zong haar stem de heilbede over de pasgedoopte kinderen mee.

De kastanjes voor het huis bloeiden in hun rijke pracht en het hoge dak der hoeve ging zich weer verschuilen tussen het dichte gebladerte der bomen. Marie was schoon en op stel en ze doorliep nog eens alle vertrekken om te zien of alles op zijn plaats stond. Ieder meubelstuk had voor haar een eigen geschiedenis. Het was alles ouderwets, zoals het was in de eerste tijd van hun huwelijk. Met zorg had ze steeds meer bijgekocht op de boelhuizen en zo alle kamers bemeubeld en gestoffeerd voor weinig geld, terwijl het toch een passend geheel bleef. Cor spotte er vaak mee en wilde ook dit moderniseren. Maar Klaas had gezegd:

„Nee mijn joôn, dat past niet meer bij ons. Oud bij oud. Jij kope as je trouwd benne maar wat jij mooi vinde 'oor."

Dit had haar goed gedaan. Het was zo lang geleden dat Klaas haar ten volle bijviel. Meestal stond hij recht tegenover haar naast de jongen, of hield hij zich afzijdig.

De hooitijd naderde. Ze hoorde eerst het tikkend geluid van de maaimachine, dan het lichte gerinkel van de combine en later het zoemen van de Jacobsladder. Toen was het dat de geur van het hooi haar gedachten een wijle terugvoerde naar de dors van Piet Klaver, terwijl Klaas in het ontvanggat stond en het hem toegestoken hooi doorgaf naar boven. Die dag van het leste sjouw ... En ze hoorde weer het oude wijsje boven haar hoofd in de schemering zoemen: „O, Suzanna, wat is het leven schoon ..."

En ze vergeleek de hooitijd van toen bij die van nu.

De arbeider bleek een kalme, keurige man, die ze graag mocht lijden, en ook Klaas kon uitstekend met hem overweg. Maar die liet veel dingen aan Cor over, en die ...

O, die toon, dat bevelende in zijn stem en dat krenkende in zijn woorden als hij de oudere man iets opdroeg ... Klaas scheen het niet eens te horen, terwijl het bij haar telkens een huivering van drift teweegbracht.

„Je moete Jacob niet zo kommandere, zeun," zei ze eens op een avond tegen hem.

„Ik dien 'm toch te vertellen wat 'ie doen moet," protesteerde hij.

„Goed. Je moete het 'm vertelle, net as je zegge."

„Moet ik er soms ok nog asjeblieft bij zegge misschien?"

„Ja, spot je ermee. Maar ik ben vroeger d'rs om minder vet raakt as wat jij nou doene."

„U?" Het klonk ongelovig.

„Ja, ik."

En Marie vertelde van vroeger, toen ze nog diende, en Klaas kwam ook los en vertelde van zijn leven in die tijd en van dat van zijn vader.

Maar Cor scheen dit niet graag te horen.

„Dat is allemaal al zo lang leden," zei hij stijf.

En hij wijzigde zijn houding niet. Tegen Jacob niet en tegen niemand. Naarmate het bedrijf opbloeide groeide zijn air.

Dat Leendert, de kleine schoenmaker, elke week bij zijn moeder in de kamer gezellig aan de thee zat, werd hem ten slotte ook te bar. Moe deed tegenover alle leveranciers veel te vriendelijk, maar tegen die rare vent vooral. En juist daarom behandelde hij die mensen nog meer uit de hoogte.

Maar eens, toen hij getracht had Leendert te kleineren, werd het Marie te erg en nog diezelfde middag nam ze hem onderhanden. Klaas, die er niet bij was toen hij Leendert bespotte, was stomverbaasd toen ze tegen Cor uitviel:

„Het stond je vanmiddag zoet of ik had je een draai om je oren gegeven, snotneus! Hoe durfde jij Leendert voor de gek te houwen?"

„Wat doet u ook met dat halfwijze ventje hier alle weke an tafel?

198

Als er toevallig een fatsoenlijk mens bijkomt, schaam ik me dood. De bure lache ons erom uit, het is wat moois," zei hij mokkend.

„Welke bure? Gerrit Bruin zeker wel?"

„Ja. En ze hewwe nog gelijk ok."

„Zo. En as ik je nou vertel dat ditzelfde halfwijze ventje ons onge-vraagd 'rs duizend gulden leend heb om onze ergste schulde of te doen, en dat het heel lang duurd heb eer 'ie ze terugkreeg . . . En dat jare lang hier alle neringdoende geld van ons krege . . . zou je dan voortaan nòg geen toontje lager zinge?"

„Zo erg?" Het klonk ongelovig.

„Nog erger. We stakke er soms in as de armste van de arme, en dat ware we ok. Hou daar voortaan rekening mee, asjeblieft. En ver-geet nooit dat je ene grootvader boerewerkman was en de aâr schoenmaker, zeun. En vergeet ok nooit dat die bure, waar jij zo hoog mee lope, je broer de dood injaagd hewwe, omdat 'ie hulle te min was."

Cor antwoordde niet. Hij stond op en verliet met een hoogrode kleur de kamer. Marie keek hem na en toen ontmoette haar blik de woedende ogen van Klaas.

„Het lijkt warempel wel of Cor in jou oge geen goed doen ken," voer hij uit. „Je moste je schame om 'm zo te kleineren. Het is toch veul beter dat 'ie zuk nooit te weten komt. Jij met je ouwe koeie al-tijd. As je maar op 'm hakke kenne, éé, dan ben jij tevreden. Dat die joôn alle dage hard werkt om mijn bedrijf omhoog te brengen en dat die aâre m'n in de steek liete, dat scheelt jou niet. Wat scheelt jou eigenlijk wel? Niks toch zeker? Jij blijve op hetzelfde punt staan waar we twintig jaar leden ok stonde en daar hore we niet meer. Het wordt tijd dat je dat 'rs inziene. En wat je over Joop vertelde is niet eens waar òk. Die is doodraakt omdat 'ie met z'n dronken lijf op de motor zat."

„Klaas!" Dit was een gesmoorde klacht van ontzetting, maar hij ging door:

„Zeg jij dan maar d'rs dat het niet zo is."

Al hadden zijn woorden haar gepijnigd en gestriemd als slagen, toch bleef Marie betrekkelijk kalm. Maar haar stem klonk diep en smar-telijk toen ze zei:

„Waar jij ophoden bijhore weet ik niet, maar ik blijf die ik altijd weest ben. En de mense die ons vroeger uit de brand holpen hewwe, blijve altijd mijn vriende. En daar horen Gerrit Bruin en zijn vrouw niet bij. Riek lag hier vroeger thuis; heb jij 'r later ooit bij ons zien? En was Joop niet te arm voor d'r om met 'r te verkeren, maar wel goed genog om zijn leven te vernielen? Maar al trappe ze je hele ge-zin in de grond, dan gaan jij nog naar Sijtje toe. Denk je dat ik niet weet hoe ze zo stiekemweg Cor en jou teugen mijn opzet en mijn kleineert? Ik ken het an jullie houding teugen me voele as jullie daar weest benne. Maar het scheelt me weinig meer. Joopt komt er niet door terug . . ."

„Ja, Joop, Joop . . . Dat is voorbij, ja . . . Cor mocht wille dat jij nou zo teugen hem ware as vroeger teugen Joop."

„En ik wou dat Cor teugen mijn maar half zo was as die," bracht ze nog uit eer ze Klaas alleen liet met zijn woede en zijn bitterheid.

Twee dagen liepen ze als vreemden langs elkaar heen. Klaas bleef zo lang mogelijk aan het werk, tot de schemering hem naar binnen dreef, en Cor bracht in deze tijd de avonden grotendeels op het sportveld door.

Zo kwam het dat Marie alleen in de zijkamer zat, en terwijl ze strak in de tuin staarde een plan opvatte dat haar een uitkomst scheen. Ze verlangde naar huis. Zij, vrouw, moeder en grootmoeder, zij verlangde naar het eigen ouderhuis. Dirk en Kee waren oud, stokoud, maar bij hen zou ze misschien een oplossing vinden voor deze onhoudbare toestand.

Ze wou de plaats zien waar ze gediend had en de linde voor de herberg en de plek waar eens Driehuizen was en het raadhuis waar ze trouwde . . .

Ze ging morgen al . . .

Toen Klaas in de kamer kwam en tegenover haar ging zitten zweefde door de open tuindeuren de zoete geur der muurbloemen naar binnen en de roepende stemmen der trainende jongens waren duidelijk hoorbaar. Marie zat naast de theetafel en de schijn van het oude theelichtje viel over haar breiende handen.

„Wil je thee?" vroeg ze na een poos.

Hij gromde een instemming. Ze schonk hem in en reikte hem het volle kopje toe.

„Ik wou morgen maar d'rs naar huis gaan," zei ze toen langzaam met nog die diepe klank in haar stem.

„Naar huis?" vroeg hij ruw.

„Ja, naar mijn ouwelui."

„Zo, te gast of om de thee?"

„Te warskip. Ik zal wel zorge dat er voor de eerste twee dage eten klaar staat en verder moete jullie je maar wat redde."

Klaas zei niets meer en vroeg ook niets. Marie breide stil door aan het kinderjurkje voor haar kleindochtertje. De duisternis werd àl dieper en de schijn van het lichtje werd een wijde kring.

„Hoe laat gaan je?"

„Met de bus van halftien."

„O, nou, ik gaan te bed. Welterusten."

Het is goed dat ik een tijdje weggaan, dacht ze. Zo ken het niet langer met ons.

Ze breide kalm door tot Cor thuiskwam.

„Zit u nog in het donker?" vroeg hij.

„Ja, doen het licht maar an 'oor."

Ze knipperde even met de ogen toen dit haar ineens overviel.

„Waar is pa?"

„Die slaapt al. Wou je nog wat eten of drinke?"

„Graag van alles."

Ze bracht het hem en vertelde dan dat ze uit logeren ging. En ook hij vroeg ontstemd:

„Wat moete wij dan?"

Ze gaf hem aanwijzingen waar alles stond en hoe 't moest.

„Schrijf alles liever op," beval hij. „Het is mijn te veel om te onthouwen."

Toen ook hij naar bed was bleef ze nog heel lang zitten, om te luisteren naar de stemmen uit het verleden en te dromen van de beelden uit de voorbij jaren, eer ze de tafel afruimde en alle deuren sloot.

's Morgens ging alles zijn gewone gang in het stil geworden huis. Maar toen het werk aan kant was kleedde Marie zich en pakte in wat ze nodig dacht.

„Moet je nog geld mee?" vroeg Klaas toen hij zag dat ze haar kralen beurs nam.

„Dat hoeft niet, ik red me wel," zei ze.

Toen was het alsof Klaas schrok en luisterde naar een verre stem. Want opeens wist hij dat ze diezelfde woorden hier in deze kamer méér had gezegd en dat dit hem dan prettig stemde in zoverre daar bij hem toen sprake van kon zijn. Nu was dat heel anders . . . Peinzend bezag hij de beurs die daar zo vreemd en verlaten op tafel lag en ook iets in hem opriep.

Doelloos slenterde hij later naar de dors, waar Cor en Jacob peren sorteerden. Juist toen hij aankwam hoorde hij hoe Cor de werkman aanblafte:

„Dat is toch geen sorteren, Jaap. We zitte toch zeker zó in de keur op die manier. Kijk toch een beetje uit, stommerd."

Jacob ging er tegenin en Cor snauwde weer terug.

„Wat is dat allegaar?" vroeg hij en hij nam het geval eens onder de loep. „Het gaat best zo," zei hij dan. Maar Cor was het niet met hem eens en zette juist een grote mond op toen Marie erbij kwam voor een koel en onpersoonlijk afscheid. Toen ze de dors weer verliet zei ze nog over haar schouder:

„O ja, Klaas, wil jij morgen of zo de bek van mijn klerestok effies kleiner make? Die is ok puur te groot."

Hij begreep wat ze hiermee juist op dit moment aanduidde en een fijn lachje verhelderde zijn gezicht en vaagde de norse trek weg.

Marie had warempel nog gelijk ok. Er was hier 'n grootbek.

Maar wegbrengen deed hij haar toch niet; en om zich een houding te geven stak hij zijn pijp aan en leunde al rokend onverschillig tegen het hooischot.

18

Een dag, twee dagen, drie dagen, vier . . .

„Komt moe nooit terug?" klaagde Cor mistroostig. „Dut is geen leven zo. En u is ok al zo mopperig . . . Ik ken niks meer zegge of doen dat goed is. Alles waar moe vroeger over hakte, daar gaat u nou ok al over tekeer."

„Dat is ok erg nodig, mijn joôn. Ik heb je wat veul toegeven, vrees ik. Het zal misschien goed weze as je 'rs een tijdje onder een aâr gane, docht ik vanochtend zo."

„Hoe onder een aâr?"

„Nou, as volontair in de Meer of ergens aârs. Voel je daar niks voor?"

„En hier dan?"

„Dut blijft wel. En je kenne alle weke thuiskome as je wil."

„Nou, ik vind het maar raar . . ."

Mopperend ging Cor naar buiten en spande het paard in om naar het land te gaan. Klaas bleef alleen en overdacht nog eens het plan dat deze morgen bij hem opkwam toen Jacob dreigde weg te gaan. Op staande voet nog wel.

„Ik laat me niet uitvloeke door een kwajongen," had hij gezegd. Het was hem gelukt de man over te halen om te blijven; je had niet dadelijk wéér zo'n goeie werkkracht, maar hij had belove moeten dat zùk niet meer voorkome zou.

Marie had toch wel gelijk had . . . En as Cor in het leven over alle kante slage zou, moest 'ie eerst lere om met verschillende mense om te gaan. Hij was wel wat te veul over het paard tild bij 'm. Daarom most 'ie maar zo gauw mogelijk de deur uit om dienen te leren. En as 'ie of en toe 'rs goed op zijn plaats zet werd op een knappe manier, dat zou ok niks hindere. Ze moste maar net met 'm doen as hij guster met Marie's klerestok daan had. Mooi dat Dirk er lest 'rs op uitschoten was of het dienstig was dat Cor een tijdje as volontair ging . . . Dat kwam toe wel omdat 'ie zijn moeder een brutale mond gaf en hijzelf wou er niet zo an, maar nou wist 'ie meteen een oplossing. Ja, Dirk had toe ok nog zeid dat hulle, de oudste drie en Ankie, er vroeger niet over dènke zouwe om 'r ouwelui zo an te spreken as Cor dagelijks deed; en bij wie of 'ie zuk leerde . . .

Wat had die er mirakel van ophoord dat Marie te warskip was.

„Daar weet ik mijn hele leven niet van, dat moe een nacht van huis was," zei hij.

Het was waar. Hij had in zijn trouwen nog nooit één nacht alleen slapen. Nou Marie er niet was raakte hijzelf zomaar met Dirk an de praat, en die had heel wat dinge ophaald van vroeger; en toe zag 'ie alles door Dirks oge. Hij had toe zó genog an zijn eigen werk en zorg had, dat 'ie er nooit bij stilstaan had hoe zwaar het leven voor Marie was en wat de joôns tekort kwame.

Het was altijd zo vanzelfsprekend weest met Marie. Ze was er altijd as 'ie er nodig had, onverschillig waarvoor, en ze redde d'r eigen altijd, geld of geen geld, en geen mens had er ooit een flauw begrip van hoe. En dan zong ze nog het hoogste lied en was blijd en best in 't zin. Volgens Dirk was hijzelf toe puur aârs. Maar in zuk had 'ie eerlijk nooit geen erg had. Hoe oftig was 'ie niet moedeloos weest en zag 'ie nergens meer uitkomst, en alle kere had zij 'm weer opbeurd en weer moed geven in dat sterke vertrouwen, dat 'ie nooit begrepen had, maar waar 'ie uiteindelijk toch alles wat 'ie nou was en had, an danke most.

Het was goed weest dat 'ie 'rs met Dirk praat had. Heel goed . . . Je zagge jezelf en je leven d'rs van een aâre kant.

As dat met die koe van Joop, met die Hanne, nooit beurd was, dan kon 'ie het roer wel een beetje omgooie nou. Cor weg en hijzelf wat minder met zijn bedrijf in de weer en wat meer met zijn vrouw . . . Maar ja, met dat geval had 'ie zijn eigen puur in de vingers sneden. En vergeve deed 'ie het z'n eigen nooit. Hij was ten slotte baas en niet zijn jongste zeun. Nou zat 'ie hier alleen in die grote behuizing waar het ineens zo kil en ongezellig worren was, en het leek wel of alles doel noch zin meer had. Vijftien bunder land had 'ie, deels in bezit en deels in huur. Achttien koeie en tien stuks jongvee lage op het voorstuk te herkauwen, mooie, merendeels zelfs kostbare dieren. En dan wat 'ie daar behalve nog had. Hij kon nou met recht, net as zijn bure, met de duim achter het vest lope. Hij had zijn doel bereikt. Zijn hoogste doel. En hij had een zeun waar 'ie strakkies alles met een gerust hart an hoopte over te dragen. Hij had nou alles wat 'ie maar wense kon en wenst had.

En toch . . . , hij miste teveul van het ouwe.

Scherp zocht zijn herinnering in de beelden die zich de laatste dagen aan hem hadden opgedrongen, en het was hem of die gestalte kregen. Langzaam liet hij de jaren door zijn gedachten gaan, de eerste rijk aan zorg en geluk, de latere zwaar van leed voor Marie. Maar voor hem werd dat leed verzacht door de opbloei van zijn bedrijf en de terugval van zijn zorgen. Voor haar, die weinig om geld en bezit gaf, was echter het leed even zwaar gebleven, misschien zwaarder nog, omdat hij er niet volkomen in deelde. Maar ze sprak er nooit eens over en ze schreide evenmin. Ze was altijd dezelfde, alleen wat stil . . .

Die avond zat Klaas, met een haastige slordige maaltijd, weer alleen in de zijkamer; en toen zijn blik langs de wanden gleed zag hij ineens bewust het portret van zijn moeder, dat daar al jaren tegenover hem hing. Hij bleef kijken en zijn herinnering vulde aan wat zijn ogen niet zagen. Het was weer dat glundere gezicht met de scherpe ogen.

Moeder, die zo'n hekel an zijn familie had . . .

Wat zei ze ok altijd weer?

Het was of hij haar woorden nog hoorde, duidelijk en beslist. En nu . . . meer dan acht jaar na haar dood, nu gelóófde hij die.

Hij zag de Sijtje die ze hem eens voorhield: stiekum, onmerkbaar stokend tussen anderer vriendschap en liefde . . . Hij kende nu de sterke drang van hun bloed, die hen ertoe dreef elkaar te zoeken, al was hij dan ook zijn huwelijksgelofte steeds trouw gebleven . . . Hij had gezwoegd door zijn wil naar grootheid en bezit . . .

En nu hij dit wist, nu had het zijn macht over hem verloren. Maar zou het niet te laat zijn? Had hij zijn geluk er niet door verspeeld?

Lang zat hij in de doodse stilte van het rommelig geworden vertrek, waarin de immer durende tik van de klok verstomd was en de bijna steeds aanwezige schijn van het theelichtje gedoofd.

Zou Marie gauw terugkome of bleef ze daar nog?

Plotseling richtte hij zich iets op.

As 'ie haar d'rs hale ging? Hoe zou ze dat vinde?

Ja, as alles was zoas vroeger, dan had 'ie dat al lang daan. Maar zoas ze nou teugenover mekaar stonde was het puur aârs.

Maar wat drommel, hij had 'r vroeger winne moeten, hij kon het nou toch wéér doen, al zou het 'm lang zo vlot niet meer ofgaan as toe.

Hij had 'r oftig in zijn eigen een zwaluw noemd en zo kon 'ie 'r nog wel noeme, want een zwaluw brocht geluk in je huis as je ze bij je weune liete, maar het ware schuwe vogels, je konne ze moeilijk vatte.

En hij had zijn zwaluw en zijn geluk niet goed genog vasthouwen . . .

Hij most die weer probere te vangen.

Een lachje trok om zijn mond toen hij opstond om zich te verkleden. Want hij wilde nu gaan, vanavond nog. Zo was het immers geen leven voor hem. Cor kon strakkies wel effies een auto bestelle . . .

Maar het verkleden ging hem niet vlug af, en terwijl hij in kasten en laden zocht naar de spullen die hij nergens kon vinden, omdat Marie die altijd voor hem gereed legde, ging de laatste bus voorbij.

Drommels, was het al zó laat? Dan kon 'ie moeilijk meer weggaan. Terwijl hij daar wat verslagen rondkeek hoorde hij een voetstap op de weg, op de straat . . . Een voetstap die hij uit duizenden zou herkennen, en hij snelde naar de koegang, alle deuren achter zich open latende.

„Marie!"

Zijn armen omvingen haar, zijn mond nam de hare; het was of de jaren wegvielen tussen hen.

„Wat ben ik blijd dat je er weer benne. Ik wou je net hale gaan met een auto."

„Ik mocht niet langer blijve van vader," vertelde haar diepe warme stem. „Die heb me vandaag het hele trouwboekie zowat voorlezen en nou weet ik weer goed wat we an mekaar verplicht en verschuldigd benne door de enkele daad des huwelijks. Ik hew mijn les weer leerd thuis."

Ze lachte, en een gevoel van dankbare vreugde doortrilde hem toen dat bekende geluid weer als vanouds de hoge ruimte vervulde.

„En ik leerde in deuze dagen nog wel veul meer as jij, Rie." zei hij langzaam en gedwee.

Met een haast schuchter gebaar nam hij haar kleine hand in zijn grove, vereelte knuist, en zo liepen zij samen naar de woonkamer.